Mary tempête

ALAIN SURGET

LE DESTIN D'UNE FEMME PIRATE

Flammarion

87, quai Panhard-et-Levassor – 75647 Paris cedex 13
ISBN : 978-2-0812-0354-9

PREMIÈRE PARTIE

MARY GARÇON

En 1698, en Angleterre,
sur l'île de Sheppey, qui prolonge l'estuaire de la Tamise

CHAPITRE 1
LA FILLE DE LA LOUVE

Debout devant la mer, Mary.

Dans ses bras, sa poupée. Une poupée de chiffon que lui a offerte un homme au tricorne noir. Dans sa main, une pierre plate. Une pierre à l'angle tranchant qui lui blesse la paume tant la fillette la presse entre ses doigts. Mais elle a besoin d'avoir mal, Mary, pour oublier le vent qui la transperce de son froid.

Du haut de ses six ans, elle regarde la mer. Une mer qui ronfle et fait le dos rond avant d'étaler des coups de langue sur les bancs de sable et de tremper les jambes des ramasseurs de varech.

Un sourire éclaire soudain le visage de la gamine.

– Le voilà ! annonce-t-elle à sa poupée. Willy a eu raison de m'envoyer sur la plage pour surveiller la mer à sa place.

Un navire blanc creuse sa route dans les flots. Il a surgi d'un coup, semblable à une grande mouette brusquement tombée du ciel. Mary ne voit plus que lui sur l'eau. Effacés, les bateaux de pêche pas plus gros que des moineaux ! Le regard de Mary passe à travers les ramasseurs d'algues et leurs charrettes attelées à des bœufs, et il va s'ancrer sur les voiles de la frégate qui pénètre dans l'estuaire.

– Papa est enfin de retour, dit-elle avec l'impression d'avaler des bouffées d'air. Papa revient ! Papa est là ! se met-elle à claironner à la cantonade, appelant les hommes et les femmes à partager le bonheur qui l'étouffe.

Les visages se tournent vers la petite, qui sautille et qui n'en peut plus de crier en hachant ses mots.

– Tu te trompes, lui renvoie une femme en remontant une mèche de ses cheveux. John Davon est parti sur un navire marchand, or c'est un vaisseau de guerre qui rentre à Londres.

Mary ne veut rien entendre. Ce bateau, c'est le bateau qu'elle attend depuis longtemps, celui qui ramène son père ! Les autres voient mal, ils ont les yeux à ras de terre depuis si longtemps qu'ils ne sont plus capables de les lever et de les diriger vers le soleil.

– C'est papa, je vous dis ! hurle-t-elle en serrant ses petits poings.

– Tais-toi donc ! Ton père est mort depuis longtemps !

Mary insiste. Elle clame le retour de son père avec des mots qui claquent au vent. Les hommes haussent les épaules, les femmes se cassent en deux pour reprendre leur labeur et charger les carrioles de longs serpents bruns gluants. La joie de Mary se mue en colère. Comment ? C'est tout ce que ça leur fait, à ceux-là, que son père rentre au bercail après toutes ces années d'absence ? La fillette leur en veut de saper son exultation. Elle plisse son front et lance du plus profond d'elle-même :

– Vous mentez ! Vous êtes jaloux ! Espèces de... de... de chiures de mouche !

Un gaillard se redresse. Il en a plus qu'assez d'entendre la petite piailler.

– Ton père, l'océan l'a avalé ! fait-il en mimant avec les

mains deux mâchoires qui se referment. Le bateau qui le transportait n'est jamais arrivé à destination. Il a coulé lors d'une tempête ou il a été attaqué par les pirates.

– C'est pas vrai! réplique Mary. Il est là, son bateau! appuie-t-elle en montrant le vaisseau qui remonte le rivage. Il va s'arrêter et me rendre mon papa.

Elle court vers la mer et entre dans l'eau jusqu'aux genoux, sûre que son père va lui faire de grands signes avant de se précipiter à sa rencontre. Des silhouettes se devinent sur le pont du navire, d'autres s'affairent dans la mâture, à remonter quelques voiles et à les fixer sur leurs vergues pour réduire la vitesse... mais aucune ne se penche au bastingage pour répondre à l'espoir de Mary. La gamine ouvre la bouche pour appeler, mais elle se tait, déçue, une épine dans le cœur. Son silence est plus fort que la mer. Elle n'entend plus le bruit de bouche que font les vagues, et les mouettes, aphones un instant, lui paraissent grises. D'un gris d'indifférence. Aussi terne que la frégate qui passe.

– Il n'est pas là, souffle Mary... Où tu l'as mis, papa? grince-t-elle à l'adresse de la mer.

Le flot lui retourne une vague chuintante. Une vague qui vient mouiller sa robe et s'étire sur la plage en un sourire d'écume. Moqueur. La vague suivante est plus traîtresse. Elle file sur Mary, se creuse soudain, se cabre et la frappe en pleine poitrine. La fillette chancelle mais ne tombe pas.

– Tu mords comme un chien méchant, mais je n'ai pas peur de toi. Je te dresserai quand je serai grande.

La pierre lui brûle la main. Alors, d'un mouvement ample, Mary la jette contre la mer.

– Tiens! Prends ça en attendant!

– Ça sert à rien! gouaille une voix derrière elle. La mer fait ce qu'elle veut. Elle te bouffera toute crue, foi de Benson!

Mary se retourne. Un garçon âgé d'une douzaine d'années est planté à deux pas derrière elle, la mine narquoise.

– Je me laisserai pas faire! siffle-t-elle.

– Que tu crois! La mer, c'est pas que de l'eau! Y a des monstres dessous, et des pirates dessus. Des requins aux dents aussi grandes que des couteaux, des cachalots aussi gros que des navires, des pieuvres avec des tentacules qui ressemblent à d'énormes serpents...

Mary n'arrive pas à imaginer de tels monstres. Mais les mots sont assez mystérieux, et l'expression de Benson suffisamment explicite pour loger la terreur dans les yeux de l'enfant.

– Quant aux pirates, ils attaquent tout ce qui bouge sur la mer, poursuit le garçon. Ils brûlent les navires, jettent les marins par-dessus bord après leur avoir coupé le nez et les oreilles – pour attirer les requins – et ils se battent entre eux à coups de sabre parce qu'ils ne veulent pas partager leur trésor. Ils sont si terribles qu'ils n'hésitent pas à débarquer pour aller piller les villes le long des côtes.

– Les gens ne se défendent pas? Moi, je leur aplatirais le nez, aux pirates! assure Mary en dressant le poing.

– Personne ne résiste aux pirates. Ils ne laissent que des cendres et des cadavres derrière eux. On raconte qu'aucune femme ne peut en regarder un dans les yeux sans tomber morte aussitôt.

– Alors ils n'ont pas de femme, les pirates?

– Forcément! répond Benson.

– Alors ils n'ont pas de maman, leurs enfants?

– Que tu es bête!

– Tu crois qu'il en a vu, des pirates, mon papa? demande Mary.

Le garçon éclate de rire.

– John Davon peut-être, mais ton père certainement pas!

La fillette ne comprend pas. Davon, c'est le nom de sa mère et le sien. Donc celui de son père !

– Papa va revenir, déclare-t-elle, mettant dans cette affirmation toute sa conviction.

– John Davon n'est pas ton père ! assène Benson. Ça fait huit ans qu'il est parti, juste après que ta mère a pondu Willy. Et toi tu en as six. Alors compte !

Coinçant la poupée sous un coude, Mary ouvre ses mains... Sa mère lui a appris à compter sur ses doigts, mais qu'est-ce qu'il raconte, Benson. Compter quoi ?

– C'est toi qui es bête ! conclut-elle en refermant prestement ses doigts, comme si un secret s'y tenait caché. Maman m'a dit...

– Ta mère peut dire ce qu'elle veut, les années parlent pour elle. Tu t'en rendras bien compte toi-même, plus tard. Ton père, c'est peut-être le marchand de vin, ou le tonnelier, ou le fabricant de chaussures, ou le vendeur d'images, ou n'importe quel berger ou colporteur de passage, va-t'en savoir, avec une louve comme ta mère !

– Hé ! se rebiffe la fillette. C'est pas une bête, maman !

– Tu vaux pas mieux. Fille de louve tu es, louve à ton tour tu seras ! avertit Benson d'un ton sentencieux.

– Ch'uis pas une bête, moi non plus ! répète Mary qui sent gonfler des larmes de rage.

– Qui t'a donné ta poupée ? reprend le garçon.

Mary regarde sa poupée en faisant une moue, la lippe en avant. Ce n'est pas son père, c'est sûr. C'est l'homme au tricorne noir. Elle essaie de se souvenir de son visage, mais il se confond avec d'autres. Avec tant d'autres visages d'hommes qu'elle entrevoit à la maison. De l'homme à la poupée, elle n'a retenu que son chapeau. Pas même son nom. Mary baisse la tête et se compose un air buté.

– Qu'est-ce que ça peut te faire ? grogne-t-elle.

– Je suis certain que ce gars-là, c'est ton vrai père,

déduit Benson. Aussi, cesse de nous casser les oreilles avec le retour de John Davon ! Son navire s'est perdu en mer, et il ne reviendra jamais. Jamais !

Mary serre les mâchoires. Comme elle le déteste, Benson, pour lui avoir dit cela ! Son papa va revenir, elle en est persuadée, et ce n'est pas un swampy[1] qui la convaincra du contraire. Elle ne veut plus entendre ses vilains mots. Des mots noirs qui creusent des trous.

Devant ce qu'il croit être son embarras, Benson commence à chantonner :

Fille de garcette, fille de Beckett,
La ponette n'a rien à se mett'
Pas même un nom ni même une lett'.
Fille à vau-l'eau, fille de Bonnot,
Elle n'a que la peau sur les os
Et le firmament pour manteau.
Fille de catin, fille de Martin... wof !

Il n'achève pas. D'un bon coup de tête dans le ventre du garçon, Mary clôt la ritournelle. Plié en deux, Benson avale son souffle et sa rengaine, couplets et refrain compris.

– Continue... comme ça... louvette, hoquette-t-il, et on viendra... t'enfumer... dans ta tanière !

La petite n'entend pas. Faisant tournoyer sa poupée à bout de bras, elle retourne à cloche-pied vers son buron, une maisonnette de berger dans laquelle sa mère a de plus en plus de mal à loger ses rêves.

1. À l'origine, terme injurieux signifiant « habitant du marécage, du bourbier ».

CHAPITRE 2

WILLY

La claque arrête le flot de paroles de Mary.

– Ça suffit ! rugit Emma, sa mère. Si tu crois tout ce que racontent ces imbéciles de swampies... !

– Alors papa est mon vrai papa ? questionne la gamine, trop heureuse pour pleurer.

– Évidemment !

– Et c'est pas le monsieur au chapeau noir ?

– Euh... non.

Un non qui pèche. Un non pas franc. Un non qui traîne, qui racle le pavé. Un non, pourtant, qui fait naître un soleil sur les lèvres et dans les yeux de Mary.

– J'ai vu un grand bateau sur la mer, rapporte-t-elle, mais il n'a pas ramené papa.

– Ah, lâche la mère, n'accordant pas plus d'importance à la nouvelle qu'à une lentille écrasée sur la table.

– Willy va être triste, se désole Mary.

Willy. Le frère malade. Malingre dès sa naissance, il n'est pas plus grand que sa sœur et garde le lit depuis plusieurs semaines. Incapable du moindre effort, il a passé la moitié de sa petite vie à tousser et à tourner de l'œil, et rares sont les jours qui l'ont vu courir sur la plage. La première pluie l'a couché comme un épi de blé, et depuis, il ne la connaît qu'à travers le martèlement des gouttes sur les tuiles. Cloîtré dans la chambre qu'il partage avec sa mère et Mary, le garçon ne semble plus s'intéresser qu'au retour de son père. Un père rêvé, paré des légendes du grand océan. Un père héros fabriqué par les longues périodes de fièvre et de solitude. Un père nécessaire pour combler les journées vides et l'absence de jeux.

– Willy ne va pas bien du tout, soupire sa mère. Il lui faudrait les soins d'un docteur de Londres, mais cela me coûterait bien trop cher. Nous n'avons plus d'argent: la demi-couronne que nous envoie chaque mois la grand-mère Davon nous permet tout juste de ne pas sombrer dans la misère totale, et les travaux de couture ne nous rapportent presque rien.

Mary observe les doigts de sa mère, occupée à raccommoder un bonnet. Avec quelle dextérité elle manie l'aiguille! Elle la plonge si rapidement dans le tissu, la récupère par-dessous, tend le fil, la repique à nouveau pour la faire resurgir que la fillette se demande comment elle s'y prend pour ne pas se coudre la main sur le bonnet.

– Je raccommode pour les autres, indique Emma en surprenant le regard de sa fille. Quand j'ai enfin un peu de temps et que je voudrais rapiécer nos propres vêtements, il fait déjà nuit. Or la lumière de la chandelle est trop faible pour mes yeux. J'aimerais pouvoir t'acheter une robe neuve, Mary, et ne pas être obligée de tailler tes habits dans mes vieux vêtements.

Mary ne dit rien. Elle se moque pas mal du trou qu'elle exhibe à la hanche. Plus la robe est usée, moins la fillette risque de se faire gronder si elle la salit ou la déchire. Cela, elle l'a compris. Elle a bien vu aussi que, dans leurs beaux atours du dimanche, les autres ne s'amusent plus à poursuivre les canards dans les marécages. Pire, ils n'ont même plus le droit de s'asseoir par terre !

– Ils te donnent une pièce, les messieurs qui viennent chercher les bonnets, fait-elle remarquer.

Sa mère ne répond pas. Leur obole suffit à peine au loyer. Elle a une brève pensée pour la vieille Davon, la mère de John, la grand-mère de Willy. La rombière pourrit sur son tas d'or, à Londres, et c'est du bout des doigts qu'elle lâche sa demi-couronne pour subvenir aux besoins de Willy en l'absence de son père. Un Willy qu'elle n'a jamais vu ! « Si elle apprend un jour l'existence de Mary, ainsi que la façon dont je mène ma vie, elle doutera que Willy est l'enfant de son fils, et je pourrai dire adieu à son aumône », songe Emma.

– Maman ? interroge Mary devant l'air absorbé de sa mère.

La gamine a penché la tête pour la regarder par en dessous.

– Hu ! grommelle Emma pour se secouer de ses pensées, puis elle approche le bonnet de sa bouche et tranche le fil avec ses dents.

Elle se lève alors, rassemble les bonnets et les blouses qu'elle vient de raccommoder, les fourre dans une corbeille et, la saisissant par l'anse, elle se dirige vers la porte.

– Reste avec ton frère, recommande-t-elle à Mary. Je vais livrer mon travail. Je ne serai pas longue à revenir.

La porte se referme. Mary demeure seule avec la table, un coffre et une vilaine cheminée qui empeste la suie. Un faible appel parvient de la chambre. Presque un râle à travers lequel Mary devine son nom. Elle tire l'épais rideau qui sépare les deux pièces et hésite un instant devant l'entrée, craignant de fouler la pénombre dans laquelle son frère agonise. La chambre sent la maladie. Chaque nuit, pour arriver à s'endormir, la fillette est obligée de presser son visage contre sa mère pour s'emplir de l'odeur lourde de la femme. Là, toute seule avec le pauvre Willy, elle ressent un étrange malaise. Une pointe de peur. La maladie est tellement différente de la lumière et de l'air marin !

– Maman va revenir, annonce-t-elle, surtout pour se rassurer elle-même.

Elle approche du grabat malgré tout. Les yeux cernés, Willy est presque transparent sur sa couche. Des taches de sang séché maculent sa chemise. Mary n'aime pas le sang. Il salit et devient tout noir. Un noir de corbeau. La fillette déteste les corbeaux. Leurs cris rauques la font frissonner. Et lorsqu'ils s'abattent sur les champs par centaines, c'est comme un drap mortuaire qui recouvre le sol.

– Willy, souffle-t-elle, papa n'est pas rentré.

Le garçon exhale un profond soupir, donnant l'impression d'expirer toute sa vie. Ses lèvres remuent faiblement.

– J'aurais voulu partir sur un grand navire, moi aussi, annonce-t-il. J'aurais voulu que papa me raconte la mer. J'aurais voulu...

Il se tait, déjà épuisé. Mary se tient debout à côté de lui, les doigts croisés sur son bas-ventre.

– Maman n'a jamais voulu me parler de la mer, reprend Willy d'une voix usée.

– C'est normal, souligne sa sœur. La mer a gardé papa.

– Parle-moi d'elle, toi.

– Moi ? s'étrangle la fillette. Mais... je ne sais pas.

– Tu sens l'algue. Donc tu en reviens, de la mer.

Willy se met soudain à tousser, et hoquette. Il se redresse, les yeux exorbités, la bouche grande ouverte pour respirer. L'air entre en lui avec un gargouillement de tuyau. L'enfant retombe sur le dos, en sueur, la poitrine se soulevant au rythme d'une respiration chuintante. Willy n'est plus qu'un halètement, ses lèvres sèches collées sur l'invisible. Mary veut partir, retourner dans la lumière et dans les relents de suie et de graisse de la cuisine, qui expriment la vie, mais son frère l'appelle à nouveau. Sa voix paraît lointaine, perdue entre les os et sous la peau de mouton qui tient lieu de couverture. Il ouvre la main, la tend vers sa sœur. La fillette la regarde, un peu réticente à saisir cette chair molle. Elle s'y résout pourtant, mais refuse de s'asseoir au bord du lit. Elle lui tient la main, raide, comme si elle la lui serrait juste pour le saluer.

– Maman va revenir, répète-t-elle.

Mary ne sait rien dire d'autre pour réconforter Willy, lui faire prendre patience et espérer qu'il va lâcher sa main. Mais il s'accroche de tous ses doigts à sa seule présence, naufragé dans sa propre maison, dans son propre corps, au milieu de ses pensées. Et ses pensées, à cet instant, sont celles – toutes simples – d'un gamin de huit ans : courir sur la plage et froisser l'eau à grands coups de pied. Avec sa sœur à ses côtés. Les yeux fixés sur l'horizon, là où vient d'émerger un oiseau blanc. C'est un voilier. Beau comme un éclat de rire. Et l'homme-soleil campé à la proue, c'est son père !

– Pa... ! articule-t-il.

Le mot lui échappe avec le filet d'air. Il se cambre, le dos arqué, et cherche à happer une bouffée. Mary fait la grimace. Parce qu'elle a très peur pour son frère. Parce que sa main est devenue une pince. Le garçon s'étrangle, se débat, lâche enfin la fillette pour porter la main à sa poitrine. Il la cogne du poing pour l'obliger à regonfler ses poumons, à reprendre son travail de vie. Un hoquet. Un bruit qui ressemble à un sanglot. À une toux glaireuse. Puis un flot de sang jaillit de sa bouche.

– Ah !

C'est Mary qui a crié. Une partie d'elle veut s'enfuir, l'autre est figée sur place. Les yeux rivés sur Willy, qui étouffe, elle est incapable du moindre mouvement. Quand il s'effondre et ne bouge plus, la peur de Mary s'estompe.

– Tu dors ? demande-t-elle.

Le sang continue à couler des lèvres et à tacher la chemise du garçon. La fillette attrape un coin de la peau de mouton et s'en sert pour essuyer le menton et la gorge de son frère. Elle se penche ensuite et colle son oreille près de sa bouche. Elle perçoit un infime sifflement, puis une bulle vient crever sur sa langue. Willy n'est plus transparent. Laqué d'un sang que la pénombre fait paraître noir. Mary l'appelle, lui parle encore, mais elle finit par admettre qu'avec ses yeux écarquillés et sa bouche béante, il a tout du poisson échoué sur la plage. Elle comprend, alors, que son frère est mort.

Elle quitte lentement la chambre sans refermer le rideau derrière elle, va s'asseoir sur le coffre qui fait office de banc, fouille dans la trousse de couture, que sa mère a laissée sur la table, et choisit une petite aiguille.

Quand Emma rentre au logis, un peu plus tard, la corbeille vide et des piécettes tintant au fond de la poche, elle découvre sa fille immobile, blanche comme un linge, le buste appuyé sur l'arête de la table, les mains posées à plat, du sang s'égouttant de chacun de ses doigts, et fredonnant jusqu'à l'abrutissement :

Quand trois bateaux s'en vont sur l'eau
Le premier part pour Saint-Malo
Le deuxième pour Maracaibo
Et le dernier pour Santiago...

*
**

La nuit ricane dans le marais. Les crapauds poussent des coassements qui éclatent à la surface des étangs tels des borborygmes, des pets monstrueux dans l'eau. Si

Willy ne pèse pas lourd dans les bras d'Emma, la bêche fait son poids dans les mains de Mary. La fillette ahane, elle a du mal à suivre les enjambées de sa mère, surtout avec la boue qui aspire ses souliers dans un bruit évoquant un baiser mouillé. L'air est tranchant, l'effort pousse à tousser, mais la gamine se retient, effrayée à l'idée d'avaler la maladie de son frère. Elle n'a pas envie de cracher du sang et de mourir noyée à l'intérieur d'elle-même.

Emma s'arrête enfin. Elle jette un regard rapide autour d'elle, puis dépose son fardeau au sol. Elle saisit la bêche et, d'un coup sec du talon, l'enfonce dans le sol.

– Creusons ici, décide-t-elle. La terre n'est ni trop dure ni trop molle.

Mary a froid. Pour réchauffer son corps, elle commence à arracher les hautes herbes afin de dégager un carré. La tombe de Willy. Ses doigts blessés lui font mal, mais elle n'en a cure. La douleur la coupe un peu des crapauds, du vent froid, du souvenir de Willy.

La terre s'ouvre, se vide, présente son ventre à la lune bleue.

– Ça ira, estime Emma en s'épongeant le front du revers de sa manche. Willy n'est pas bien gros.

Elle se baisse, attrape le cadavre enroulé dans sa peau de mouton et le dépose dans la fosse, dans la position du fœtus, les genoux repliés jusqu'au front. « On dirait une crevette », songe Mary. Après deux pensées rapides pour recommander l'âme du petit à Dieu, la mère rebouche le trou. Les mottes retombent avec des sons mats, un peu comme des battements de cœur. Après, le souffle d'Emma devient plus régulier.

– Les herbes repousseront par-dessus. Rentrons, dit-elle en posant sa main sur l'épaule de Mary. Personne ne doit savoir que Willy Davon est mort. Personne, tu m'entends ? Si par malheur tu en parlais, je te couperais la langue, et nous n'aurions plus que des rats à bouffer.

Mary hoche la tête. Elle s'est déjà mordu la langue, ce n'est pas cela qui l'inquiète. Mais bouffer des rats crevés, ah non alors !

CHAPITRE 3

ADIEU MARY !

Sa tête dans les mains, un bourdonnement intolérable lui martelant les tempes, Emma relit pour la troisième fois la lettre que lui a envoyée la vieille Davon. Pour la troisième fois, chaque mot tire au canon sur elle. Emma se passe les mains sur le visage, se frotte les yeux, avec l'espoir qu'elle ne verra plus la lettre en les rouvrant, que celle-ci n'est qu'un mauvais rêve, l'aboutissement-cauchemar de ses appréhensions depuis la mort de Willy. Mais elle est bien là, la missive, blanche et brutale sur la table, barrée de deux plis en croix. Emma se vide dans un soupir sans fin. Jane Davon veut voir son petit-fils avant de rendre l'âme. « Willy est tout ce qui me reste de John, grince la lettre, et j'espère qu'il lui ressemble beaucoup. »

– La guenon ! La truie ! L'horrible bique ! enrage Emma en écrasant les mots sous ses dents.

Elle avale sa salive. Une coulée de fiel. Il n'y a plus de Willy, et la bourse de la vieille va se refermer d'un coup. Que faire ? Répondre à Jane Davon que Willy est malade et qu'il ne peut voyager ? Cela ne tiendra qu'un temps. Et puis la grand-mère peut débarquer sans crier gare. Découvrant l'existence de Mary et, se rendant compte de la disparition du garçon, la vieille va piquer une colère et traîner sa bru en justice. Ce sera la prison pour Emma ! Quant à Mary... ! Mary ?

Le regard de la mère se pose sur sa fille. Un regard de louve. Sauvage et maternel à la fois. La fillette joue à la poupée près de l'âtre. Elle est grande pour son âge. De la même taille que Willy. Une idée germe. Qui grandit à la vitesse de l'éclair. Qui fait suffoquer tant elle est folle. Folle, mais parfaitement réalisable. Emma plisse les yeux afin d'évaluer la silhouette de sa fille. Le tour de hanches, les épaules... pas de problème. Pour la ressemblance, il faudra voir une fois les cheveux coupés.

– Mary !

La gamine lève un œil.

– Viens ici !... Ta grand-mère veut te voir, à Londres... Enfin, elle veut voir ton frère.

– Mais Willy est...

– Je sais, la coupe sa mère. Mais nul n'est au courant. Tu n'en as parlé à personne, n'est-ce pas ?

– À personne ! jure Mary. Sauf à ma poupée.

– C'est encore de trop ! gronde Emma. Nous allons quitter le village et aller vivre à Londres.

Devant l'air surpris de sa fille, elle ajoute :

– Ici, quelqu'un finirait par apprendre que nous avons enterré Willy dans les marécages.

– Et alors ? Il était mort.

– Tu veux finir en prison avec moi ? demande sa mère pour sauter à l'essentiel. Tu veux bouffer des rats crevés ?

La petite a un mouvement de répulsion. Elle en a déjà vu, des rats crevés. Couverts de mouches. Un rat crevé, c'est tout juste fait pour qu'on jette des pierres dessus. Pas pour être bouffé ! Non, non !

– Alors écoute-moi bien, reprend sa mère. À partir d'aujourd'hui, tu t'appelles Willy ! Tu deviens ton frère !

– Je suis pas mon f...

– Mary n'existe plus !

– C'est moi M...

– Écoute-moi, tête de mule ! s'emporte Emma en secouant la fillette par les épaules.

Elle lui répète ce qu'elle exige d'elle. Plusieurs fois. Tranchant net ses protestations par des froncements de sourcils. Des mots plus durs. Des menaces. Une claque. Mary ravale ses larmes et annonce enfin qu'elle est un garçon et qu'elle se prénomme Willy.

– Ton corps de femme te rattrapera, signale Emma à l'enfant, qui ne comprend rien, mais je t'expliquerai à ce moment comment le faire disparaître.

– Je vais mourir ? s'inquiète Mary.

– Pas si tu restes un garçon, affirme sa mère. Seulement si tu redeviens une fille.

Mary ne veut pas mourir, ni ressembler à une crevette au fond d'un trou. Alors, d'elle-même, du fond de son être, sans la voix de sa mère pour lui mâcher les mots, elle libère le cri de la vie : Willy ! Willy ! Willy !

– C'est pas tout ça, dit Emma en l'empoignant et en l'asseyant sur le coffre. Maintenant, il faut que tu ressembles à un garçon !

Mary a froid. Ses cheveux sont tombés par paquets. Elle entend toujours le cliquetis des ciseaux au ras des oreilles et frémit du contact glacé d'un rasoir sur sa nuque, alors même que sa belle chevelure a déjà été jetée au feu.

– Et voilà ! achève sa mère. Il n'y a que tes yeux que je ne peux pas changer.

Des yeux d'ambre. Aussi remplis de mystère qu'un lac d'or.

– Lève-toi ! Et marche un peu !

Mary se lève, mais elle n'ose pas se mouvoir dans les vêtements de Willy. Comme si son corps ne lui appartenait plus… ou l'autre pas encore. Une bourrade dans le dos et la fillette hasarde quelques pas. Ce ne sont pas ses chaussures. Elle remue les bras. Ce ne sont ni sa chemise ni son gilet, et les manches la gênent un peu. Mais elle s'habitue vite à ses nouvelles ailes, à son nouveau plumage.

– À présent, je vais t'apprendre à t'exprimer au masculin. Quand tu seras en présence de ta grand-mère, évite cependant de trop parler. Elle mettra ça sur le compte de la timidité.

Mary ouvre de grands yeux. Parler au masculin ? Qu'est-ce que ça veut dire ?

Je suis assis. Je suis content. Je suis malin. Je suis beau… Sa mère lui bourre le crâne du matin au soir. Des jours durant. C'est un travail plus laborieux que lorsqu'elle avait accouché de son premier « fils ». Des jours durant, elle rabâche, la mère. Jusqu'à ce que le cerveau de la petite change de sexe. Même que la gamine mouille son caleçon en pensant pouvoir uriner debout ! Enfin, pour parfaire le tout, Emma estime qu'une dernière chose reste à accomplir. Un geste indispensable. Un acte qui permettra vraiment à Mary de passer de l'autre côté du miroir.

La mère a commencé à creuser le trou, derrière la maison, mais elle laisse Mary finir avec sa pelle d'enfant. La gosse s'essouffle, s'acharne sur un gros caillou, s'use les bras, le dos, les jambes, pour ouvrir une plaie dans la terre.

– C'est assez grand, juge Emma.

Mary laisse tomber sa pelle pour ramasser sa poupée.

– C'est le monsieur au chapeau noir qui me l'a donnée, rappelle-t-elle, comme si cela pouvait influer sur le sort du jouet.

– Si tu le dis…

La fillette regarde sa poupée. Intensément. Elle sent de

façon confuse que ce n'est pas qu'un jouet. Qu'elle va perdre une partie d'elle-même dans les secondes à venir. Mais autre chose est déjà là, prêt à combler le vide.

– Willy ? lâche sa mère, devant l'hésitation de l'enfant à se débarrasser de l'objet.

Mary ouvre les doigts. Sa poupée lui échappe. Elle tombe au bord du trou. Sur ses pieds. On dirait qu'elle s'accroche, qu'elle ne veut pas être enterrée, la poupée. Elle n'est pas malade comme l'a été Willy. Willy ! Willy ! Son souvenir remonte de terre, associé à des mots qui font peur. Les rats crevés !... Alors, de la pointe de sa chaussure de garçon, la gamine repousse sa sœur de chiffon dans le trou.

– Tu n'as rien à ajouter ?

– Adieu, poupée, murmure la fillette avec un reniflement.

– Adieu, Mary ! ponctue sa mère.

Mais la poupée refuse obstinément de disparaître. Et pendant que le trou se rebouche, elle regarde Mary de ses yeux noirs. Deux éclats de mica cousus sur un visage en tissu. Elle regarde Mary bien après que la terre a été tassée sur elle à coups de pelle et de talon. Elle regarde Mary à l'intérieur de sa tête. Longtemps. Longtemps. Longtemps.

Londres, mai 1700

– Ça pue ! constate Mary en longeant les docks.

Sa mère hausse les épaules. Qu'est-ce qui ne pue pas, dans la vie ? Des navires sont rangés en épis contre les quais des différents bassins, les voiles carguées. Avec leurs mâts nus, ils ressemblent à des peignes. Des odeurs d'îles, de vanille et d'épices engluent l'air, mêlant le sucré au piquant, le tout baignant dans un remugle de poisson. Les dockers déchargent des caisses, des ballots de coton, des arbustes exotiques, des oiseaux encagés, tassés derrière leurs barreaux comme de vulgaires pelotes de laine. Des pêcheurs font rouler des tonneaux de harengs et de maquereaux jusqu'aux étals des poissonnières, qui vendent à la criée, dans le port. Emma pince les narines. Elle déteste ces bateaux qui ramènent des relents de pays lointains, des pays du bout du monde où est allé se perdre son Johnny. Serrant la main de Mary, elle laisse les docks derrière elles et se dirige vers la Tour, une forteresse-prison tapissée de corbeaux. Mary frémit et se met à courir, obligeant sa mère à presser le pas.

La maison de Jane Davon est à deux pas de la Tamise. C'est une demeure en pierres solides, avec une porte cloutée en forme d'ogive et un gros anneau de bronze qui sert de heurtoir. La fillette est impressionnée. Emma, elle, ressent une peur vive. La vieille va-t-elle flairer l'imposture ? Si oui, le sort d'Emma est réglé : elle ira croupir au milieu des corbeaux. Tout repose sur Mary désormais. Leur vie tient à un mot, à un adjectif bien ou mal choisi. À la sonorité aussi tranchante que le fil d'une hache.

– Willy ?

L'enfant réagit à la seconde.

– Quoi, maman ?

– Tu n'es pas fatigué d'avoir couru, mon garçon ?

– Un peu, mais je me reposerai chez grand-mère.

« Ça va, se rassure la mère. Je crois bien avoir ressuscité mon fils. »

Bang ! Bang ! Bang ! Le marteau de bronze ébranle la porte, mais aussi les os de la mère. Une vibration qui se loge au plus profond de sa moelle. Une vieille femme vient ouvrir. Emma se compose un sourire-fleur.

– Madame Davon ? Je suis l'épouse de John. Et voici Willy. J'ai répondu à votre lettre pour vous annoncer...

– Gardez vos mots. Je suis la servante. Mme Davon vous attend à l'étage.

À peine la vieille femme leur a-t-elle tourné le dos que Mary pouffe dans sa main et tire sur la jupe de sa mère. Quoi ? l'interroge Emma du regard.

– Elle ressemble à une souris, lui glisse sa fille.

Les yeux de la mère balaient le dos de la servante, qui les précède dans un étroit couloir. Cheveux gris, vêtements gris, petits pas trottinés, et ce visage en museau qu'elle a pointé à l'instant... c'est vrai qu'elle ressemble à une souris. Néanmoins, la maman décoche une tape sur le crâne de l'enfant.

– Reste poli, Willy ! Même avec le chat de la maison, s'il y en a un !

Elles grimpent à l'étage et pénètrent dans une pièce aussi vaste que leur maisonnette sur l'île de Sheppey. La grand-mère est assise dans un fauteuil à haut dossier, les pieds sur un petit tabouret recouvert de velours rouge. D'abord le silence. De part et d'autre. Un silence d'examen, d'yeux qui fouillent. Si les deux femmes s'étudient, Mary s'intéresse plutôt à la pièce. Son regard saute d'un objet à l'autre, des objets qu'elle n'a jamais vus et dont elle ne devine même pas l'utilité.

– Alors c'est toi, Willy ? commence enfin la vieille dame. Approche, mon petit !

La voix est étrange, cassée, comme résonnant au fond d'une carcasse. C'est qu'elle est décharnée, la grand-mère. La peau tendue sur les os. Presque aussi transparente que l'a été Willy. « C'est parce qu'elle manque d'air frais », suppose Mary.

– Ne sois pas timide, l'encourage Emma, redoutant que sa fille ne refasse surface. Va saluer ta grand-mère, mon fils !

Mary s'approche et étreint la vieille, qui sent la pommade. Tenue à bout de bras, la fillette soutient le regard acéré de sa grand-mère. C'est difficile parce qu'elle louche un peu de l'œil gauche, la Jane. Celle-ci cherche sur le visage de l'enfant des traits communs avec son fils. Peut-être la fossette du menton ? Et encore, ce n'est pas sûr.

– Tu tiens beaucoup de ta mère, conclut Jane Davon avec une petite moue déçue. Il est très efféminé, lance-t-elle à Emma.

Le cœur d'Emma s'emballe. Devient un tambour qu'elle ne peut plus contrôler.

– John l'a fait ainsi, s'entend-elle lui répliquer. Willy n'a que dix ans. Il va s'étoffer, se muscler, se forger un corps de marin.

– Avec ces yeux-là, il montera plutôt sur les planches pour jouer dans les comédies de Dryden ou de Wycherley[1] !

– Acteur, ce n'est pas un métier très convenable, fait remarquer Emma en baissant la tête, bien qu'elle n'ait aucune idée de ce qu'ont écrit les deux hommes.

– Dis-moi, mon Willy, qu'est-ce que tu as comme jouets ? poursuit la grand-mère.

Mary a sur la langue de répondre une poupée, mais l'image de ses yeux de mica se substitue aux mots. On l'a enterrée, la poupée. Comme un rat crevé. Un rat crevé !

– Une pelle ! dit-elle.

Elle croit entendre le soupir de soulagement de sa mère.

1. Auteurs de la Restauration anglaise (1660-1689), après la période du grand puritanisme durant laquelle les théâtres étaient fermés.

– Une pelle ? s'étonne la vieille Jane. Et qu'est-ce que tu fais avec une pelle ?

– Des trous.

– Évidemment ! Mais à quoi occupes-tu tes journées quand tu ne manies pas ta pelle ?

– Hein ? fait la gamine, qui ne comprend pas une phrase si compliquée.

Sa mère lui vient en aide.

– À quoi est-ce que tu joues avec les autres garçons ? Quand tu es sur la plage ou dans les marais ?

– Ah ! Je lance des cailloux dans la mer. Je cours après les canards dans les roseaux. Je me suis même battue avec Benson, la dernière fois.

La grand-mère arque un sourcil.

– Pourquoi ?

– Parce qu'il a dit que John Davon n'était pas mon père !

La respiration bloquée, Emma a l'impression de partir en coulées de sable. Ses chaussures lui paraissent soudain trop grandes pour elle. « Bourrique ! s'affole-t-elle. Nous sommes fichues ! »

– Mais je lui ai donné un grand coup de tête dans le ventre, continue Mary, stoppant net la question meurtrière de la vieille. Après, il n'arrivait plus à respirer, Benson... Il est deux fois plus grand que moi, précise-t-elle en levant les bras.

Le visage de Jane s'épanouit en sourire. Les yeux, la bouche, le nez, les joues, le front... tout s'ouvre, tout s'illumine, tout participe à la victoire de l'enfant.

– C'est bien, mon Willy, la félicite-t-elle. Je te reconnais, là. Ton père aussi mordait comme un chien. Combien de fois n'est-il pas rentré crotté de la tête aux pieds, avec des bosses et des plaies sur tout le corps ! C'est ainsi que se forgent les garçons ! assène-t-elle à l'intention d'Emma.

– C'est sûr, convient la mère, qui cesse de fondre et se rengorge même dans ses vêtements.

– Ce petit me plaît. Je vais le garder auprès de moi, décrète la grand-mère. Il me rappellera mon Johnny.

– Ce n'est pas possible ! s'oppose Emma, une flambée de panique dans la voix. Willy doit repartir avec moi !

La vieille se redresse. C'est une tête de vautour qu'elle présente à Emma.

– Et pourquoi cela ?

– Mais... parce que c'est mon fils... mon petit... mon unique petit, bredouille la pauvre femme. J'ai déjà perdu mon mari, je ne veux pas perdre en plus son enfant !

– Il sera bien mieux à Londres que sur son île à moutons, à passer ses journées entre la plage et les marécages. Je lui apprendrai à lire. Cela pourra lui être utile, au moins autant qu'à savoir distribuer des coups de poing.

Emma réfléchit. Si Mary reste avec sa grand-mère, la supercherie sera très vite découverte. D'un autre côté, si la vieille prend en charge une partie de son éducation...

– Je compte m'établir à Londres, déclare la mère. Pour le bien du petit, justement ! Je vous l'amènerai de temps à autre, et vous pourrez lui apprendre tout ce que vous voudrez.

La tête de vautour oscille, comme si des pensées contradictoires s'entrechoquaient à l'intérieur. Puis l'expression se radoucit, le bec s'étire en lèvres, le visage retrouve sa physionomie humaine.

– Soit, concède Jane Davon. Repartez avec Willy. Mais je veux le revoir chaque mercredi. C'est à cette condition que je vous remettrai une couronne par semaine.

Une couronne ? Dame, ça fait briller les yeux et gonfler la poitrine ! Avec ça, plus besoin d'ouvrir sa porte aux hommes ni de piquer son aiguille dans les habits des autres ! Avec ça, on peut s'acheter des longueurs de tissu et se confectionner de nouvelles robes ! Non, non, pas de robe pour Willy, bon sang ! Un caleçon, une chemise et un pourpoint ! Mary est morte, sacrebleu ! Enterrée avec sa poupée sur l'île à moutons !

– Eh bien ? s'impatiente la vieille femme.

Emma n'ose y croire. Une couronne par semaine ! C'est énorme ! C'est même tellement énorme qu'elle craint d'avoir mal entendu.

– Euh... par mois, ça fait quatre couronnes, hasarde-t-elle.

– Huit fois ce que je vous donne actuellement ! claironne sa belle-mère.

C'est vrai ! Emma n'a pas rêvé ! Quatre couronnes, c'est inespéré ! Merci, Mary ! Malade comme il l'était, le vrai Willy n'aurait pas tiré un penny de sa grand-mère. Mais qu'est-ce que ça représente, quatre couronnes, pour cette affreuse bique cousue d'or ? N'empêche, pourvu qu'elle dure, la vieille carne, et qu'elle ne descende pas aux taupes avec les premiers frimas de l'hiver !

– Alors ? reprend Jane. Je le reverrai la semaine prochaine, mon petit-fils ?

– Je vous l'amènerai, promet la mère. Je vous remercie pour tout ce que vous faites pour nous. Apprenez-lui d'abord à écrire son nom, à notre Willy. Qu'il n'aille pas mélanger les lettres et confondre les W avec les M, par exemple !

– Il suffit de retourner les lettres, indique la grand-mère avec un haussement d'épaules.

– Il suffit de les retourner, répète Emma. C'est si facile, en effet.

CHAPITRE 4

DE CHANVRE...

Londres, le 23 mai 1701

Une bande de gamins dévale la rue en hurlant. À sa tête, un sabre de bois à la main, Mary conduit l'abordage d'une charrette de foin. La carriole attend, devant une écurie accolée à une forge, que le palefrenier vienne décharger les gerbes, mais celui-ci aide le maréchal-ferrant à raboter le sabot de son cheval, qu'il vient de dételer. Alors elle est seule, la charrette, avec son timon qui racle le sol, pareil à un mât de beaupré* qui se serait brisé et plongerait dans les flots. Les corsaires hurlent en la prenant d'assaut. Son sabre entre les dents, Mary grimpe sur l'extrémité de l'essieu qui dépasse du moyeu de la roue. Elle s'accroche aux rayons, puis à une ridelle à claire-voie, l'escalade, l'enjambe et bondit dans le foin.

– Vous allez apprendre à connaître Cap'taine Will,

* Tous les mots suivis d'un astérisque sont expliqués dans le glossaire en fin d'ouvrage.

maudits Français ! clame-t-elle en plantant son arme dans une gerbe.

Ses camarades se laissent choir à leur tour dans la charrette comme s'ils tombaient du haut des cordages sur un pont ennemi. Au risque de s'éborgner, tous font tournoyer leurs bâtons, mimant un combat contre un équipage invisible. Les gerbes sont pourfendues, piétinées, massacrées.

– Pas de quartier ! braille Mary en faisant voler le foin autour d'elle.

La charrette est enfumée de brins qui font éternuer et tousser. Mais l'ennemi fonce soudain sur eux en poussant une bordée de jurons. Le vrai. Avec son tablier de cuir autour des reins et son marteau à la main. Tenant son cheval par la bride, son acolyte le suit, le poing levé, prêt à en découdre.

– Descendez de là ! Bandits ! Vauriens ! Graines de pirates !

En un clin d'œil, la bande de Cap'taine Will s'égaille avec des piaillements d'oiseaux. Mary est la dernière à abandonner sa prise. Elle la lâche à contrecœur, frappant du sabre sur le bois des ridelles pour tenir les assaillants à distance.

– Arrière, gros lard ! Sac à pets ! Canonnier du vent ! jette-t-elle au maréchal-ferrant.

Mais il suffit que l'homme empoigne une roue et la secoue en rugissant pour que la fillette rompe le combat.

– Allez donc faire un tour sur le dock des Exécutions ! crie le palefrenier. On y pendouille William Kidd ! Vous verrez le sort qu'on réserve aux pirates ! Ça vous ôtera l'envie de les imiter !

Les pavés résonnent de la fuite des enfants. De leurs rires aussi.

– Des pirates ! s'esclaffe Mary. Nous, on est des corsaires. On se bat pour le roi.

William Kidd ! Cela fait une semaine que la rue parle de ce capitaine qui, mandaté par le roi Guillaume III pour mettre un terme aux actes de piraterie en mer, s'est fait pirate lui-même. Une semaine que la Cour d'Amirauté, réunie à l'Old Bailey, a rendu son verdict. Une semaine que Londres attend l'exécution en place publique de Cap'taine Kidd et de six de ses compagnons. Ce jour. Le vendredi 23 mai. Jour d'anniversaire de Mary.

Sept cordes pendent du gibet surmonté d'un drapeau noir. Sept traits dans l'air marquant la séparation entre la vie et la mort. Des mouettes se sont perchées sur la grosse poutre transversale et regardent la foule. Certaines sont avachies dans leurs plumes et se chauffent au soleil, indolentes, alors que d'autres plongent dans le vide et rasent les têtes en poussant des rires stridents, se moquant ouvertement de la multitude.

Elle piétine, la multitude. Depuis le matin, elle attend ! Des marchands ambulants fendent les rangs, proposant des pains, des saucisses, des œufs qu'ils font cuire sur les braseros à roues. Comme au spectacle ! L'attente rend irascible. Les gens supportent de plus en plus mal de se faire heurter du coude, de se faire écraser les orteils, d'être au centre de querelles qui éclatent à tout va... Il est bientôt midi ! Qu'est-ce qu'ils attendent, les gardes de la Tour, pour mener la charretée de condamnés à la potence ?

Un mouvement tout à coup. Un flottement qui ébranle la masse, à la façon dont le vent agite les blés.

– Ah ! fait la foule.

Mais rien ne vient. Pour tuer le temps, certains évoquent les écumeurs des mers. On aime à se faire peur. Et puis cela grandit de savoir qu'on pourra se vanter, plus tard, d'avoir assisté à leur supplice. On parle de leurs méfaits. On brode. On exagère. On pare les pirates d'une audace peu commune. L'abordage devient un combat titanesque. Le forban un être mythique aux coffres remplis d'or enfouis dans une île mystérieuse, là-bas, au bout de l'océan. Dans une île sauvage gardée par des Indiens géants, coiffés de plumes pareilles à des rayons de soleil.

Elle entend cela, Mary, dressée sur ses neuf ans. Alors, dans sa tête, l'image du pirate s'auréole de légende. Elle qui croyait que ce n'était qu'un voleur, un criminel, un bouffeur de rats, un monstre qui fait mourir les femmes d'effroi !

Les tambours. Le bruit paraît monter du sol, comme si la ville grondait par en dessous. La rue qui conduit au dock des Exécutions s'anime enfin. Ça y est, la mort s'est mise en marche. Les joueurs de tambour apparaissent et s'établissent sur deux rangs, contenant la foule derrière leurs battements continus, qui plombent les entrailles. Viennent les magistrats, le prévôt, les gardes en justaucorps rouge, armés d'espingoles[1]. Et le prieur de la Tour, brandissant sa longue croix comme un bâton de pèlerin. Tirée par quatre chevaux, la charrette des condamnés s'arrête face à la Tamise. Les mouettes sont allées s'installer dans la mâture des navires, et les corbeaux au vol lourd décrivent des cercles au-dessus des têtes, sans oser se poser.

Un héraut clame le nom des pirates au fur et à mesure qu'ils descendent de la charrette et se dirigent à pied vers la potence, encadrés chacun par deux gardes. Mary n'en retient aucun, de nom. En revanche, elle observe la façon

1. Gros fusils courts à canon évasé qu'on chargeait avec des chevrotines.

de marcher des pirates, la manière dont ils abordent la mort. Les deux premiers montrent toutes les apparences du repentir, et ils avancent la tête basse, le dos voûté, chargés du poids de leurs fautes. Le troisième marche fièrement en jetant un regard crâne sur la foule. On dirait qu'il est content de mourir. Le quatrième s'effondre sur ses jambes et perd toute dignité en implorant les gens, soutenant qu'il est trop jeune pour être pendu et qu'il a été entraîné malgré lui à commettre des actes de piraterie. Le cinquième pirate suit de près son compagnon, mais il bouscule soudain un garde et tente de s'échapper à travers la foule. On l'empoigne, on le traîne vers le gibet malgré les coups de pied qu'il décoche à droite, à gauche... Vient le sixième. Un grand gaillard à la barbe noire. Il se moque de la corde, réclame du vin, entonne une chanson de marin et se met à aboyer contre la multitude quand plusieurs voix l'accompagnent au refrain.

– Les vers de terre n'ont pas droit aux embruns ni au vent ! hurle-t-il. Quand nous nous balancerons là-haut, Londres gardera longtemps notre image de pirates vous piétinant la tête.

Mary frémit. Celui-là, elle n'ose le regarder en face de peur qu'il ne la transforme en statue de sel. C'est un vrai dur, assurément ! Il a dû en amasser, des richesses, cachées au fond d'une grotte gardée par des tigres à face humaine !

– William Kidd ! termine le héraut en braillant le nom du dernier à quitter la charrette.

Cap'taine Kidd ! Le nom court sur les lèvres avec un mélange de colère et d'effroi dans les voix. Cap'taine Kidd ! Le chef des forbans ! Traître à son pays et à son roi !

– Cap'taine Kidd, répète Mary.

Ce nom-là, elle le retient. Vêtu comme un marquis, fanfreluché de dentelles jusqu'au cou, William Kidd a l'air irréel, hors du temps, le regard perdu au-dessus des hommes.

Le bourreau place les sept condamnés sous les cordes. Le héraut grimpe sur l'estrade à son tour et se met à lire l'acte d'accusation ainsi que la sentence prononcée par la Cour d'Amirauté. Mary a les yeux braqués sur William Kidd. Elle attend de lui qu'il ne meure pas sans desserrer les lèvres. Cap'taine Kidd esquisse un sourire en regardant le soleil arrêté au-dessus de lui, puis il reporte soudain son attention sur la foule, comme s'il cherchait un visage, un nom à poser sur une silhouette. Son regard accroche un garçon qui a réussi à se faufiler au premier rang. « Qu'est-ce qu'il fait là ? s'étonne Kidd. Ce n'est pas un spectacle pour un enfant de cet âge. Son visage reflète l'innocence d'une fille. C'est dans des flots couleur de ces yeux-là que j'aurais voulu me noyer. J'aurais eu l'impression de mourir dans un océan d'or. »

« Il me regarde, frissonne Mary. William Kidd ne regarde que moi. Je vais tomber raide, c'est sûr. Benson disait qu'aucune femme ne pouvait soutenir le regard d'un pirate sans mourir aussitôt... Mais je suis Willy ! Willy Davon ! Les yeux de Cap'taine Kidd ne peuvent pas me faucher telle une épée. Je ne risque rien. Je suis... Eh non, je suis une fille. Mary ! Willy, c'est juste pour tromper grand-mère, pour pas bouffer des rats crevés ! Seulement ça, Kidd, il ne le sait pas. » Fière de berner le pirate, Mary soutient son regard. Par bravade. Pour voir si l'écumeur des mers est capable d'éventer la duperie.

Passant d'un condamné à l'autre en élevant son crucifix emmanché au bout d'une hampe, le prieur vient s'interposer entre le pirate et la fillette.

– Repentez-vous de vos... !

– Je n'ai pas à recommander mon âme à Dieu, mais la vôtre, à vous tous ! l'interrompt Kidd d'une voix grave, lourde, qui roule comme une vague de tempête. Notre faute, c'est vous qui la portez sur vos épaules. C'est vous, capitaines et officiers marchands, qui par votre sévérité brutale, poussez vos équipages à la désertion, à la mutinerie, à devenir des flibustiers ! Cessez de les traiter en esclaves, pires que des chiens, et ils n'auront plus de raisons de se rebeller et de vous mordre ! Pour ma part, je n'ai fait que leur offrir un refuge sur mon bateau, un espoir, trois ans de liberté...

– À mort le pirate ! aboie une voix.

D'autres l'imitent, réduisant Kidd au silence. Un ordre claque de la tribune.

– Pends-les ! Et que le Diable reconnaisse les siens !

Le bourreau coiffe William Kidd d'un capuchon noir, lui passe le nœud coulant autour du cou et répète les mêmes gestes sur chacun des pirates. La foule se tait. C'est un silence d'attente. Les souffles sont courts. Le bourreau se campe près de la potence et saisit la poignée qui, reliée à une barre de fer, commande l'ouverture des trappes. Un signe lui provient de la tribune. Alors, tirant de toutes ses forces, il libère la barre qui bloque sept leviers. Les sept trappes s'ouvrent en même temps. Sept corps tombent. Mais la corde de Kidd se casse. Le pirate disparaît sous l'estrade tandis que ses compagnons gigotent et battent des jambes pour chercher le sol sous leurs pieds.

Mary éclate de rire. Elle est la seule. Le Diable n'a pas voulu de William Kidd, mais les hommes s'empressent de le lui réexpédier. Deux gardes s'engouffrent sous l'échafaud, pendant que la foule s'en prend au bourreau. Un homme du prévôt lui apporte une autre corde, pendant que les gardes ramènent le corps de Cap'taine Kidd. On croit d'abord qu'il est mort, mais à peine sur ses pieds, il tient encore debout, le bougre. Il tousse comme s'il crachait sa vie. La nouvelle corde s'enroule autour de son cou, provoquant un nouveau silence. Puis le pirate bascule une deuxième fois à travers la trappe.

C'est fini. Les gens commencent à se disperser, creusant de lents tourbillons dans la masse. Avec la mort, les corbeaux de la Tour envahissent les docks. Ils s'agglutinent sur la poutre du gibet, puis exécutent une sorte de danse, ailes entrouvertes, sur la place libérée par la foule.

La fillette, elle, reste longtemps devant la potence, à s'emplir les yeux des sept pirates immobiles, figés pour l'éternité. Où sont passés leurs trésors magnifiques ? L'or aztèque ? Les doublons espagnols ? Disparus à tout jamais. Même les arbres vont oublier que les coffres sont enterrés à leur pied. Morts, pendus tels des sacs de farine, les écumeurs des mers ont perdu leur auréole de légende. Elle est déçue, Mary. Très déçue. « Ça ne sert à rien d'être pirate si on ne peut pas profiter de la vie », estime-t-elle.

Un peu avant le soir, au moment de la marée haute, le bourreau vient dépendre les corps et va les attacher à sept poteaux fichés dans l'eau. La nuit passe, puis le lendemain. Après que la mer les a recouverts trois fois, Kidd et ses compagnons sont enduits de goudron puis enfermés dans des mannequins en fer, le crâne serré dans un cerceau. Une charrette les conduit alors à Tilbury Point, l'avant-port, où ils sont pendus à une chaîne à quelque distance les uns des autres.

Ainsi, dit Londres, nul ne pourra ignorer le sort réservé à ceux qui ont choisi de se dresser contre la loi et le roi. Longue vie à Guillaume III !

Qui meurt l'année suivante.

Immuables, éternels, les corbeaux et les mouettes se disputent les docks de la ville. Plumes de terre et plumes de mer. Aux cris rauques et aux rires grinçants.

CHAPITRE 5

… ET DE SANG

Londres, printemps 1704

Trois ans. Trois ans que William Kidd se balance dans ses anneaux de fer. Les orbites vides. Les yeux picorés par les corbeaux et par les mouettes. La dépouille fait désormais partie du paysage, et elle n'effraie plus que les nouveaux arrivants, qui se signent en l'apercevant sur la rive. Mary ne prend plus d'assaut les charrettes de foin. Elle a beaucoup grandi, et si elle aime toujours se battre avec les garçons, elle passe de plus en plus de temps assise au bord de la Tamise, à regarder du côté de la mer. Les navires sont pour elle d'immenses oiseaux, qui emportent ses rêves au-delà des terres. Elle a besoin de rêves, Mary, pour se remplir la tête et oublier son corps. Des rêves d'eau, de lumière, de senteurs d'îles, de fleurs étranges et magnifiques… John Davon était peut-être assis là, lui aussi, à aspirer au vent du large. Jusqu'au jour où il est monté sur une coquille de noix pour aller chercher les tempêtes derrière la courbe sage de l'horizon. John Davon ! Est-il mort ou vivant ? Noyé, déchiqueté par les requins, tué par les pirates ou choyé par des femmes à la peau chocolat, aux grands yeux en amande et au lourd parfum de cannelle ? Mary pense à Willy Davon, qui voulait naviguer sur les traces de son père. Son frère Willy, recroquevillé telle une crevette dans la terre humide d'un marécage. Willy, c'est elle à présent ! C'est elle qui ressent la dévorante envie de s'aventurer sur l'océan, saisie du même désir que John Davon. Elle sait que l'homme n'est pas son père. Sa mère ne lui a rien avoué, oh non, mais Mary a fini par comprendre ce que Benson voulait dire en lui demandant de compter les années. N'empêche, tant qu'elle sera Willy, John Davon sera son père.

– Hé, Willy !

L'appel a éclaté dans son dos. Mary se retourne. Un garçon lui fait signe, deux bâtons dans les mains.

– Jess et sa bande se dirigent vers notre territoire !

Jess ! Ce bubon ! Ce furoncle ! Toujours à frapper quand on s'y attend le moins.

– Sa dérouillée de la dernière fois ne lui a donc pas suffi ! s'esclaffe Mary en rejoignant son camarade. Cette fois, il va y laisser plus que sa chemise.

Elle attrape au vol le bâton qu'il lui lance. Ensemble, ils se mettent à courir vers cette partie de l'East End qu'ils défendent à crocs et à griffes contre les incursions de la bande rivale. Quand ils atteignent la ruelle qui délimite leur zone, Jess et sa clique sont déjà là, alignés sur deux rangs, prêts à déferler en terre ennemie. Mais une moitié de la troupe de Mary a été prévenue, et elle s'active à entasser des cageots et des tonneaux vides pour édifier une barricade.

– Ah, voilà Willy et Tom ! jette une voix, soulagée.

Les défenseurs acclament leur chef comme Mary surgit d'une venelle pleine d'ordures et habitée par des chats pelés. Elle brandit son bâton et pousse un rugissement. Ils n'ont besoin de rien d'autre, ses gars, pour reprendre confiance. De son côté, Jess émet une série d'aboiements qu'il pense être des cris de Peau-Rouge, afin de semer l'effroi chez l'adversaire. Sa troupe l'imite, et une immense clameur composée de toutes sortes de hurlements et de cris d'animaux emplit la ruelle.

– Laissez-les japper comme des chiens galeux ! dit Mary. Quand ils se seront frottés à nous, il leur restera juste assez d'air pour couiner et demander grâce. Tom, va tout de même battre le rappel dans nos rues ! Des renforts ne seront pas superflus.

La barricade rigole. Il n'aime pas ça, Jess, que la barricade rigole et se fiche de lui. Alors il commande l'avance de sa meute. Lentement. Parce que cela impressionne plus qu'une ruée désordonnée. Et renforce l'effet de puissance chez l'assaillant lui-même. Et donne le temps aux autres de prendre peur. Ceux qui possèdent des bâtons les frappent contre le sol, ceux qui portent des pierres les font claquer les unes contre les autres. En réponse, la bande de Mary fait résonner ses tonneaux en les martelant avec des morceaux de planche et des barreaux de chaise ramassés dans une arrière-cour. Les chats qui dormaient devant les soupiraux font le gros dos et se tassent dans les ombres. Un chien jaune rase les façades, la queue entre les pattes. Jess s'arrête à une vingtaine de mètres de la barricade. On cesse alors de tambouriner. On s'observe en silence. Un silence brutal qui respire la menace. Des ricanements naissent sur les lèvres. Une manière de rabaisser l'ennemi et de se rassurer soi-même.

– On va vous ratatiner ! grince l'un des attaquants.

– Va te torcher ! rétorque la barricade.

Une ligne de rires, à nouveau.

– Ouais, sur ta tronche !

Ça y est ! Le combat est entamé. Par les mots d'abord. Insultes. Provocations. Des mots qui font mouche et fâchent tout rouge. Puis le corps participe. Grimaces. Gestes obscènes. Tout de la mimique de défi et d'intimidation du sauvage. Enfin les pierres volent et crépitent contre les tonneaux. Moins armés, les défenseurs répliquent avec des fruits pourris. C'est même mieux que les cailloux. Ça fait moins mal mais ça s'écrase sur les visages et se répand sur les yeux et dans la bouche. Ça arrête net son braillard, un potiron moisi éclaté sur le front ! Et ça ne le rend pas très fier ! Il vient de s'en rendre compte, Jess, la poitrine maculée par des feuilles de chou farcies de crottes de chien. Ça gonfle la fureur, quand même ! Alors une vague de colère soulève ses rangs et les jette contre la barricade. Les fruits ont beau s'abattre tels des oiseaux morts, ils n'endiguent pas l'assaut.

« Qu'est-ce qu'ils font, nos renforts ? » s'inquiète Mary.

Les guerriers de Jess escaladent, renversent, enfoncent la barrière. Mary commande le repli tandis que les tonneaux roulent tout seuls le long de la ruelle en pente. Son bâton tenu à deux mains, elle fait front pour laisser le temps aux siens de se regrouper et aux renforts d'arriver. Elle frappe sur la jambe de l'un, donne un coup sur le bras de l'autre. Ses adversaires hésitent à l'affronter de face, cherchant plutôt à tourner autour d'elle.

– Tu sais te battre, Willy ! reconnaît Jess. Mais ça ne m'empêchera pas de gagner, cette fois. On va te coller au sol et te plumer comme un poulet. Moi, y a pas que la chemise que je vais t'arracher en guise de trophée, mais également le caleçon ! Tu rentreras chez toi aussi nu qu'un ver.

Mary recule, les dents serrées, les mains crispées sur son bâton. Qu'un seul tente un pas vers elle, et ce n'est pas sur le pied ou sur la main qu'il recevra la pointe de son arme ! Elle ne défend plus la rue, elle protège son corps, sa mère, les quatre couronnes qu'elles reçoivent par mois. Elle protège aussi son frère Willy. Qu'on n'aille pas le déterrer, là-bas, pour apporter la preuve de sa mort ! Et les condamner ensuite, sa mère et elle, à bouffer des rats crevés ! Ah non, alors ! Il va s'en prendre plein la gueule, le Jess, s'il essaie de poser la main sur elle. Dressée comme un cobra prêt à l'attaque, elle siffle. Sa respiration est devenue un filet d'air, un chuintement entre les dents. Ses yeux sautent d'un garçon à l'autre. Lequel va se ruer le premier sur elle ? Elle tremble de terreur. Pour ce qui va arriver.

Un bruit de cavalcade. Les renforts, enfin ! Ils ont contourné un pâté de maisons pour venir à la charge par l'arrière.

– Bravo, Tom ! claironne Mary. Balaie-moi cette racaille !

Ses agresseurs se retournent. Mary en profite pour faucher Jess d'un magistral coup dans les jambes. Il s'écroule sur les genoux. D'une bourrade dans le dos, elle le projette à terre, lui saute dessus et se met à le frapper. Sans retenue. Des larmes de rage dans les yeux. Animée par une haine farouche. Sa bande vient de bondir à la gorge de l'ennemi, et les bâtons s'entrechoquent, ponctués de cris et de gémissements. Jess se tortille au sol sous une pluie de gifles, de coups de griffe, de coups de poing.

– Arrête, Willy, arrête !

Mais Mary est sourde. La peur panique qu'elle vient d'éprouver lui a retiré toute pitié. Sa violence la submerge. Ce n'est pas seulement la fille qui loge dans ses poings, mais sa mère, Willy, John Davon, tiens, pour ignorer son infortune, et la vieille Jane pour ne jamais apprendre qu'elle a été dupée. Dupée et volée comme la dernière des oies. Non, Jess, tu ne mettras pas le derrière de Mary à l'air. Non ! Non ! Non !

Des mains la saisissent sous les aisselles sans même qu'elle ait conscience que deux membres de son groupe se sont approchés d'elle.

– Arrête, tu vas le tuer ! dit la voix de Tom.

Redressée, Mary fulmine et décoche un violent coup de pied à Jess, qu'elle manque car il se dégage à quatre pattes. À ce moment, le marchand de vin débouche d'une ruelle adjacente avec sa charrette.

– Sacrédié ! s'exclame-t-il. Qu'est-ce que vous avez fait de mes tonneaux ? Je m'en vais vous apprendre à vous battre comme des chiffonniers, moi !

Il vitupère, le bougre, le poing levé et l'œil furibond.

– Pendards ! Chenapans ! Têtards à souille ! Disparaissez avant que je ne vous caresse les côtes avec ma trique !

Redevenues brusquement un tourbillon d'enfants, les bandes se dispersent en galopant dans les rues. Ni vaincus ni vainqueurs ! Seul l'adulte a reconquis l'espace devant sa boutique, et, sitôt en bas de sa charrette, il botte ses commis pour avoir laissé les jeunes utiliser ses tonneaux afin d'organiser une bataille de rue. Coups de pied au cul et torgnole, voilà qui remet le bon sens à l'endroit. Crédié !

Mary s'est arrêtée avec deux de ses camarades à l'angle d'une maison, et elle s'est assise sur la borne en fer qui protège le mur contre la roue des chariots. Elle a du mal à reprendre son souffle, non à cause de la course, mais parce qu'elle suffoque encore du poids de sa colère. Pour la première fois, elle a perdu son sang-froid. Et cela l'effraie. Ce n'est plus contre Jess qu'elle enrage, mais contre elle-même.

– Hé ! s'écrie Tom. Mais tu saignes !

Mary met quelques secondes à réaliser que c'est à elle qu'il s'adresse. Elle regarde ses mains.

– Non, entre les jambes !

Elle baisse la tête. Découvre une tache de sang à la naissance des cuisses. Elle se rembrunit, inquiète. Elle n'a pourtant pas mal à cet endroit.

– Tu saignes comme les filles, Willy, ricane l'autre flandrin en se dandinant.

Mary referme ses jambes et s'empourpre à l'instant. Qu'est-ce qu'il raconte, cet abruti ? Qu'est-ce qu'il sait des filles ? Et pourquoi ça saignerait, une fille, et pas un garçon ? C'est un coup qu'elle a reçu ! Une coupure qui n'a pas provoqué de douleur, comme ça se produit parfois ! Elle est un peu déroutée, tout de même.

– Ils m'ont frappée au ventre quand ils m'ont cernée, déclare-t-elle, sans plus savoir si elle ment ou non.

Les deux garçons la regardent en hochant la tête. « Comme il doit souffrir, Willy, se dit Tom. Et il ne le montre pas. Quel chef, vraiment ! »

– Tu devrais rentrer chez toi, conseille-t-il.

Un tortillon naît dans les entrailles de Mary et lui remonte dans la poitrine, telle une brûlure au bout d'un crochet. Ce n'est pas de la souffrance, c'est de la peur. « Qu'est-ce qui se passe en moi ? s'affole-t-elle. Je suis en train de me vider de mon sang ? » Elle en ressent un vertige. Comme si tout devenait blanc dans sa tête. Comme si tout s'amollissait en elle et autour d'elle.

– On va te raccompagner, propose l'un des garçons.

Elle refuse, arguant qu'un chef est capable de marcher tout seul et que ce n'est pas un coup bas qui va le diminuer.

– On le retrouvera, Jess, et on lui fera bouffer sa chemise, foi de Ma... !

De Willy ! Bon sang, de Willy ! Qu'est-ce qui t'arrive, Mary ? C'est ce sang qui fait glisser ton masque ?

– Je vous le promets, les gars ! achève-t-elle sur un ton qu'elle veut décidé. À présent, allez donc vous assurer que Jess et sa bande ne reviennent pas !

Tom donne un coup de coude à son ami, lui signifiant d'obéir. Mary les suit des yeux, puis, lorsqu'elle est enfin seule, elle ne peut contenir plus longtemps la vague d'effroi qui déferle en elle. Alors elle se met à courir, la tête bourdonnante de questions.

Sa mère n'est pas à la maison. Mary retire son caleçon et cherche sa blessure. Or il n'y a rien. Pas de trace de coup, pas d'entaille. « Je saigne du dedans », panique-t-elle. Son cœur cogne très fort dans sa poitrine, et ses jambes tremblotent au point qu'elle tombe assise sur un tabouret. Elle s'examine mais ne rencontre aucune égratignure, aucune lésion, aucune meurtrissure. Rien qui la fasse souffrir. Le sang continue pourtant à couler sur sa main, né d'une source mystérieuse au plus profond de son corps.

– Je vais mourir, chevrote-t-elle. Comme Willy. Lui, il a craché le sang par la bouche, moi je le perds par en dessous. Mais c'est pareil. Je vais finir dans un trou. Recroquevillée comme une crevette. Maman ! Maman ! Ma... !

Un sanglot lui soulève la poitrine. Pour étouffer ses pleurs, elle se plie en deux et appuie ses bras et son front sur ses genoux. Laissant les perles s'échapper d'elle. Lourdes et silencieuses.

Quand Emma rentre enfin, Mary n'a pas bougé.

– Willy ? appelle la mère, intriguée.

C'est alors qu'elle aperçoit le sang.

– Ah, fait-elle, Mary est revenue. Ça devait arriver un jour ou l'autre.

Mary lève un visage ravagé par les larmes. Quoi ? Qu'est-ce qu'elle vient de dire, sa mère ?

– Qu... qu'est-ce qui devait arriver ? bredouille-t-elle.

– Que la fatalité nous rattrape ! grogne Emma. La vie était trop simple avec Willy.

– Je vais mourir, maman. Regarde tout ce sang...

– Mais non, tu ne vas pas mourir, sotte que tu es, répond sa mère avec un haussement d'épaules. C'est du sang de fille qui sort de toi. J'aurais dû t'expliquer ça depuis longtemps, soupire Emma en allant mouiller un morceau de tissu à la pompe. Mais tu étais si bien dans la peau de ton frère... ! Moi aussi, je perds du sang une fois par mois.

– C'est grave ?

– Non.

– Ça fait mal ?

– Ça peut faire mal de temps à autre, mais ça ne dure pas. Une semaine tout au plus. Tiens, essuie-toi ! ajoute la maman en lui tendant le linge humide.

Mary est rassurée à présent.

– Y a aucun moyen d'empêcher qu'on perde du sang tous les mois ? demande-t-elle.

– Il y en a un, si. Quand ça arrive, c'est que tu es enceinte. Faudrait pas que ça nous tombe dessus, ça encore ! Ne bouge pas, lui recommande-t-elle. Je vais aller chercher des bandes.

Assise, Mary regarde quelques gouttes de sang sur le plancher. Elle pose un pied de chaque côté et s'amuse à osciller sur son tabouret.

– C'est comme une séparation. Là je suis d'un côté, là je suis de l'autre, murmure-t-elle en s'appuyant alternativement d'un pied sur l'autre. Là je perds du sang, là je n'en perds pas. Là je suis Mary, là je suis Willy...

Emma revient dans la pièce et fait voler la chemise de sa fille par-dessus sa tête.

– Je vais te montrer comment serrer cette bande autour des reins en la passant entre les jambes. Tu la changeras deux fois par jour. Il est temps aussi de penser à compresser ta poitrine. Que la vieille Jane ne s'aperçoive pas que des seins commencent à te pousser !

Mary apprend à s'emmailloter le bas-ventre, puis à s'enrouler dans une espèce d'écharpe.

– Voilà, ponctue sa mère une fois l'opération achevée. Fais quelques pas, pour voir !

Au début, l'étoffe entre les jambes la gêne un peu.

– Redresse-toi ! Ne garde pas les jambes arquées ! Tu marches comme un canard. Si jamais tu attrapes mal à l'intérieur de toi, prétexte une indigestion ! Parce que si ta grand-mère se doute de quelque chose, nous serons bonnes pour finir avec les rats.

Elle sait user des mots qu'il faut, Emma. De quoi faire oublier la bande qui frotte en haut des cuisses et celle qui comprime le buste. Alors Mary se met à gesticuler, à danser, à exécuter des cabrioles pour montrer qu'elle peut toujours être Willy.

CHAPITRE 6

UN MERCREDI, MARY

Londres, avril 1707

Mary a presque quinze ans. Elle s'est laissé pousser les cheveux qu'elle ramène en arrière et qu'elle serre dans un étui en cuir qui pend sur sa nuque, façon queue-de-rat. Une mode qui vient des marins et qu'affectionnent tous les adolescents. Elle n'est pas allée chez sa grand-mère aujourd'hui, car Jane Davon est alitée. Usée par le poids des années, selon le diagnostic du médecin appelé à la hâte, le mercredi passé. Mary a eu peur, parce qu'il l'a appelée « ma fille » dès qu'il est entré, le médecin. Heureusement, ni Jane ni la servante n'ont rien entendu. Ça voit au travers des apparences, un docteur ? La jeune fille en est désormais convaincue. Elle l'a rapporté à sa mère.

– Voilà un danger inattendu, a estimé Emma. Tu n'iras plus chez la vieille tant qu'il y aura le risque d'y croiser le médecin. Il vaut mieux perdre une, voire deux couronnes, plutôt que de jouer sa tête. Tu expliqueras à ta grand-mère, quand elle sera remise sur pied, que tu ne voulais pas la fatiguer. Peut-être qu'elle te remettra l'argent en retard, à ce moment-là.

C'était il y a une semaine.

Ce mercredi, Mary se mire dans une glace. Elle y voit d'abord Willy, avec ses cheveux tirés en arrière et sa chemise lacée jusqu'au cou pour dissimuler le bandage. Willy ! Encore et toujours Willy ! Avec l'argent que sa mère a mis de côté, elle n'a plus besoin d'avoir peur de bouffer des rats crevés. Alors elle peut bien oublier Willy un instant. D'autant que son corps de fille se rappelle à elle tous les mois, sans compter la bande qu'elle porte autour du torse en permanence.

– Tu es vraiment oppressant, Willy, dit-elle à son image. Mary pousse en toi comme une grosse fleur et va te faire craquer. Mais peut-être que je peux être un jour un garçon, et un jour une fille.

Et ce mercredi, Mary a décidé de devenir une fille ! Oh, l'idée lui trotte dans la tête depuis un moment. Depuis que les plus âgés de sa bande ont raconté ce qu'ils partageaient avec leurs partenaires féminines. Et chacun de surenchérir, de confier des détails. Et les mots leur ont manqué pour traduire la merveilleuse frivolité de ces moments avec les filles. Mary a écouté, sachant qu'elle est privée de cette ivresse-là. Aussi, ce jour-là, elle commence par dénouer ses cheveux. Ils tombent en boucles jusqu'aux épaules et lui dessinent tout de suite une mine de fille manquée. Quelques coups de peigne, et voilà un vrai minois de jouvencelle ! Mary pose ses doigts sur le miroir, captivée par le portrait qu'il renvoie d'elle.

– Je n'ai pas défait grand-chose, et pourtant c'est moi, là. Réellement moi !

Tant d'années d'efforts de la part d'Emma, réduits à néant en un instant. La jeune fille empoigne ses cheveux, les tire à nouveau en arrière. La tête de Willy réapparaît.

Elle les lâche et leur redonne du gonflant. C'est Mary. Elle recommence. Willy. Mary. Willy. Mary.

– Ne crains rien, maman, sourit-elle, comme si elle venait d'être surprise. Je me métamorphose en garçon ou en fille en un clin d'œil.

Elle quitte sa chemise, déroule la bande qui lui compresse la poitrine et regarde ses seins aplatis qui se remplissent et se transforment déjà.

– Je respire mieux en fille, constate-t-elle.

Elle va choisir une robe dans l'armoire de sa mère. Elles ont la même taille, Emma et elle, et la mère est fine de hanches. La jeune fille retire son caleçon masculin et enfile un corsage et une jupe décorée de falbalas, des garnitures froncées disposées en volants. Après quoi elle endosse une robe retroussée sur sa jupe et se coiffe d'un bonnet blanc orné d'une bande de velours. Ce sont les plus beaux vêtements d'Emma, qui lui ont d'ailleurs coûté plusieurs couronnes et dont elle ne se pare que lors des grandes occasions. Mais Mary ne va pas s'affubler d'une simple robe de futaine et d'un tablier pour sa première sortie ! Autant chausser des sabots ! C'est un événement aussi important que le lancement d'une nouvelle frégate, parbleu !

La jeune fille s'admire dans le miroir, pivote sur la pointe des pieds. Qu'elle est belle ! Elle essaie les chaussures de sa mère. Montée sur des talons, elle apprend à marcher comme une fille, après avoir appris à se mouvoir comme un garçon. Sachant que sa mère ne rentre que le soir, le mercredi, Mary a tout l'après-midi devant elle pour goûter sa féminité. Elle sort. Radieuse. Un peu inquiète tout de même.

La jeune fille a changé de quartier. C'est plus prudent. Elle a suivi les rues qu'elle emprunte habituellement pour se rendre chez sa grand-mère. À présent, elle est devant sa demeure : les vieilles pierres grises, la porte en forme d'ogive, le heurtoir de bronze. À l'étage, de l'autre côté de la fenêtre, Jane Davon lutte contre la maladie des ans. Peut-être est-elle en train de jeter un coup d'œil dans la rue, la Jane, si elle est dans son fauteuil, et si la servante a placé ce dernier contre la vitre ? « Peut-être est-elle en train de me regarder ? » songe Mary avec un petit tiraillement au cœur. L'envie la démange d'aller frapper et de demander quelque chose à la domestique en contrefaisant sa voix. Par défi. Juste pour se rendre compte si l'autre la reconnaît. « Trop dangereux, estime-t-elle. Le jeu peut finir en drame. » Alors elle s'éloigne et va se promener du côté des docks.

Un lourd voilier tourne sur sa quille pour sortir du port, les voiles bordées plat* pour virer vent devant. Mary entend claquer les ordres, voit l'équipage s'activer à la manœuvre, des matelots grimper dans les haubans, d'autres se suspendre aux cordages pour les raidir. Le vaisseau s'engage sur le fleuve et déploie sa grand-voile pour prendre le vent. Celle-ci gonfle aussitôt comme un ventre de mouette. Le bateau glisse sur la Tamise, emportant les rêves de Mary, qui le suit d'un regard d'envie.

– Il part pour la Jamaïque ! lance une voix dans son dos.

La Jamaïque ! Un nom qui porte en lui une saveur de sucre. Elle se retourne, toise un jeune homme assis sur une borne d'amarrage. Queue-de-rat, chemise débraillée, larges braies s'arrêtant à mi-mollet, le drôle a tout du traîne-dock qui grappille une tâche par-ci par-là.

– Les filles, là-bas, piquent toutes une fleur de vanillier dans leurs cheveux, poursuit le jeune homme. Et leurs yeux sont aussi sombres que deux lacs noirs.

– Qu'est-ce que tu en sais, marsouin ?

– Holà, la belle, tu parles comme un garçon ! Ta mère ne t'a pas appris les bonnes manières ?

Mary se mord la langue. Reste où tu es, Willy ! Au fond de ton trou !

– Ce sont les marins qui t'ont dit ça ? reprend-elle d'une voix adoucie.

– Je suis allé dans les îles, affirme l'autre sur un ton de suffisance.

La jeune fille pouffe dans sa main.

– À Wight, à Portland, peut-être jusqu'à Guernesey...

– Je suis allé dans les Antilles ! se rebiffe le bougre en se relevant. Je suis mousse sur le *Great Whale* qui fait commerce avec les Amériques. Nous avons essuyé une tempête au retour, et le navire a subi des dommages dans son gréement.

D'un mouvement de la tête, le jeune matelot a désigné un bâtiment au moment où il a prononcé son nom. Un vaisseau démâté qui a perdu toute superbe, et d'où s'envolent des coups de marteau. Mary avance les lèvres en une petite moue. Ce freluquet a-t-il vraiment navigué sur l'océan ?

– Vous avez rencontré des pirates ? demande-t-elle.

– Dans les Antilles, un homme sur deux en est un. Les marchands traitent avec les flibustiers comme ta mère avec le poissonnier.

– Je parle d'un abordage, d'une attaque en haute mer.

– Ça a failli. Une fois, un étrange vaisseau...

– Je ne te crois pas, le coupe Mary. Si cela t'était réellement arrivé, tu n'aurais pas attendu que je t'interroge pour le dire.

– Je ne serais certainement plus là pour te regarder, confirme-t-il avec un sourire. Je m'appelle Wesley. Et toi ?

– Mary ! Moi, j'ai vu William Kidd.

– Tout le monde peut voir William Kidd à Tilbury Point. Il pendouille comme une aile de corbeau desséchée.

– Je l'ai vu vivant, rectifie-t-elle. Je l'ai vu mourir. On l'a pendu deux fois.

– Je sais, on me l'a raconté... J'ai envie d'aller me promener le long de la Tamise. Il y a tellement de bateaux qui se croisent sur le fleuve que c'est un vrai miracle qu'ils ne se heurtent pas. Tu m'accompagnes ?

Mary hésite. Qu'a-t-elle à faire de son après-midi ? Rien, sinon à le passer en fille. Alors...

– Pourquoi pas ? s'entend-elle lui répondre.

Wesley et elle quittent le port et suivent les berges de la Tamise. Le voilier est encore en vue, pas plus gros qu'un oiseau de mer, prêt à s'offrir au large.

– Tu repars quand ? s'enquiert Mary.

– Cela dépendra des charpentiers.

– C'est comment, sur la mer ?

– C'est dur, confie le mousse. La discipline est sévère, et les officiers méprisent l'équipage. Pour eux, nous valons moins que les drisses* qui maintiennent les voiles.

– J'aimerais bien naviguer sur l'océan, confie la jeune fille, sourde aux remarques de Wesley.

– C'est un métier d'homme. Une femme sèmerait la discorde parmi les membres de l'équipage.

– Pourquoi ? Si elle se montre aussi capable qu'un matelot à la manœuvre...

– Devine... fait-il en lui passant son bras autour des épaules.

Mary tressaille, mais elle ne le repousse pas. C'est si rare d'être Mary, qu'elle veut en savourer chaque instant. Elle a une telle faim d'être fille qu'elle se sent disposée à brûler toutes les étapes. Cela se bouscule dans sa tête. Et dans son corps. Alors elle le laisse faire, Wesley. Elle ne réagit pas quand il la prend par la taille et la serre plus fort contre lui. En apparence, car son cœur est un oiseau fou dans une cage.

La ville est derrière eux. La rive est bordée de peupliers, de saules et de bouleaux. Des buissons de bocage divisent les pâtures et empêchent le bétail de se répandre dans les champs. L'après-midi est doux, pareil à un souffle tiède sur une peau duveteuse.

– Arrêtons-nous là, suggère Wesley d'une voix sirupeuse, presque pâteuse. Ça te dit de fondre dans mes bras ?

Elle sourit de sa hardiesse. Il est bien sûr de lui, le bougre.

– J'ai le temps, murmure-t-elle. Je n'ai pas encore quinze ans.

Le temps ? Tu vas redevenir Willy dès ce soir, ma vieille, et la Jane ira sans doute mieux la semaine prochaine. Tes mercredis, tu vas désormais les passer à lui faire de la lecture, et c'en sera fini de Mary pour un bon bout de temps ! Maintenant que tu as endossé ta parure de fille, tu veux redisparaître dans ton trou ? Secoue-toi, Mary. Vis ce que tu es, bon sang !

– Je dois rentrer. Willy m'attend.

« Sotte ! Oiselle ! Baluche ! » se rebelle une partie d'elle-même.

– Qui ?

– Mon frère.

« Menteuse ! Chiffe molle ! Dégonflée ! Tu pouvais aussi bien garder ton caleçon à trois pence et tes galoches, et patauger dans les ruisseaux avec ta bande de croque-misère ! Ton mercredi de fille, tu peux l'enterrer avec ta poupée ! Adieu, Mary ! »

– Je reviendrai la semaine prochaine, promet-elle sans y croire.

– Je serai sans doute parti.

Wesley s'assoit et lui fait signe de s'installer à côté de lui. La jeune fille regarde le coussin d'herbes qui l'attend. Indécise, elle tergiverse.

– Je vais salir ma robe, minaude-t-elle.

Elle reste debout un instant, raide, immobile, ne sachant qu'ajouter. Elle accepte enfin de s'asseoir. « C'est mieux, Mary, c'est mieux ! » entend-elle dans sa tête tandis que le sang lui bat dans les tempes et que sa poitrine est devenue un tambour.

Le jeune homme arbore un air de conquérant. Sûr de lui. Il se met à parler, à évoquer ses voyages, à raconter la mer. Ses mots sont des images qui éblouissent, des parfums qui enivrent. Il tient Mary sous le charme des îles avec des mots simples pourtant, des mots de marin salés aux tempêtes et chauffés au soleil des Caraïbes. La tête de la jeune fille vient se poser sur son épaule. Alors il se déhanche et l'embrasse. Mary ne résiste pas quand il la fait tomber doucement sur le dos. L'herbe est sèche, la robe ne risque rien. L'autre est une arche au-dessus de son corps. Elle plonge ses yeux dans les siens. Ses yeux qui parlent pour elle. La main de Wesley s'enhardit sur son ventre. Mary est prête, elle n'est plus qu'un long frémissement. Renversée sur ses presque quinze ans, elle lui cède. Les yeux fermés, les lèvres pincées, elle aspire au bien-être dans sa tête et dans sa chair. Elle y pense très fort au plaisir, elle l'appelle de tous ses vœux... mais il ne vient pas. Il reste endormi au fond de sa grotte, tel un dragon de légende. « C'est tout ? se dit-elle, déçue. C'est ça, les grandes orgues ? Les trompettes du paradis ? C'est du fifrelin d'oiseau ! Du sifflet de mouche ! »

– C'était bien ? demande le jeune homme, sûr de la réponse.

Mary lui décoche un petit sourire narquois. Tu resteras toujours un mousse, Wesley !

Elle est morose sur le chemin du retour. Goûter à la fille n'a pas comblé ses espérances ; elle trouve plus de satisfaction dans une belle bagarre avec les garçons. Rêvant de nouveauté, elle est partie gonflée comme une goélette, toute pimpante et battant pavillon ; à présent la voilà qui retourne, la lèvre amère, aussi pitoyable dans ses vêtements qu'une voile sans vent qui flope le long du mât. Ouvrant la porte de sa maison, elle a l'impression d'entendre les murs ricaner. « Bonjour, Willy, voici ta queue-de-rat, ton caleçon et tes galoches ! »

*
* *

Jane Davon vient de mourir. Et avec elle la couronne hebdomadaire. C'est un coup dur car, bien qu'Emma ait quelques économies nichées dans un bas de laine, elle va devoir reprendre son aiguille et coudre pour les autres. Ou même ouvrir sa porte aux matelots. Ça ne l'enchante guère de recommencer la vie qu'elle menait à Sheppey. Elle a laissé une fille, là-bas. Euh...

– Willy !

Mary pointe son nez de garçon. Elle est triste d'avoir perdu la grand-mère de son frère. Elle l'aimait bien, la Jane. En fait, c'était sa vraie grand-mère, puisque le véritable Willy ne l'a jamais connue. Elle a le visage baigné de larmes.

– Maintenant que la vieille a passé, nous n'aurons plus un penny, commence Emma en l'appelant auprès d'elle. C'est dire que nous n'avons plus besoin de jouer la comédie, d'autant que je vois bien qu'il est de plus en plus difficile de maîtriser ton corps de femme. Un jour ou l'autre, quelqu'un s'en apercevra. Nous pouvons changer de quartier, et tu peux redevenir une fille, Mary.

C'est étrange, le nom *Mary* prononcé par Emma. Pour la première fois depuis tant d'années. Cela fait près de dix ans que le mot n'a pas sonné aux oreilles de la jeune fille, bien qu'elle-même se le répète parfois, tout bas, la nuit. Mary ravale ses pleurs et fronce les sourcils. Changer de quartier, ça veut dire s'enfoncer un peu plus dans l'East End, s'incruster au cœur de la misère, et là, oui, bouffer des rats crevés ! Redevenir Mary, ça veut dire quoi au juste ?

– Le problème, c'est que tu ne sais ni coudre, ni broder, ni cuisiner, ni aucun des métiers qu'une mère apprend en général à sa fille, poursuit Emma, qui comprend l'embarras de Mary. Et pourtant, il va bien falloir que tu rapportes de l'argent à la maison.

– Je veux rester Willy, maman.

Wesley n'a pas su éveiller ses sens de fille, l'incapable ! À tel point qu'elle se demande si son corps ne s'est pas glacé de l'intérieur à force d'avoir été caché, d'avoir été interdit de lumière.

– Tu en es sûre ?

Mary ne veut plus penser à ce corps qui s'est dérobé ce fameux mercredi, qui n'a pas su s'épanouir comme elle l'avait tant souhaité. Devenir une fille, c'est entrer dans un corps qui ne lui obéit pas. Et cela l'effraie un peu. Marcher en chaloupant, la gouaille à fleur de lèvres, prête à en découdre à tout propos et se battre comme un garnement, voilà ce qui lui sied mieux.

– C'est ce que je veux, maman. J'irai travailler sur les docks et...

– Quoi que tu en penses, tu as des os de fille ! l'interrompt sa mère. Tu vas t'écrouler sous les charges. Qu'un médecin t'examine, et c'est sur nous que les mouettes lâcheront leurs fientes quand nous serons condamnées à la gangue[1] !

1. Planche percée de trois trous dans lesquels on engageait le cou et les poignets du condamné, livré à l'exposition publique.

– Je ne saurai pas être une fille.

– Tu as bien su te transformer en garçon.

– Je ne peux pas enterrer Willy une deuxième fois, maman.

– À ta guise, grogne Emma. Trouve-toi un travail à ta mesure ! Mais si je ne vois pas bientôt une pile de pièces sur la table, tu iras laver tous les caleçons et casaques du quartier, je te le promets !

Les mains dans la crasse et dans la puanteur des autres ? Ah non alors ! se hérisse Mary. Autant aller ramasser le varech sur l'île de Sheppey !

CHAPITRE 7

LE PENDARD DE SHEPPEY

Mary n'est pas allée sur l'île à moutons pour se casser le dos à ramasser des algues, pas plus qu'elle n'a plongé ses mains dans la lavasse des autres. Elle est entrée au service d'une Française, non loin de St James's Park. Rien de comparable avec les marécages de Sheppey, même s'il y a autant de canards ! C'est grâce à la vieille servante de Jane Davon qu'elle a trouvé ce poste de garçon à tout faire chez une certaine dame Dupin qui collectionne les tasses et les soucoupes en porcelaine, les dettes et les rhumatismes de printemps. En dehors de la jeune fille, la Dupin a pour servantes une cuisinière et une jeune dame de compagnie, qui logent dans deux chambres mitoyennes. Mary – faisant partie de la gent masculine – est reléguée dans une soupente.

– Dépêche-toi, Willy, dépêche-toi ! ordonne Mme Dupin en frappant le parquet de sa canne. Il faut porter toutes ces missives à mes créanciers avant midi. Ensuite, tu remonteras le charbon de la cave, et puis tu nettoieras le devant de la maison, qu'on ne marche pas dans les crottes que ces bâtards de chiens déposent devant ma porte !

Après... après... nous verrons bien, après ! Quant à vous, ma bonne Roisin, faites-moi donc un peu de lecture !

Et pendant que Mme Dupin et sa jeune Irlandaise de compagnie se laissent tomber dans un fauteuil, elle court, Mary. Elle court ! Du drapier au boucher, du marchand de vin au bottier, du pelletier au pâtissier, du prêteur au charbonnier, du vendeur de papier au plumassier... Elle use ses semelles à galoper dans Londres, et c'est sur elle que les créanciers déversent leur aigreur.

– Je n'honorerai plus aucune de ses commandes tant qu'elle ne m'aura pas payé ! L'hiver prochain, en guise de charbon, elle se chauffera en soufflant sur ses doigts, la pince-maille !

– Je ne crois plus à aucune de ses bafouilles ! braille l'usurier en agitant la lettre sous le nez de Mary. Je vais lui envoyer un huissier, à la *Frenchie*, et vous vous retrouverez tous à la rue ! Dans la souille jusqu'au cou !

– Comment ? Tu oses te présenter devant moi pour me réclamer un délai de paiement ? Disparais de ma vue ! Arsouille ! Bon à rien ! Jean-foutre ! Je vais aller les lui faire bouffer, ses dentelles, à la guenon ! Et toi, tu recevras un grand coup de bâton si je te revois par ici !

Elle court, Mary. Elle court pour apporter les lettres, elle court ensuite pour échapper aux insultes et à la main lourde des créditeurs. La prochaine fois, elle les jettera dans la Tamise, ses lettres ! Et bran pour la rombière !

Passé le temps du matin, vient le temps de midi.

– Dépêche-toi, Willy, dépêche-toi ! ordonne la cuisinière, qui a tout de la baleine à moustaches. Je manque de charbon pour mon fourneau. Le feu va s'éteindre et les plats refroidir. Si cela arrive, je te jure bien que tu n'auras que du pain dur à ronger !

La jeune fille dévale les escaliers, deux seaux à la main. Elle remue la pelle, se noircit les mains, tousse à force de respirer la poussière de charbon, remonte avec des récipients si chargés qu'elle s'y cogne les genoux et se brise les reins.

– Que tu es sale, Willy ! la sermonne la bonne femme. On te croirait sorti du fond d'une mine. Tu es donc incapable de faire quelque chose correctement ? J'espère que tu n'as pas laissé l'empreinte de tes semelles sur le tapis, ni celles de tes mains sur les murs du couloir, sinon tu seras battu. N'approche pas de la table ! Pose tes seaux et va-t'en ! Tu ne remettras les pieds dans cette cuisine qu'après t'être lavé. L'heure du repas sera passée, tant pis pour toi ! Ça t'apprendra à traînailler !

Mary ressort de la cuisine, ses chaussures à la main et la faim au ventre. La prochaine fois, elle mêlera des crottes de chien aux morceaux de charbon. Et bran pour la fouille-au-pot !

Passé l'heure du repas, vient le temps de l'après-midi.

– Plus vite, Willy, plus vite ! ordonne Roisin, qui, pendant la sieste de la dame Dupin, se coule dans le rôle de la maîtresse de maison comme on enfile une nouvelle robe. Fais briller ces bougeoirs et l'argenterie ! Tu manques de nerf ! Et maladroit avec ça ! Ramasse cette poivrière et recommence à la briquer ! Je ne te laisserai aucun repos avant que tous ces objets n'étincellent.

Mary frotte, lustre, polit, astique. À s'user les doigts. Après l'argenterie, ce sont les meubles et le parquet qu'il faut passer à l'encaustique. Elle cire à quatre pattes, puis fait reluire les lames du sol en patinant dessus avec des chiffons de laine fixés à ses chaussures. Mais elle a les os fragiles, une charpente de fille, d'oiseau des mers, et ses efforts soutenus entament sa résistance. Elle vacille sur ses jambes, transpire, et des larmes d'épuisement se mêlent à ses gouttes de sueur.

– Tu pues, Willy. Tu sens le cuir bouilli. Ne touche

surtout pas aux tasses ni aux soucoupes en porcelaine ! Elles prendraient ta vilaine odeur. Au lieu de rêvasser, va donc te décrasser à présent, et changer de vêtements ! Et ne redescends pas avant d'avoir nettoyé tes frusques ! Cette maison n'est pas un antre de boucaniers.

Mary quitte la pièce et monte dans sa chambre. La prochaine fois, c'est sur Roisin qu'elle projettera l'huile de térébinthe, et elle la récurera à l'abrasif sous le prétexte de l'essuyer. Et bran pour cette merluche !

Passé le jour, vient la nuit où la jeune fille, enfin seule, peut redevenir Mary. Couchée sur le dos, la poitrine à l'air, libérée de sa queue-de-rat et de son caleçon, elle lâche un soupir qui la vide complètement. Ce n'est pas ainsi qu'elle envisageait sa vie. Willy est en train de l'abîmer, de la consumer, de la détruire. Elle lui fournit ses forces et toute son énergie. C'est pour lui qu'elle fixe l'extrémité de sa bande au bouton de la porte, tous les matins, et qu'elle s'emmaillote le buste en tournant sur elle-même. C'est pour lui qu'elle cache le tourment de son corps, tous les mois. Et ce n'est pas facile devant trois paires d'yeux de femme !

« Tu m'agaces, Mary, dit une partie de sa tête. Fallait pas enterrer ta poupée, fallait pas prendre mon nom ni ma peau pour arracher ses couronnes à grand-mère ! Fallait pas t'enterrer, Mary ! »

« Ce n'est plus une duperie, c'est un piège ! se rebelle son corps. Tu es un coquin, Willy. Un sacré fieffé coquin qui a trouvé, à travers la mort, le moyen de me gâcher l'existence ! Alors que faire ? Me déculotter devant la Dupin pour me faire renvoyer ? »

« C'est trop tard pour redevenir une fille, maintenant. Tu aurais dû prendre cette décision à la mort de Jane Davon. Willy tu es, Willy tu restes ! Le Diable a abattu sa carte. Et bran pour les mauvais joueurs ! »

Mme Dupin possède un jardin derrière sa maison. Un jardin à la française, c'est-à-dire découpé en formes géométriques. Elle y tient à son jardin, la drôlesse, aussi le fait-elle entretenir avec un soin tout particulier. Pour ce faire, elle s'assure chaque année, du printemps à l'automne, les services d'un certain Benson.

Ce jour-là, à peine arrivé, le dénommé Benson dévisage longuement Mary. Celle-ci le reconnaît aussi, le Benson de Sheppey, le pendard qui lui a claironné que John Davon n'était pas son père et qui s'est ramassé un bon coup de tête dans le ventre. Elle se sent fondre sous l'examen des yeux inquisiteurs.

– Vous vous connaissez ? s'étonne Mme Dupin.

– Il me semble, avance Benson en plissant son front. Mais dans mon esprit, c'était une fille...

– C'était ma sœur, se hâte de répondre la jeune fille, qui craint que son cœur n'explose dans sa poitrine. Je suis Willy Davon. Ma famille habitait sur l'île de Sheppey, à l'époque.

– Ah oui ! fait Benson, qui remonte dans son passé. Willy Davon... l'enfant toujours malade. C'est ta sœur qui venait souvent sur la plage. Comment s'appelle-t-elle, déjà ?

– Mary.

– Voilà, c'est ça ! ponctue-t-il en claquant des doigts. Une petite peste dans son genre ! Qu'est-elle devenue ?

– Elle est morte.

Une grimace. Chacun le déplore. « Le Diable est encore de la partie, songe Mary. Qu'est-ce qu'il me prépare ? »

– Au travail ! commande Mme Dupin en frappant dans ses mains. Vous aurez le temps d'évoquer vos souvenirs plus tard, puisque vous partagerez la même chambre. Le lit est assez grand pour deux.

Les garçons avec les garçons, les filles avec les filles ! La vie t'éclate de rire au nez, Mary, et s'amuse à t'enfermer dans ses nœuds.

La journée est morose. Tout comme la jeune fille qui aimerait aller se perdre dans Londres. Mais il n'y a pas de missives à porter, aujourd'hui. Rien à faire d'autre qu'à s'activer dans la maison et à voir le dos de Benson par les fenêtres qui donnent sur le jardin. Les heures défilent bien trop vite ; le soir approche, terrible, avec ses traînées de sang dans le ciel. Au dîner, Mary et Benson mangent dans la cuisine tandis que la Dupin et Roisin se font servir dans la salle à manger, à l'étage. On ne mélange pas le gratin avec la plèbe. Faut pas naître dans le varech ni dans la rue pour espérer poser ses fesses sur un siège en cuir grainé !

– Tu n'es pas bien, Willy ? s'inquiète l'énorme cuisinière en rapportant les assiettes de la maîtresse de maison et de sa jeune dame de compagnie.

– Si... si...

– Ça n'a pas l'air. Tu devrais monter te coucher tout de suite.

– Ça va bien, assure Mary, qui tient justement à retarder le plus possible l'instant où elle se retrouvera seule avec Benson. Je voudrais même entamer une partie de mon travail de demain. Commencer à astiquer les bougeoirs, par exemple.

– Et venir ensuite me réveiller en pleine nuit ? grogne Benson. J'ai eu une rude journée aujourd'hui et je veux dormir d'une traite jusqu'au matin.

– Je te conseille d'en faire autant, dit la grosse femme à Mary. T'as pas le teint bien frais. Or faut que tu sois en forme demain. La Dupiche a décidé de procéder au grand lessivage de printemps. Du grenier à la cave, mon gars ! Tenez, vous monterez deux brocs remplis d'eau avec vous, quand vous irez vous coucher, ajoute-t-elle.

Plus tard, précédant Benson, Mary gravit les marches

menant à la soupente. Chaque pas lui pèse. Derrière elle, l'autre souffle tel un ours. C'en est fini de jouer à la fille, la nuit. Les seins vont rester bandés, et lorsqu'elle sera réglée, elle devra prétexter des coliques pour courir à la planche percée afin de se rincer et de se changer. C'est pour le linge souillé que ce sera dur. Plus question de le laver dans la chambre! La chambre, il la connaît, Benson, car c'est la troisième année qu'il vient travailler pour la Dupin. Et il en use comme un propriétaire.

– Je me lave le premier et je prends la partie droite du lit, décrète-t-il.

Il se déshabille, se met tout nu – tout nu, le ruffian! – et verse l'eau de son broc dans une vasque. Mary détourne les yeux. Elle l'entend qui se frotte, qui se débarrasse de sa sueur de jardinier, et elle se demande comment elle va se débarrasser de son odeur de fille.

– À toi! jette-t-il en vidant la vasque dans son broc.

Mary la remplit avec son eau, retrousse ses manches, et se débarbouille rapidement. Le visage, les bras jusqu'aux coudes, et les jambes à partir des genoux, là où s'arrête le caleçon.

– C'est tout? remarque Benson.

– Je ne transpire pas comme un bœuf, moi.

– Tu gardes ta chemise et ton caleçon pour dormir? s'étonne-t-il quand Mary s'allonge près de lui.

– J'ai froid.

Benson hausse les épaules. Que lui importe, après tout! La jeune fille souffle la chandelle. L'obscurité la soulage enfin. Même si l'autre fait pencher le matelas de son côté, elle peut se croire isolée et tirer sur la bande qui maintient sa poitrine pour la desserrer un peu. Qu'il s'endorme vite, Benson, et que la fatigue le terrasse jusqu'au matin!

– De quoi elle est morte, ta sœur?

Surprise par la question, Mary met plusieurs secondes à réagir.

– De... de la fièvre, bredouille-t-elle.

– C'est étrange, tout de même.

– Qu'est-ce qui est étrange ? s'affole Mary.

– C'est toi qui étais malade, Willy, et c'est elle qui est partie. Personne n'aurait misé sur toi. Même à présent, t'as l'air encore malingre. T'as pas des épaules ni des jambes de garçon.

Que répondre ? Que la fatalité dispose de chacun à son gré ? Benson semble se contenter du silence de Willy.

– C'était une drôle de fille, reprend-il. Je me souviendrai toujours de la couleur de ses yeux. La même que les tiens, d'ailleurs. Je ne me rappelais pas que tu lui ressemblais autant.

– Ça fait dix ans.

– N'empêche ! La dernière fois que je l'ai vue, elle braillait sur la plage que son père allait revenir. Son père, tu parles, pfff ! Vous devez tenir tous les deux de votre mère, sinon l'un aurait une tête d'autruche, et l'autre celle d'un pingouin. C'est une image, bien sûr... Personne n'a su que ta sœur était morte, sur l'île. Vous l'avez enterrée en cachette, ta mère et toi ?

– Elle est morte à Londres, invente la jeune fille. L'année où Cap'taine Kidd a été pendu. Elle repose avec sa grand-mère Jane Davon.

– Jane Davon ? harponne Benson. Vu le nom, c'est ta grand-mère à toi, Willy ! Mary n'était pas une Davon. Tu te laisses prendre ta place comme ça ? Vous avez dû drôlement la flouer, la vieille, pour qu'elle accepte de partager l'éternité avec une bâtarde.

Mary se mord les lèvres. C'est sa première bévue, et le premier soir ! Il va falloir apprendre à contrôler ta langue, ma belle. Emma et toi avez fui Sheppey pour échapper au danger, mais il est revenu, le danger. Il est couché à côté de toi.

– Tu me fatigues, Benson. Est-ce que je te demande si tu as encore mal aux tripes ?

– Mal aux tripes ?

– Ma sœur nous a raconté comment elle t'avait enfoncé les mots dans le ventre, s'en sort Mary. Ça nous a beaucoup fait rire, ce soir-là. Je crois bien que c'est à partir de ce moment que j'ai commencé à guérir.

– Mm... mm... grommelle le gaillard, peu soucieux de poursuivre.

Il se tourne sur le flanc, loge sa tête dans un creux de l'oreiller et cherche le sommeil. « Quel âge peut avoir Benson maintenant ? réfléchit Mary. Un peu plus de vingt ans. Va falloir que je me méfie de lui à chaque seconde. Ça va devenir un enfer ! »

CHAPITRE 8

LA CARTE DU DIABLE

Les jours glissent comme des oies dans le ciel. Mary brique la maison entre deux courses chez d'autres créanciers, nettoie la cheminée, ramasse les crottes de chien, remonte le charbon et les bûches de la cave... couverte de cire et de suie jusqu'aux cheveux. Benson taille, bêche, élague, arrache les mauvaises herbes, plante des bulbes... crotté de terre jusqu'aux yeux. La cuisinière plume, tranche, touille, épluche... tachée de graisse jusqu'au menton. Roisin trie le courrier, résume les missives, écrit sous la dictée de la maîtresse de maison, poursuit ses lectures des œuvres de Mme de Sévigné... une mouche d'encre au bout de l'index. Deux mondes ! Deux mondes ? Pas vraiment car, d'une fenêtre, la jeune fille a surpris Roisin dans le jardin. Profitant de la sieste quotidienne de Mme Dupin, sa jeune dame de compagnie s'oublie avec Benson. Mary en a le sourire jusqu'aux oreilles. Le Diable vient de se défausser d'un bel atout. Elle prend la carte. Et bran pour le Diable !

Les soirs, Mary s'asperge avant d'aller dormir. Elle a beau se précipiter dans sa chambre dès qu'elle dispose d'un instant, dans la journée, pour procéder à une toilette complète, cela ne lui suffit pas : elle aimerait tant se tremper dans un baquet et s'y prélasser à l'aise, comme avant l'arrivée de Benson. Lui ne s'en prive pas, et il mouille le plancher à force d'éclaboussures.

– Tu pues, Willy, dit-il une nuit. Tu as beau avoir changé de vêtements, ta chemise sent le rance.

Ce n'est pas la chemise, mais l'écharpe qui comprime les seins. Difficile d'expliquer ça à Benson ! Alors elle fait la sourde oreille.

– Retire-la et dors comme un homme ! Et ôte ton caleçon qui doit empester le rat crevé !

Le rance ! Le rat crevé ! Ce n'est pas cette odeur-là qu'elle doit porter sur elle, Roisin, sinon il aurait immédiatement reniflé la fille étendue près de lui. Et puis elle ne sent ni le rance ni le rat crevé, Mary ! Benson raconte vraiment n'importe quoi. La jeune fille fait celle qui dort déjà, couchée en chien de fusil.

– Ho ! insiste Benson en lui décochant un coup de coude dans le dos.

Mary se raidit. Le pendard va passer à l'attaque, elle le pressent. Elle serre les poings, pense à Jess, qui a voulu emporter son caleçon comme trophée. Il va s'en ramasser une belle aussi, le Benson, s'il tente de la dénuder ! Et il tente, le bougre ! Il a agrippé la chemise et essaie de la remonter. Mary se retourne d'un bloc et *paf !* elle lui envoie son poing sur le nez. Le cri de douleur se mue en cri de rage. Benson détend son bras et la frappe à la hanche. Mais elle sait se battre, la fille. Mieux que ce lourdaud de fils de berger ! Elle lui saute à la gorge. Empoignés l'un à l'autre dans une obscurité totale, ils roulent sur le lit et tombent sur le sol. Ils grognent, rauquent, râlent. Heurtent des coudes et des genoux les brocs, la table qui supporte la vasque et la fait osciller, les pieds du lit, la porte... C'est une vraie bataille de chiens, jusqu'au moment où elle s'ouvre, la porte, et que la lumière d'une lampe à huile dévoile la cuisinière aux chairs relâchées. C'est un tonneau, un monstre, une pieuvre. Derrière elle, dressée sur la pointe des pieds pour mieux voir, Roisin, dans une longue chemise en coton.

– Touche-moi encore, siffle Mary à l'oreille de Benson, et la Dupin apprendra que c'est sur sa liseuse que tu sèmes ton persil.

– Qu'est-ce qui vous prend ? interroge la grosse femme, stupéfaite de découvrir les deux branquignols par terre.

– C'est... c'est Willy, hoquette Benson en se relevant. C'est lui qui...

Il n'achève pas. D'un bon coup de tête dans le ventre, Mary le rassoit sur le lit, la respiration bloquée.

– Ça doit te rappeler quelque chose, non ? C'est rien, fait-elle avec un petit geste d'apaisement à l'adresse des deux femmes. Une querelle de garçons.

– Si vous avez réveillé Mme Dupin, il vous en cuira demain, annonce Roisin en jetant un regard noir à Mary. Recouchez-vous ! Mais si vous avez l'intention de recommencer, il vaudrait mieux que l'un de vous aille s'installer sous l'escalier.

La jeune fille arrache la couverture du lit, prend son oreiller et une lampe et sort de la soupente. Elle sera toujours mieux sous les marches qu'à la merci de l'autre artoupian. La cuisinière regagne sa chambre. Benson s'approche alors de Roisin et lui souffle :

– Il sait, pour nous deux.

Le visage de la jeune femme se décompose. Benson effleure son épaule des lèvres, mais elle le repousse, agacée. Ce n'est ni l'endroit ni le moment. Campée en haut de l'escalier, Roisin regarde décroître la lueur de la lampe. « Ce Willy est devenu une menace. Je ne vais plus vivre tranquille à présent. Il faut que je trouve le moyen de me débarrasser rapidement de lui. »

*
* *

Mary n'est pas tranquille. Au regard plus froid de Roisin, à sa voix plus sèche, elle se doute que Benson l'a mise au courant. Ni l'un ni l'autre n'abordent le sujet avec elle, et le jardinier ne lui demande plus de retirer sa chemise pour dormir, mais elle flaire le piège. Elle se croyait maîtresse du jeu, la voilà qui s'inquiète. Aurait-elle pioché une carte truquée ?

Terrassée par une crise de rhumatismes, Mme Dupin est clouée dans son lit, ce jour-là. La cuisinière rivée à ses fourneaux, Mary à son charbon, à ses crottes de chien et à son briquage de meubles, Roisin se donne des ailes pour aller papillonner autour du jardinier. « Ils complotent, ces deux-là ! suppose la jeune fille en les surveillant du haut de la fenêtre du salon. Qu'est-ce qu'ils peuvent bien imaginer pour me nuire ? Quelque chose de très méchant, assurément. De très grave aussi pour que la Dupin se défasse de moi au plus vite, car tant que je suis dans les lieux, je représente un danger pour eux. Qu'est-ce que je ferais, à leur place ? Je toucherais la Dupin dans ce qu'elle aime le plus, sinon le renvoi ne serait pas assuré. Mais qu'est-ce qu'elle aime, la Dupin ? »

Elle poursuit le cirage des meubles, libre de traînailler un peu puisque ni Roisin ni la maîtresse de maison ne sont derrière elle, à la houspiller. « C'est bizarre qu'elle me laisse seule ici, l'Irlandaise. D'habitude, elle ne me lâche pas des yeux, de peur que je casse quelque chose. » Et soudain c'est l'illumination, la révélation subite du plan machiavélique ourdi par les amants ! Mary est toute frémissante d'avoir percé à jour le dessein de ses ennemis. « C'est ici, dans cette pièce, que je suis censée commettre un forfait ! » Prompte à s'enflammer, elle se persuade qu'un traquenard l'attend entre ces quatre murs. Y a-t-il des gravillons dans la cire afin qu'elle raie les meubles ? Des objets fragiles posés en déséquilibre afin qu'ils tombent et se brisent au premier contact ? Elle examine autour d'elle, mais ne relève rien d'anormal. Pas plus dans le salon que dans le fond du pot qu'elle tient à la main. « Je me suis trompée. Roisin et Benson me jugent sans doute trop insignifiante pour me craindre. Ils ont simplement dû se mettre d'accord sur le genre de réponse à apporter pour réfuter mes accusations, pour le cas où je dévoilerais leur inconduite. Je me suis fait des idées en imaginant je ne sais quelle conspiration dirigée contre moi. Je ne suis qu'un pet d'oiseau dans cette demeure. »

Alors elle reprend son chiffon et continue à astiquer les meubles. « Et pourtant, moi, je ne laisserais jamais un danger sur mes arrières, si infime soit-il. » Perplexe, elle soulève les petites sculptures en porcelaine pour nettoyer dessous. Et approche du service de Limoges auquel elle n'a pas le droit de toucher. La jeune fille s'attarde devant les tasses et les soucoupes. Par bravade, elle saisit une tasse, la porte à ses lèvres, fait semblant de boire, puis la repose. C'est vrai qu'elle est mignonne et délicate, presque transparente à force de finesse. Elle lui donne un petit coup d'ongle pour la faire chanter. Il y en a douze, retournées sur une grande assiette plate. Et les soucoupes sont empilées à côté. Douze tasses et dou... ! Elle tique. Recompte les soucoupes. Eh non, il n'y en a que onze ! Dupin en aurait cassé une ? C'est impensable, elle y tient comme à la prunelle de ses yeux ! Et puis il semble bien à Mary que la hauteur de la pile atteignait exactement l'une des tablettes de la crédence. Du coup, l'idée du complot refait surface. « C'est ça ! comprend-elle. Ils veulent me faire accuser de vol. Ils ont caché l'objet quelque part. Quand la Dupin sera sur pied, elle constatera le délit par elle-même, et c'est dans mes affaires qu'on retrouvera la soucoupe. »

Toute la journée, elle y pense. Partagée entre le désir de se venger et la réflexion, plus apaisante, qui consiste à se dire qu'elle échafaude peut-être une hypothèse complètement fausse. Pourtant, le lendemain, ce sont deux soucoupes qui manquent sur le buffet.

Mary attend son heure. Depuis deux jours que Mme Dupin est alitée, Benson et Roisin montent dans la chambre de la jeune femme une demi-heure avant le repas de midi. Lui prétextant vouloir aller se changer dans la soupente après ses travaux ; elle invoquant n'importe quelle excuse. De toute façon, ils ne risquent rien : la cuisinière est vissée devant ses casseroles, Dupin sous ses draps, et Willy... quoi qu'il raconte, la réponse des tourtereaux est prête, et il sera taxé de menteur, de faraud, de baveux, le miston à tout faire ! Sans compter que dès que la patronne sera en mesure de se lever, c'est une autre chanson qu'il va entendre, Willy, avant d'être chassé à coups de botte !

Mary attend son heure. Du haut d'une fenêtre, elle guette le jardinier et sa bergère. Son chiffon à poussière est en repos, aujourd'hui, et les crottes de chien chauffent au soleil devant la porte. Elles y resteront encore un bon moment puisque la jeune fille a décidé de quitter le service de la Française dès le début de l'après-midi. Après le repas, tant qu'à faire ! Et après s'être délectée de sa vengeance ! Il n'y a que le charbon qu'elle a monté de la cave à la cuisine, afin de ne pas subir l'irruption de la baleine à moustaches dans son dos.

Mary entend les pas de Roisin dans le couloir. « Ça y est, elle vient de terminer sa lecture chez Dupin, et elle descend rejoindre Benson. Je dois agir vite et en silence. » Dès qu'elle aperçoit la jeune femme en compagnie de l'autre pendard, dans le jardin, Mary se rue dans le salon, emplit sa chemise avec le restant des soucoupes et les tasses, puis elle grimpe vers la chambre de l'Irlandaise. Les marches en bois craquent plus qu'à l'accoutumée, comme par hasard, comme si le Diable s'en mêlait. « Si je suis prise, adieu mes gages et bonjour la prison ! » appréhende-t-elle.

L'heure tourne avec le soleil. Benson repose sa bêche et s'éponge le front. Roisin vient de le quitter pour retourner dans la maison. Mentalement, il suit son parcours : elle va faire un tour à la cuisine, histoire de s'assurer que la grosse est occupée avec son bouillon, puis elle va échanger quelques mots avec la Dupin avant de monter dans sa chambre. Si elle croise cette fouine de Willy, elle trouvera un motif pour l'envoyer à la cave. Benson esquisse un méchant sourire en imaginant la tête de Willy au moment où on découvrira les soucoupes en porcelaine enfouies dans ses caleçons. « Je les déposerai cette nuit, jubile-t-il. La Dupiche va mieux. Demain, elle pourra sans doute se lever. » Les mains derrière le dos, il abandonne son travail et se dirige vers la maison. Fredonnant :

Adieu, Willy !
Willy tordu !
Willy foutu !...

Tapie sous l'escalier, Mary attend. Roisin est passée sans la voir. À l'autre balourd à présent ! Le voilà ! Il entre. Il pose un pied sur la première marche. Et s'arrête.

Pourquoi s'arrête-t-il ? La question bat dans la tête de Mary. Son cœur aussi. Si fort qu'elle redoute que Benson ne l'entende. Celui-ci renifle, sent l'air, comme pour chercher la présence de Willy. Enfin, les pas reprennent, la main file sur la rambarde, le jardinier monte se changer. En principe.

Mary sort de sa cachette et se hâte vers la chambre de Mme Dupin. Elle frappe doucement à la porte et s'enhardit dans la pièce. Assise dans son lit, la maîtresse de maison lui lance un regard outré, mais l'expression de l'intruse – un air de conspirateur et un doigt posé sur les lèvres – retient ses invectives. Mary s'approche, lui murmure des phrases à l'oreille. Dupin ouvre une bouche et des yeux stupéfaits.

– Si, si ! certifie la jeune fille en hochant la tête.

La bonne femme exige des preuves. Mary lui tend son bras. Lui assure qu'elle la portera sur son dos, s'il le faut. Et elle trouve la force nécessaire pour la transporter à l'étage supérieur. Sans l'aide de la robuste cuisinière. Parce qu'il s'agit de sauver sa peau.

Roisin a retiré ses vêtements et elle tournoie dans la lumière du soleil pour faire briller son corps d'albâtre. Muet d'admiration, Benson la fixe avec la même intensité que s'il avait sous les yeux un coffre bourré d'or. Il en salive, le bougre. Soudain, perdant toute retenue – et voyant le temps passer –, il bondit sur elle, la soulève et la jette au milieu du lit. Le matelas rend un son insolite. Quelque chose ressemblant à un bris de verre. D'un geste, Roisin arrête l'ardeur de son partenaire, saute du lit, soulève le matelas... et demeure interloquée.

Interloquée aussi, la Dupin, lorsqu'elle découvre au même moment – la porte ouverte à la volée – sa jeune dame de compagnie en tenue d'Ève et le jardinier les fesses à l'air. Tous deux debout, blancs comme des cierges, devant les débris du magnifique, de l'incomparable, du prestigieux service en porcelaine de Limoges. Passé l'instant d'horreur, Mme Dupin oublie ses rhumatismes et s'élance sur les drôles, la canne brandie. Avec un rugissement de lionne.

*
* *

– Et alors ? demande Emma.

– Elle les a proprement rossés, pouffe encore Mary, de retour chez sa mère. Benson n'avait plus besoin de remonter ses chausses pour cacher son derrière. On ne le reconnaissait plus, son fessier, tout rouge et strié qu'il était après la bastonnade. Et Roisin...

– Et alors, reprend Emma dans un soupir, tu es partie.

– Je ne pouvais plus rester, maman.

– Pourquoi ? Elle a chassé les deux autres. Tu pouvais même prendre la place de Benson.

– C'est moi qui ai provoqué la casse de son service de collection, rappelle Mary. Les autres ont eu beau se défendre de l'avoir volé, elle ne les a pas crus. Je n'aurais jamais pu regarder Mme Dupin dans les yeux, après ça.

– T'étais obligée de mêler ses porcelaines à leurs fredaines ?

– Oui. Sinon la Dupin se serait peut-être contentée de renvoyer Benson tout seul. Je voulais aussi punir l'Irlandaise. Lui faire subir le sort qu'elle me réservait.

– Je n'aimerais pas être ton ennemie. N'empêche, tu nous prives d'un revenu. La place n'avait pas été facile à trouver... Maintenant, va falloir sérieusement que tu penses à retrousser tes manches pour laver les casaques du quartier, ma fille ! gronde sa mère en changeant de ton.

– Je ne redeviendrai pas Mary, maman. Je vais quitter Londres. Ici, il y aura toujours un Benson pour me damner le pion.

– Quitter Londres ? s'écrie Emma d'une voix poussée en fausset. Mais... pour aller où?

– Sur la mer !

– Sur la mer? Comme ton père? Comme ce fou de John Davon?

– John Davon n'était pas mon père, tu le sais bien. Je me suis engagée sur un navire de guerre en partance pour la Méditerranée. Ils demandaient des gars, je me suis présentée, ils m'ont enrôlée pour un an. C'est tout. Je te donnerai une partie de ma solde au retour. Et puis je repartirai pour je ne sais où.

La mère en reste sans voix. Dans un souffle :

– Un navire de guerre... Ils vont vous tailler en pièces, les Français ! Et comment tu vas faire, au milieu de tous ces hommes ?

– Comme tu me l'as appris, maman. Je me suis aussi trouvé un nouveau nom, puisque je ne connaîtrai jamais celui de mon père. Je m'appelle désormais Willy Read. Ce sera mon nom de soldat... Ça évitera de traîner mon passé derrière moi, ajoute-t-elle pour couper court à une réplique de sa mère. Je tranche les amarres avec Sheppey. Tu peux comprendre cela, non ?

Emma prononce le nom comme si elle mâchouillait les lettres.

– Read... Read... Pourquoi ce nom plutôt qu'un autre ?

– Pour indiquer que je sais lire. C'est un nom que je dois à grand-mère.

– Et... et celui de ton bateau ?

– Le *Black Shadow*.

– Ça sonne comme un navire pirate. C'est un nom qui fait peur.

– Justement ! rit Mary. Ça fera se terrer les Français sous leur lit ! C'est une frégate de quarante canons.

Emma regarde sa fille. Un soldat ! Toutes leurs épreuves

ont fait d'elle un soldat. Elle va goûter à la mitraille et respirer la fumée des canons. Ce n'est pas ce qu'elle avait souhaité pour ses enfants, Emma.

Qu'avait-elle souhaité, au juste ?

Elles tombent dans les bras l'une de l'autre. Cela faisait longtemps, si longtemps, que ce n'était pas arrivé.

– Je ne veux pas te perdre, Mary, sanglote la mère en la serrant très fort.

Mary se dégage doucement.

– Voilà bien des années que tu l'as perdue, ta fille, maman.

DEUXIÈME PARTIE

MARY LA GUERRE

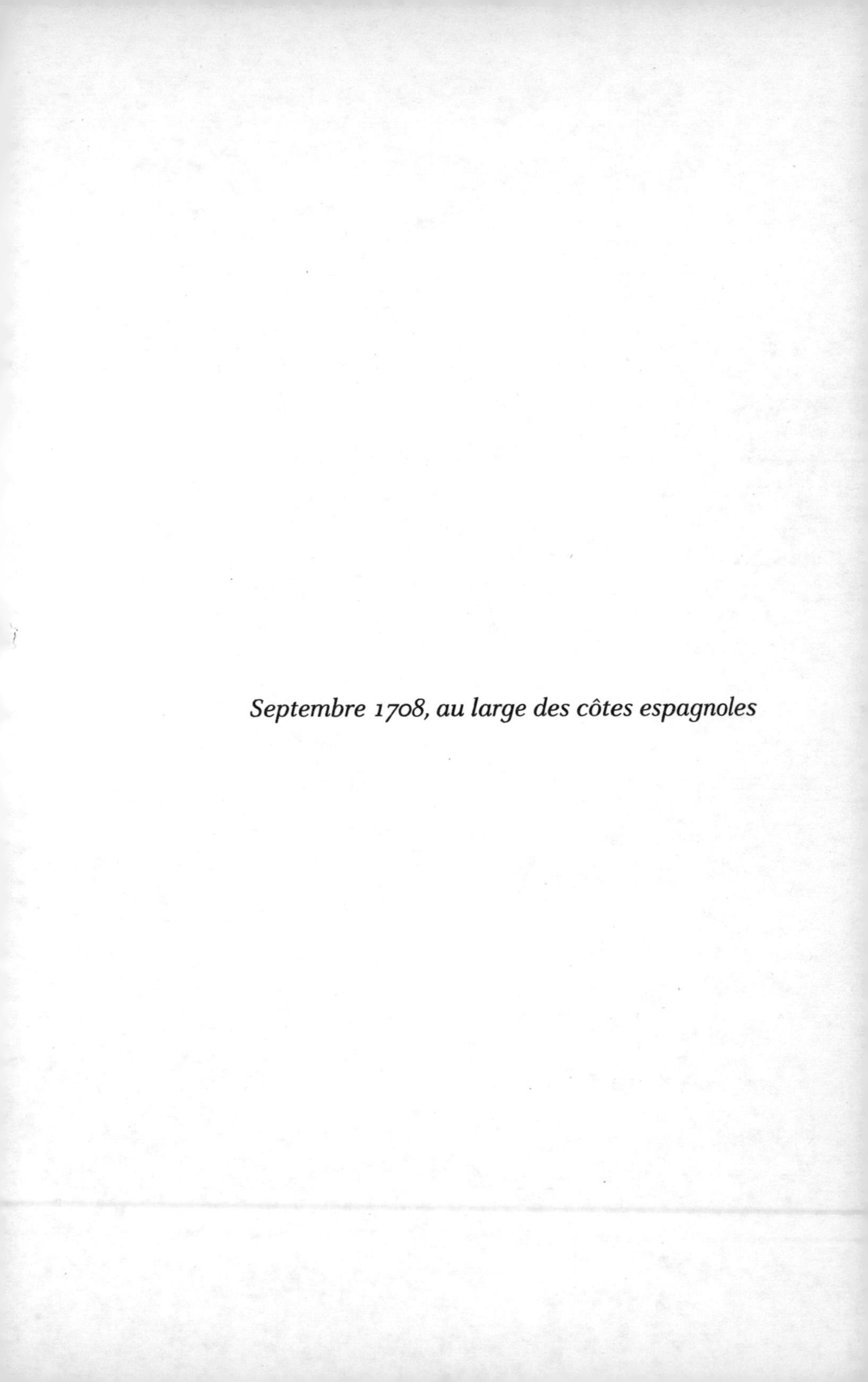

Septembre 1708, au large des côtes espagnoles

CHAPITRE 9

SUR LE BLACK SHADOW

Debout au premier rang, Mary. Des hommes sont assemblés devant le grand mât, sur trois rangs serrés. Ce sont les matelots. Silencieux et raides comme des pierres. En fer à cheval autour d'eux, des soldats en uniforme rouge. Le fusil à la main, ils ont ordre de tirer en l'air si l'équipage se met à grommeler. Et d'intervenir à coups de crosse s'il fait mine de se rebeller. Planté sur la dunette*, les deux mains posées à plat sur la tablette d'appui de la balustrade, entouré de ses officiers et du commandant du vaisseau, le général James Stanhope savoure l'instant. C'est un instant de toute puissance. La scène est figée sous ses yeux, et lui seul a le pouvoir de l'animer. Il inspire à longs traits, cherchant à se gonfler comme une voile.

– Maître d'équipage ! lance-t-il.

Le bosco* a le regard vissé sur le général. Lorsque celui-ci lui adresse un mouvement de tête, l'homme décrit un arc de cercle avec son bras pour donner plus de force à son coup. Le fouet siffle dans l'air. La lanière trace un sillon sanglant sur le dos d'un gabier* attaché au mât.

Muscles bandés, le gaillard retient son cri. Le deuxième coup lui zèbre l'épaule, le troisième lui ouvre la peau de l'échine, lui arrachant un grognement, sorte de bouillie de hurlements broyés sous les dents.

Les poings serrés, l'équipage souffre avec son compagnon. Le bougre a été condamné à dix coups de fouet pour avoir dérobé de la nourriture à la cambuse. Si les matelots ne crevaient pas de faim, aussi ! Si l'essentiel des vivres n'était pas réservé aux officiers et aux troupes ! Qu'en irait-il, du navire, si l'équipage n'avait plus la force de le manœuvrer ? Il aurait l'air malin, le général Stanhope, avec son régiment d'écrevisses, entraîné à la dérive !

Ainsi pensent les matelots en tressaillant chaque fois que le cuir mord la chair et que le gabier crache le cri qu'il ne peut plus retenir. Le corps arqué.

Ainsi pense Mary. Elle qui s'est engagée pour se battre et qui se retrouve mousse, au dernier grade de l'équipage. Elle qui, loin des armes, passe ses journées à traquer les rats sur le bateau, à graisser la roue des poulies, à enrouler les cordages, à nettoyer le pont supérieur, le pont de gaillard d'avant*, le pont de dunette*, le faux pont*... C'est pire que chez la Dupin ! Mais il y a la mer, l'espace, le vent immense qui vient du bout de l'océan ! Pour le moment, il sent la marée, le vent, mais patience, il finira bien par apporter une odeur de vanille, un jour. Quoiqu'il risque plutôt de se charger d'un relent de poudre tout prochainement ! Cela fait six mois que Mary navigue sur le *Black Shadow*, à patrouiller afin d'empêcher la flotte de

1. Il s'agit de la guerre de Succession d'Espagne (1701-1714), provoquée par l'avènement au trône d'Espagne de Philippe V, petit-fils de Louis XIV. La guerre opposa l'Angleterre, les Provinces-Unies, l'Empire allemand, puis le Portugal et la Savoie contre la France.

Louis XIV de se rendre maîtresse de la Méditerranée[1]. Six mois d'ennui, de gestes éternellement répétés. Mais le *Black Shadow* est retourné à Londres pour embarquer le général James Stanhope et des troupes fraîches, et le voilà en train de retourner vers le Rocher de Gibraltar, qui contrôle le détroit. La bataille n'est pas loin. Enfin ce qu'attend Mary !

Au dixième coup, le matelot fouetté s'effondre contre le mât, le corps retenu par ses poignets liés. Il fait penser à une pièce de bœuf suspendue à une esse. Le général s'éclipse, le bosco rend le fouet à un de ses quartiers-maîtres, puis il braille pour remettre l'équipage au travail. La tension se relâche, les hommes se dispersent, les soldats rompent la formation. Deux marins s'approchent du matelot qui vient d'être châtié.

– Hé, Willy ! appelle l'un d'eux. Va chercher de l'eau !

Mary s'empresse d'obéir. Le blessé gémit quand on lui asperge le dos pour le nettoyer de son sang, et il suffoque à moitié quand elle le fait boire à la louche. Les deux hommes le transportent ensuite dans l'entrepont et le couchent dans son hamac, l'abandonnant aux soins du médecin de bord.

Déclarant vouloir chasser les rats dans la cale, la jeune fille descend par l'écoutille*, munie d'un bâton et d'un sac. Traversant une étroite coursive, et se tenant courbée pour ne pas se cogner aux barrots – les pièces de charpente qui soutiennent le plancher du faux pont –, elle entre dans la soute à eau et allume un fanal accroché à une poutre. Des tonneaux sont solidement arrimés, et ils ne laissent qu'un infime passage entre eux et le bordage. Un passage à rats dans lequel seule Mary est capable de se glisser. C'est là, entre les vaigres* et les tonneaux, qu'elle a caché ses bandes. Son sang de fille est revenu, la surprenant toujours par son irrégularité. Une chance qu'elle ait pu tout de suite fourrer un morceau d'étoupe de lin dans son caleçon pour éviter de le tacher ! À présent elle doit se changer, en espérant que personne ne descendra dans la cale. Elle enfouit sa main dans l'espace compris entre les planches et les gros fûts en chêne, tire à elle un petit sac de toile, le délace et en extirpe une bande. C'est la dernière. « Tu as mal calculé, ma vieille, se dit-elle avec une pointe de panique dans le ventre. Va falloir que tu trouves une solution si tu veux continuer à loger dans la peau de Willy ! »

Elle fait sauter les coins qui bloquent le couvercle d'un tonneau, puise de l'eau avec une cruche, se déshabille et se nettoie. Après quoi elle se fixe la bande entre les jambes, renfile son caleçon et replace le couvercle. Elle fourre l'étoupe imprégnée de sang dans le sac à rats, réussit à assommer quelques rongeurs qui pullulent dans la cale, remonte et vide le tout par-dessus bord.

– Allez, Willy, allez ! aboie son quartier-maître*. Va nourrir les poules et ramène leurs œufs ! La vigie se plaint que les mouettes ont sali sa plate-forme. Monte là-haut pour gratter leurs fientes ! Après quoi tu changeras les mèches des fanaux de poupe !...

Elle court. Du sac de graines à la cage aux poules, derrière le banc de quart. Des œufs à la cambuse, sous la dunette. Elle grimpe. Des bas haubans jusqu'aux haubans* de hune. Elle gratte, à quatre pattes, les oreilles percées par le son de harpe que le vent pousse dans les drisses. Puis elle se laisse glisser le long d'un cordage jusque sur le pont, court chercher une tige munie d'un crochet à son extrémité, décroche les fanaux à l'arrière du vaisseau, remplace les mèches, raccroche les lanternes... Les autres moussaillons s'activent de même, vérifiant les nœuds, changeant les cabillots* fendus. Mais ce sont des garçons, habitués depuis plus longtemps que Mary à la rude vie à bord ! Alors, forcément, elle s'épuise plus vite, avec ses os de fille, ses os d'oiseau de mer. Et il n'aime pas ça, le quartier-maître, mais alors pas du tout ! Parce que c'est sur lui que retombent les reproches du bosco.

– Remue-toi, Willy, remue-toi ou tu vas goûter du chat à neuf queues ! Le cuistot réclame ton aide pour éplucher des patates.

Mary fait la grimace. Qu'il essaie donc de lui arracher sa chemise pour la fouetter, le quartier-miche, et il va se prendre un bon coup de genou ! Il lui faudra un moment pour se redresser et marcher droit. Mais comme elle sait qu'un mousse a toujours tort, elle ravale sa réplique et obéit.

Vient le soir. Un soir pareil à tous les autres. La lumière brille dans la salle à manger d'où s'envolent des rires et d'âpres discussions. Le général, les officiers, le commandant du navire et son second, l'aumônier et le médecin de bord dînent d'un rôti d'oie aux pommes de terre arrosé de vins de France. Sur le tillac*, les soldats mangent un plat de fèves et du cochon grillé et boivent de la bière. Dans l'entrepont, que les marins partagent avec la batterie de canons, les hommes avalent un infâme brouet de lentilles dans lequel surnage une viande indéfinissable. Si Mary n'avait pas jeté les rats à la mer, elle jurerait que ce sont leurs morceaux qu'on leur a servis. C'est infect ! Autant bouffer du cuir bouilli ! Heureusement que chacun a droit ensuite à un boujaron[1] de rhum pour faire oublier le goût.

Vient la nuit. L'officier et les hommes de quart s'installent à leur poste, les soldats et les matelots s'entassent sur des grabats et dans les hamacs. La jeune fille remonte sur

1. Petit récipient d'un 1/16e de litre, mesurant la ration quotidienne d'alcool d'un marin.

le pont supérieur. Cette nuit, c'est l'officier Donovan qui est de service. C'est un brave gars qui s'est pris d'amitié pour elle. Oh, une amitié toute masculine, pétrie de blagues, de gros rires et de tapes dans le dos. À cela s'ajoute le fait que Donovan est une fine lame et qu'il enseigne son art audit Willy. C'est ça qui l'intéresse, Mary ! Apprendre à manier une épée !

Ils se retrouvent sur le gaillard d'avant. L'homme pose sa lanterne près de la cloche de bord, délimitant une zone éclairée, un cercle de combat, puis il tend une arme à Mary. Elle assujettit la poignée dans sa main, fait siffler la lame dans l'air et se met en garde.

– Avance ta jambe droite, conseille Donovan. Fais porter ton poids sur la gauche pour esquiver un coup, sur la droite pour porter l'estocade... Voilà, c'est bien ! ponctue-t-il comme elle contre son assaut. Fends-toi ! Réattaque tout de suite ! Ne laisse pas l'adversaire reprendre l'avantage !

Les lames tintent. La nuit est métallique, avec son froid d'étoiles, son ciel glacé, laqué, poli comme une obsidienne. La mer est noire, sans un reflet. Des lucioles dansent pourtant au nord-est, soulignant la côte de Cadix. Ce sont des brasiers allumés à intervalles réguliers, au pied des atalayas[1], afin de surveiller le rivage.

Les lames tintent. Le *Black Shadow* fend les vagues, dirigé de main de maître par le timonier, qui navigue aux feux et au compas. Le flot frappe la coque avec une régularité de pendule, les cordes chantent dans le gréement, les mâts craquent comme de vieux meubles. Le navire plonge, se soulève, plonge, se soulève, plonge, se soulève...

Les lames tintent.

1. Tour de vigie.

– Aïe ! crie Mary.

L'homme baisse aussitôt son arme. S'inquiète.

– Je t'ai blessé ?

– Au bras gauche.

Donovan attrape la lanterne, examine l'estafilade.

– Quelle idée, aussi, de te protéger brusquement avec le bras ! C'est l'épée qui doit parer le coup. Elle ne risque rien, elle.

– C'était un réflexe, se défend la jeune fille. Un geste instinctif de novice.

– Tu n'es plus un débutant, Willy. Tu te bats mieux que pas mal de soldats. Eux ne savent que tirer et foncer baïonnette au canon. Va réveiller le médecin de bord, qu'il soigne ta blessure !

L'officier retourne auprès d'un des hommes de quart, assis sur le banc derrière le pilote, tandis que Mary pénètre sous la dunette et va frapper à la porte du médecin.

– Docteur Ross ! Docteur Ross ! appelle-t-elle.

Elle l'entend qui remue sur sa couchette en bougonnant. Puis des pas traînants approchent. Elle sourit. Elle a bien calculé son coup. Novice, elle ? Allons donc ! C'est exprès qu'elle a levé son bras afin que l'épée de Donovan l'entaille. Afin de courir chez le médecin. Afin qu'il lui donne des bandes. La porte s'entrebâille. Une face barbue apparaît, rouge dans la lueur vacillante de la lampe, que Ross tient à hauteur de visage.

– Qu'est-ce que tu veux ? ronchonne-t-il. Tu t'es fait mordre par un rat ?

– Il me faut des pansements, doc, annonce Mary en élevant son bras ensanglanté dans la lumière.

Ross la fait entrer, jette un œil sur la plaie.

– C'est un coup de couteau ? demande-t-il. Vous vous êtes querellés, là en bas ?

– Non, répond-elle. J'ai repoussé une attaque de corsaires français, à mains nues contre leurs sabres d'abordage.

– Bien sûr, grommelle le médecin. Et c'est Jacques Cassard[1] en personne qui menait l'assaut. Fasse le ciel qu'il ne nous tombe pas dessus, celui-là !

Il la fait asseoir sur son lit, nettoie sa blessure et lui bande tout l'avant-bras.

– Je te donne deux bandes supplémentaires, lui dit-il. Tu les changeras toi-même.

– Vous êtes sûr que deux suffiront ?

– Tu n'as pas le bras en charpie, que je sache !

Ross lui tourne le dos pour aller se rincer les mains à l'eau d'un broc. Mary en profite pour lui ravir deux autres bandes qu'elle dissimule dans les plis de sa chemise. Le médecin revient vers elle en s'essuyant les mains, et il lui jette un drôle de regard. « M'a-t-il vu lui voler deux pansements ? s'interroge-t-elle, une boule dans l'estomac. Si oui, il va me faire fouetter, et l'on verra que je suis une fille... Ne me dénonce pas, je t'en supplie, ne me dénonce pas ! » prie-t-elle en son for intérieur. L'homme comprend-il son regard de détresse ? Toujours est-il qu'il ne la quitte pas des yeux. « Il fouille au fond de moi, ressent-elle. C'est un docteur. Et les docteurs ne confondent pas les garçons avec les filles. »

– Tu t'appelles Willy, n'est-ce pas ?

– C'est bien moi, m'sieur, avoue-t-elle, subitement aussi timide qu'un oiseau.

– Qu'est-ce que tu es venu faire sur ce bateau ?

– Mais... la guerre, m'sieur !

1. Corsaire français (1679-1740) qui s'est illustré dans la guerre contre les Anglais et les Hollandais, dans la Manche et la Méditerranée.

– Tu n'es pas taillé pour la guerre, Willy.

Alors là, il se trompe, le bougre ! S'il savait le nombre de bagarres de rue qu'elle a gagnées, Mary, il en avalerait sa perruque !

– En fait, on me fait réparer les cordages, rapiécer les voiles, écouvillonner les canons...

– Chasser les rats et gratter les merdes des mouettes serait plus juste, non ?

La jeune fille se tait et baisse les yeux. Les deux rouleaux volés font deux bosses sous sa chemise, et Ross a les yeux dessus. Elle est fichue, Mary ! Elle est bonne pour le chat à neuf queues, à moins qu'on ne la condamne à la grande cale, c'est-à-dire à la faire passer sous la carène du navire, attachée à une corde. Mais peut-être qu'il sera plus indulgent avec une fille, le général, et qu'il se contentera de la débarquer à Gibraltar ? « J'aurais dû me rappeler qu'un médecin, ça voit au travers des apparences », se désole-elle.

– Fiche le camp, Willy ! Et ne reviens plus pour une affaire d'entaille ! Ces blessures-là ne nécessitent pas l'intervention du chirurgien de bord.

Mary n'est plus qu'un souffle lorsqu'elle ressort de la chambre, les joues chauffées par la peur. La nuit la rafraîchit d'un coup, comme un grand seau d'eau froide en pleine figure. Elle grimpe dans les haubans jusqu'à la hune de vigie, s'installe sur la plate-forme, s'arrime le dos au mât et replie les jambes contre sa poitrine. Elle est seule dans la mâture, avec le vent et les étoiles. Le flot bat la coque, en dessous, mais elle se sent plus proche du ciel que de la mer. La mer est grosse, les vagues sont des chevaux qui s'emballent, la figure de proue plonge dans les creux, l'étrave frappe les paquets d'eau avec des *flouf !... flouf !... flouf !...* Mary se laisse ballotter de droite et de gauche et d'avant en arrière. Le roulis et le tangage. La nuit danse sous son crâne. Le mouvement devient tournis, vertige. Alors, pour empêcher sa tête et son estomac de chavirer, elle se met à chantonner un *sea shanty*[1] :

J'avais nom William Kidd, du temps que j'naviguais,
Du temps que j'naviguais.
Je guettais les navires, du temps que j'naviguais,
Du temps que j'naviguais.
Je les battais sous mes canons
À les envoyer par le fond.
Du temps que j'naviguais, du temps que j'naviguais...

À l'aube du lendemain, le *Black Shadow* dépasse la pointe de Tarifa et cingle vent arrière vers la baie d'Algésiras. Le rocher de Gibraltar monte à l'horizon. Rouge. Mary remarque qu'il dessine comme une croûte de sang sur la mer.

– Le général rejoint son escadre, commente le quartier-maître debout à côté d'elle. À partir de maintenant, tu travailleras dans la batterie, aux ordres des canonniers. Ils vont t'apprendre à ouvrir une gargousse* et à mesurer une charge de poudre, à reconnaître les boulets, à manier le refouloir* et l'écouvillon*...

– On va enfin se battre ! se réjouit la jeune fille, les yeux brillants d'excitation.

– Ouais. Et faudra pas traîner pour servir les pièces ! Sinon, au lieu de tirer le boulet sur l'ennemi, c'est toi qui recevras le sien en pleine tronche !

Le vaisseau réduit sa voilure à l'approche de la rade de Gibraltar. Tombée aux mains de l'Angleterre depuis quatre ans et dominée par un fort, elle abrite une impor-

1. Chant de marin.

tante flotte de guerre anglaise et hollandaise. Le *Black Shadow* relève les ris*, envergue* ses grand-voiles et navigue aux huniers*, aux perroquets* et aux cacatois* pour amorcer son entrée dans le port. Quand la frégate s'amarre à quai, un régiment de tambours est déjà aligné et, sur l'ordre de son officier, il roule un son martial pour accompagner la descente du général James Stanhope. Le grondement prend aux entrailles et rappelle à Mary l'exécution de Cap'taine Kidd. Il pendouille loin derrière elle, à Londres, dans sa gangue de goudron et son mannequin de fer. C'est Mary, à présent, qui navigue ! Sous l'étendard de la reine Anne ! Tel un corsaire ! Et qui va goûter très bientôt son baptême du feu !

Quatre jours plus tard, le *Black Shadow* quitte Gibraltar, entraînant à sa suite toute la flottille anglo-hollandaise. Profitant de ce que son quartier-maître et le bosco sont occupés à diriger la manœuvre, Mary se coule près de l'officier Donovan debout sur le gaillard d'avant.

– Vous savez où l'on va ? s'enquiert-elle.

– Les ordres du général viennent de nous être communiqués à l'instant. En mer, nous ne risquons pas que les secrets militaires tombent dans des oreilles indiscrètes. Notre mission est de nous emparer de l'île de Minorque. Sa situation géographique fait d'elle un point stratégique exceptionnel, permettant le contrôle de la Méditerranée.

La main de l'officier se pose sur l'épaule de Mary.

– Ne t'expose pas, Willy ! Les canonniers espagnols visent juste.

Mary ne répond pas, mais elle aimerait sentir le poids d'une épée au côté et porter croisés sur la poitrine deux baudriers en cuir bardés de pistolets. Campée à la proue, elle regarde le beaupré, qui se rue en avant, et elle croit chevaucher une licorne. Elle court au combat, poussée par le vent, gonflée d'une puissance qui lui donne l'impression de voler. Elle ferme les yeux, devient un mouvement souple de la mer, un battement d'ailes, un albatros. « Me battre, c'est mon destin, songe-t-elle. Je suis le soldat Willy ! Le corsaire Willy ! Cap'taine Will ! Là où il y aura des coups à distribuer et des galons à gagner, j'irai ! Et je me nourrirai de l'odeur de la poudre et du son du canon ! » décrète Mary. Sous l'œil goguenard d'un goéland qui vient de se poser sur la lisse de bastingage, tout près d'elle.

CHAPITRE 10

MINORQUE

Luis étouffe un bâillement. La nuit touche à sa fin, et il a hâte qu'on vienne le relever. Il fait encore noir, et c'est à peine s'il distingue les moutons argentés des vagues qui viennent exploser sur les rochers. Hormis le bruit de ressac de la mer dans les anfractuosités, Minorque est silencieuse, encore endormie. L'homme est de garde sur son atalaya, mais il est persuadé que c'est bien inutile car, depuis sept ans que la guerre perdure, il n'a aperçu que des barques de pêche aux alentours de l'île. Et puis aucun navire ne peut s'en approcher la nuit, le gouverneur Dávila ayant interdit que l'on allume les feux pour éclairer la côte. Minorque est donc un écueil sombre, un éperon d'obscurité contre lequel se fracasserait tout vaisseau tentant de l'aborder.

Il bâille, Luis. De nouveau. Cette fois, c'est un vrai bâillement de panthère. Il en a des larmes dans les yeux. À tel point qu'il voit trouble quand la mer s'enflamme aux premiers ors du soleil et que les reflets ont l'air de vaciller au-dessus de la surface. Luis se frotte les paupières. Mais les éclats de soleil sont toujours là, à frôler les eaux, pareils à un fourmillement de mouettes. Il tique. Ressent un choc au cœur. Roulant des yeux éberlués, Luis réalise enfin. Ce ne sont pas les crêtes rougeoyantes des vagues, mais des voiles ! La mer en est couverte. Toute une armée surgie de la nuit. Des dizaines et des dizaines de navires ! Si proches déjà ! Il en perd la respiration, Luis. Suffoque. Piétine de panique.

– Le signal ! Lancer le signal ! Prévenir les autres ! bredouille-t-il en retrouvant ses esprits.

Il se précipite en bas de la tour, court vers un bûcher, y met le feu. Les flammes montent, claires et ronflantes. L'instant d'après, un deuxième brasier s'allume vers le nord, un troisième vers l'ouest, et d'autres encore jusqu'à ceinturer l'île. Mais c'est trop tard ! L'horizon est devenu une barrière de coques, de voiles et de pavillons, les uns arborant les couleurs de l'Union Jack[1], les autres celles des Provinces-Unies[2].

« J'ai rempli ma mission, se dit Luis. À présent je détale avant qu'un de ces fichus canonniers ne tire sur mon atalaya. »

Des coups de sifflet retentissent sur le pont des navires. Les gabiers se laissent choir des gréements pendant que les canonniers se ruent à leurs pièces, sur le tillac et dans la batterie. Les ordres crépitent. Chaque mousse rejoint son poste, ayant la charge d'assister plusieurs artilleurs. On allume les fanaux dans la batterie, car avec la fumée on n'y verra plus rien. Les gargousses, les entonnoirs, les mesures de poudre, les projectiles, tous les instruments sont à portée de main. On soulève les mantelets qui fer-

1. Drapeau de l'Angleterre.
2. Nom donné à l'époque à la partie septentrionale des Pays-Bas.

ment les sabords*, on retire les cales qui bloquent les roues des canons, on pousse les pièces contre le bordage de façon à faire dépasser les bouches de la coque, après quoi on les arrime à nouveau à l'aide d'une corde plus lâche passée dans un palan afin de permettre le recul de l'engin. Chaque canonnier amorce ensuite son arme avec la poudre qu'il tasse avec le refouloir. Les boulets sont engagés par la bouche – de bons gros boulets à casser les murailles –, puis les servants attendent l'ordre de pointer leur artillerie sur une cible.

C'est terrible, pour Mary, d'attendre et de ne rien voir du dehors, si ce n'est, par un sabord, la coque hérissée de canons du vaisseau voisin. Elle qui avait l'habitude de diriger des batailles de rue, la voilà réduite à ne connaître son futur vrai combat qu'à travers ses sons. Elle se jure bien que, plus tard, c'est elle qui commandera attaques et abordages !

La flottille met le cap sur l'extrême sud de l'île et s'arrête face à la crique d'Alcaufar. Les chaloupes sont descendues à la mer, chargées de soldats à en couler. Et tandis que les troupes débarquent sur la côte, l'escadre se scinde en deux, une moitié se dirigeant vers le port de Mahon, au nord de la crique, l'autre vers Ciudadella, la capitale, à l'ouest, ces deux villes étant les seules à être pourvues de défenses et abriter des garnisons. La stratégie de Stanhope est simple : déverser un déluge de feu et de fer sur elles afin de bloquer les régiments dans les fortins et permettre ainsi à ses troupes d'investir Minorque. Le général a confié les opérations terrestres à ses officiers et laissé aux vaisseaux hollandais le soin de détruire les fortifications de Mahon afin d'obtenir sa capitulation. Quant à lui, il conduit le *Black Shadow* et son escadre à l'attaque de Ciudadella, en canonnant systématiquement la côte pour terrer les habitants chez eux.

Mary court de la soute à munitions à la batterie pour remonter les gargousses de poudre. Les pièces tonnent sur une même bordée. Un fracas à rendre sourd. Elle court la bouche ouverte pour atténuer la douleur de ses tympans, elle tousse à se meurtrir la gorge tant il y a de fumée âcre qui l'irrite et fait pleurer ses yeux, elle hoquette, crache, se heurte aux autres, se cogne aux basses poutres, perd ses forces à descendre et à remonter les échelles... Elle ne voit plus rien car l'air est devenu un épais nuage gris. Elle se repère à la faible lueur des fanaux, à la masse indistincte des canons. Mais elle s'habitue très vite et retrouve facilement son groupe en comptant le nombre de pas qu'il faut pour l'atteindre. Elle livre et vide ses gargousses, se rince le visage et la bouche avec l'eau d'un seau, puis retourne dans la soute. C'est un manège incessant de mousses qui se suivent et se croisent, de canons qu'on manœuvre avec la barre d'anspect*, qu'on graisse avec l'écouvillon, qu'on bourre de poudre, qu'on charge d'un boulet... Puis on approche le boutefeu, et *braoum !* l'artillerie donne de la voix. À la longue, l'automatisme des mouvements rend insensible à la fatigue, et l'odeur de la poudre finit par griser. Mary se surprend même à pousser des cris pour appuyer les ordres hurlés par le capitaine de la batterie.

– Amenez des gargousses ! Des barils ! De la mitraille ! Par saint Georges[1], ce n'est pas le moment de vous endormir, moussaillons ! Nous arrivons devant Ciudadella. Eh, toi là-bas, tu veux mon pied au cul pour te remettre à l'ouvrage ?

– Y a qu'à demander ! claironne-t-elle. Allez, remuez-vous ! lance-t-elle aux mousses. Et si vous voyez le Diable

1. Saint combattant, patron de l'Angleterre, dont la légende veut qu'il terrassa un dragon pour délivrer une princesse.

endormi sur une marche, secouez-le par la queue pour le réveiller ! Sinon il va manquer le spectacle !

Elle braille n'importe quoi, la fille ! Parce qu'elle veut chanter le combat ! Parce qu'elle veut remplir sa peau d'homme et de guerrier ! Parce que ça plaît aussi, et que ça fait rire ! Elle veut qu'on la remarque, et c'est gagné !

– Si tu remuais tes jambes comme tu agites la langue, lui rétorque le capitaine de la batterie, nous n'aurions pas à attendre que...

Le reste de la phrase se perd dans une explosion terrible. Le gaillard est projeté en avant avec des débris de planches.

– Les Espagnols ripostent ! s'égosille un canonnier. Visez les embrasures !

Les artilleurs relèvent leurs pièces, les pointent sur les ouvertures dans la muraille. Une nouvelle salve tirée du fort soulève une gerbe monumentale devant le *Black Shadow* en même temps qu'un craquement se fait entendre sur le pont.

– Ils ont touché un mât, déclare un homme.

Le vaisseau crache sa bordée. Une brèche s'ouvre dans les fortifications de la ville, un canon dégringole dans une avalanche de poussière et de pierres. Au moment de tendre une gargousse à un canonnier, Mary entrevoit le fort à travers un sabord. Quatre flammes jaillissent des créneaux. Un grondement d'orage. Elle se jette au sol. Le sifflement des boulets est immédiatement suivi d'un fracas épouvantable. Le vaisseau tressaute sous le choc, des hommes sont renversés. Un vacarme de cris et de poutres qui craquent emplit tout le navire. Mary a l'impression que le tillac va s'effondrer sur eux.

– Les mâts s'écrasent sur le pont ! panique un mousse.

– Nous sommes en première ligne ! crie une voix. Qu'est-ce qu'ils attendent, là-haut, pour se mettre hors de portée ?

– Plus de voiles pour pouvoir se diriger ! lance un officier qui vient de descendre par l'écoutille. C'est à vous d'abattre la muraille avant que les prochains tirs ne nous envoient par le fond.

– Le capitaine de la batterie est mort, annonce un artilleur. Il doit y avoir une voie d'eau par tribord, parce que le navire s'incline. On vise la mer à droite, et à gauche les nuages.

Le *Black Shadow* lâche pourtant une nouvelle volée en direction de Ciudadella. Les projectiles filent au ras des flots et font sauter la base d'une tour d'angle. Pilonné par les autres navires, le rempart qui fait face à la mer plie et s'ouvre en son milieu. Comme un fruit mûr. Réfugiés en haut des tours, les défenseurs font tonner leurs canons les uns après les autres, mais ils ne peuvent empêcher l'ennemi de pénétrer dans le port.

Le *Black Shadow* tente de virer sur sa quille pour présenter son artillerie de bâbord. C'est un instant où les batteries cessent leur feu, où la fumée commence à se dissiper, où les hommes connaissent une sorte de vertige causé par le silence de leurs pièces. Les canonnades se poursuivent cependant au-dehors, mais le bruit s'est déplacé avec les navires qui longent les fortifications pour se répandre dans le port. Des sifflements tout à coup !

– C'est pour nous !

Blaoum ! Dans un tonnerre de fin du monde, la coque vole en éclats, balayant les armes et leurs servants. L'entrepont n'est plus qu'un enchevêtrement de canons, de poutres et de corps, un tumulte de hurlements et de lamentations. Les fanaux ont été arrachés, et les flammes courent sur le sol avec les flaques d'huile. Certaines dévorent les gargousses de poudre et les font exploser. Les détonations se succèdent, achevant d'éventrer le navire.

Descendue dans la soute à munitions pour rapporter de la

mitraille, Mary a échappé au carnage. Une partie du faux pont s'est affaissée derrière elle quand la frégate a été frappée de plein fouet. L'air résonne d'appels au secours, et il règne une odeur de fer chauffé à blanc. Le vaisseau donne de la gîte* par tribord. Il va se coucher sur le flanc et embarquer la mer. Vite, vite, la jeune fille dégage l'échelle de cale des débris qui l'encombrent, remonte et débouche dans l'entrepont au moment où l'eau atteint l'énorme trou dans la coque. « Le navire va se retourner sur moi, et je vais rester coincée sous un amas de poutres et de canons. » Elle s'affole en constatant que l'échelle d'écoutille a été fauchée par un boulet et qu'il lui est impossible de rejoindre le tillac. Tout flambe autour d'elle. Le *Black Shadow* n'est plus qu'une épave ravagée par le feu.

– Willy... Willy...

Quelqu'un l'appelle. Il y a des blessés et des morts partout. Que peut-elle faire pour eux, Mary, elle qui ne sait pas comment se sauver elle-même ? Ils baignent dans leur sang, les jambes broyées par les pièces d'artillerie, le corps percé par des éclats de bois... Ceux qui ont réussi à se dégager ont déjà dû sauter à la mer, mais à présent, le vaisseau forme presque une voûte au-dessus des flots. Il va se refermer comme une gueule ! C'est alors que Mary aperçoit une chaloupe non loin du navire.

« C'est le général Stanhope ! constate-t-elle. Il quitte la frégate avec le commandant et ses aides de camp. »

Les mains en porte-voix, elle s'égosille pour attirer leur attention. Pas un ne tourne la tête. Elle fait de grands gestes pour capter le regard des rameurs, mais la barque s'éloigne...

« Ils m'ont vue, j'en suis sûre ! Seulement ils n'ont que faire d'un mousse. Je suis de la crotte de chien ! Que le Diable les emporte ! »

Des têtes apparaissent à la crête des vagues, des bras

s'agitent dans l'eau, des cadavres flottent, les bras en croix ou déchiquetés par les boulets. Les matelots qui ont plongé tentent de mettre le plus de distance entre eux et le *Black Shadow*, qui commence à couler. Pas un ne peut venir en aide à Mary. La jeune fille suffoque de terreur. Elle cherche des yeux une issue autour d'elle, mais il n'y a que la brèche dans la coque par laquelle l'eau s'engouffre en cascade et qui la repousserait si elle s'en approchait.

– Je dois sortir d'ici ! Je dois sortir d'ici ! répète-t-elle à haute voix pour essayer de se rassurer par la sonorité des mots.

Tant qu'il reste un souffle d'espoir, il reste la vie. Alors Mary se parle comme si elle se prenait par la main pour se conduire vers un tunnel de sortie. Pataugeant au milieu des débris flottants, elle s'arrête sous l'écoutille, soulève des planches qu'elle veut appuyer contre le rebord pour remplacer l'échelle détruite... hélas, elles sont trop courtes. « Placer un canon sous l'ouverture, grimper dessus et essayer de me hisser au-dehors ! » Mais le navire penche, certaines pièces d'artillerie du flanc gauche ont rompu leurs attaches et ont roulé contre le bordage, qui s'incline, à tribord, accentuant le déséquilibre du vaisseau.

« Rien à faire ! se désespère-t-elle en manœuvrant une barre d'anspect dans l'intention de déplacer un canon. Ces maudits engins ne bougent pas d'un pouce. Ils sont bien trop lourds. »

Un roulis brusquement ! Le navire se redresse en craquant de toute son armature. Mary se rend compte à ce moment que l'eau lui arrive à mi-cuisse.

Les soutes sont noyées, comprend-elle. C'est le poids de l'eau qui a remis le bateau sur sa quille. Mais il va sombrer d'un seul coup, à présent !

Une... Deux... Trois... Quatre... Cinq... C'est le temps nécessaire à Mary pour se ruer vers la coque défoncée en s'éclaboussant jusqu'au visage. Le sol se dérobe soudain sous ses pieds. Ça y est, le vaisseau plonge à la verticale. En un clin d'œil, la mer emplit l'entrepont. Les joues gonflées, retenant sa respiration, Mary s'échappe par le trou comme un poisson. Elle émerge près de la coque, se sent aspirée vers le fond et met ses dernières forces à s'arracher à larges brasses du tourbillon créé par l'engloutissement de la frégate. Le *Black Shadow* se brise en deux dans un sinistre craquement d'os. L'arrière se hérisse, demeure figé un court instant, tel un rocher, puis il s'abîme dans les flots, à gros bouillons. C'est fini. Du navire amiral, il ne subsiste qu'un remous, un cercle de mer agitée... plus rien.

La jeune fille s'est accrochée à une grosse planche et elle se laisse flotter, vidée de toute son énergie. D'autres vaisseaux en feu ont été abandonnés par leurs équipages ; d'autres encore, fortement endommagés par les tirs espagnols, se traînent à moitié couchés sur les eaux, semblables à des cachalots blessés.

Debout dans sa chaloupe, le général Stanhope montre le drapeau de la reddition qui flotte au sommet de la forteresse de Ciudadella. Craignant que les Anglais ne détruisent sa ville à coups de canon et averti que les troupes anglo-hollandaises ont investi son île, le gouverneur Leonardo Dávila préfère déposer les armes. Comme il ne sied point à un vainqueur de se présenter dans un esquif, le tricorne déchiré et l'uniforme noirci par la poussière, James Stanhope dirige son embarcation vers le plus proche navire. Sur le pont, les matelots se pressent déjà à la coupée* et fixent une échelle* de corde. Dès que le général pose le pied sur le tillac, le capitaine du vaisseau commande un ban pour l'accueillir. Après le roulement de tambour, l'équipage et les soldats laissent éclater leur joie par des vivats et des tirs en l'air de mousquets et de pistolets. Au risque de trouer les voiles. Puis le vaisseau fait son entrée triomphale dans le port de la capitale.

– On a gagné ! se réjouit Mary, cramponnée à son épave.

Elle est fière de la victoire. Fière d'avoir participé à l'écroulement d'une partie de la muraille. Elle en oublie presque l'eau qui lui entre dans la bouche et la fait tousser, son corps épuisé qui pend et se laisse drosser vers le rivage, les blessés qui couleront avant d'avoir été secourus, les morts qui tournoient lentement entre deux eaux, le *Black Shadow*, qui l'a portée pendant six mois...

– On a ga... ! relance Mary, avalant le « gné » avec une bouchée d'eau salée.

À plat ventre sur la vague, elle nage vers l'une des chaloupes qu'on vient de mettre à la mer pour repêcher les naufragés. Les morts, les squales se chargeront d'eux. Ce sont les requins qui bénéficieront le plus du festin de la victoire !

Le soir même, le palais du gouverneur brille de tous ses feux pour les officiers anglais et hollandais. Matelots et soldats ont droit à un triple boujaron de rhum et à un quartier libre dans la ville. Seule, Mary s'est cachée dans un trou noir pour fuir l'examen d'un docteur. Seule. Dans le noir. Sans un croûton de pain. Pendant que la fête éclate ailleurs. À se mordre le poing de rage d'habiter dans un corps de fille. Seule comme un rat crevé. Ce 29 septembre 1708.

CHAPITRE 11

CADET DES FLANDRES

Le lendemain, la tête lourde, les matelots remontent sur les navires. Ceux qui ont perdu leur bâtiment recomposent d'autres équipages, et c'est ainsi que Mary, sortie de son trou, peut certifier haut et fort avoir été examinée par un autre médecin de bord et avoir été déclarée apte à reprendre son service.

Minorque prise, les régiments anglais occupant l'île, le général James Stanhope quitte Ciudadella avec une partie de son escadre, suivi par la flottille hollandaise. Restent quelques vaisseaux dans le port, parmi lesquels celui de Mary. La guerre s'éloigne. C'est dans le nord de la France que se déroule le plus fort des combats. C'est là-bas que se gagnent la gloire et les galons ! Pas sur un pont de bois à regarder le vol des mouettes ! Mais la jeune fille ne peut pas déserter. Alors elle prend son mal en patience, partageant son temps entre jeux de cartes, jurons de cocher, maniement des drisses, duels au sabre d'abordage, tours de guet et patrouilles en mer. Six mois à ronger son frein ! Six mois de sa vie perdus ! Six mois durant lesquels elle a l'impression d'être enterrée vivante ! Aussi, sitôt sa période d'engagement terminée, c'est d'un cœur léger qu'elle abandonne le drapeau anglais pour monter sur une flûte hollandaise à destination des Flandres.

*
* *

Septembre 1709

Serrée dans son uniforme bleu, Mary porte depuis cinq mois une tenue de soldat qui fait d'elle un combattant reconnu ! Elle s'est enrôlée dans l'armée des Flandres en qualité de cadet, dans l'espoir d'obtenir une commission d'officier une fois qu'elle aura prouvé ses aptitudes militaires. Cela fait quatre jours qu'elle marche. Quatre jours que son régiment fait route vers le nord de la France pour aller grossir les troupes alliées : l'infanterie anglaise commandée par le duc de Marlborough, et les Autrichiens dirigés par le prince Eugène. Quatre jours à porter son fusil sur l'épaule, sa cartouchière sur la poitrine, sa baïonnette et son quart en fer-blanc à la ceinture, et sa couverture roulée sur le dos. Il pleut. La marche est harassante. On patauge dans la boue jusqu'aux chevilles, et le tricorne déverse l'eau par ses bords.

– Hé, Willy ! Tu fatigues ?

Mary fait non de la tête et rehausse son barda d'un mouvement d'épaules. Le régiment avance en rangs serrés. Elle presse le pas pour conserver la cadence, d'autant que l'engagé, derrière elle, lui donne des coups de pied dans les talons. Le ciel est gris, posé bas sur la plaine. Il n'y a pas d'horizon, et les hommes ont l'impression de se diriger vers un néant. Les chevaux peinent à côté des soldats, attelés à des chariots et à des pièces d'artillerie.

Quand les roues s'enlisent et que les bêtes se cabrent en poussant des hennissements, les servants empoignent les rayons et poussent de toutes leurs forces pour les dégager. Si les Français attaquaient à ce moment, la colonne serait enfoncée avant même que les officiers aient le temps de regrouper leurs hommes autour d'eux. Ce serait le massacre, la déroute, le plongeon dans la boue. Mais la pluie semble avoir confiné l'ennemi derrière ses positions.

Vers le soir, sans que le ciel n'ait épuisé son eau, l'infanterie hollandaise découvre une multitude de tentes dressées dans la grisaille. Les Anglais d'un côté, les Autrichiens de l'autre... il reste aux Hollandais suffisamment de flaques et d'herbes piétinées pour installer leur camp.

La nuit est tombée. Il pleut toujours. De nombreux feux ont été allumés et vacillent dans le noir. Les sentinelles font les cent pas et s'interpellent les unes les autres. Leurs appels retentissent comme des abois. Toutes les tentes n'ont pas été montées, les officiers préférant tasser les hommes sous moins de toiles pour perdre moins de temps, le lendemain, à les replier. D'autant qu'à l'aube les fantassins vont lancer l'offensive contre l'armée française cantonnée à une lieue de là.

Mary ne dort pas. Elle s'est couchée tout habillée, refusant de quitter le justaucorps et la culotte. Seule sa veste est roulée en boule sous sa tête, lui servant d'oreiller. Certains ont fait comme elle, d'autres sont torse nu sous leur couverture, d'autres encore se sont dévêtus entièrement. Il fait chaud sous la tente, malgré la pluie. L'air sent l'homme et l'ail. Ce n'est pas cela qui l'empêche de dormir, non, c'est le gros Anderlecht qui s'est collé à elle. Elle aimerait se dégager, mais ne peut le faire sans aller se plaquer contre un autre. Que le gros roule sur lui-même, et elle se retrouverait telle une saucisse entre deux tranches de pain. La fille s'est réveillée en Willy, et c'est le corps de la fille qui se hérisse à ce contact. « Il est scellé sur mon dos comme une moule à son rocher. Comment le repousser ? » Elle pense le déloger à coups de reins, mais se retient. Ce n'est pas la peine de l'émoustiller, l'animal. Se retourner ? C'est risquer le bouche à bouche. Dans ce cas... elle s'étend sur le dos et croise les bras. Son voisin de gauche pivote vers elle. Sa jambe vient recouvrir la sienne, par-dessus la couverture, son bras s'étale en travers de son ventre, et son front cherche son épaule. Mary soupire. Les deux gaillards sont pressés contre elle, en chien de fusil. Elle attrape son tricorne, derrière elle, et le pose sur son visage. Une manière de s'isoler. De s'occuper à contrôler sa respiration pour éviter l'étouffement. « Demain, nous serons peut-être tous morts », songe-t-elle encore avant de se laisser sombrer dans un engourdissement proche du sommeil.

Debout devant l'aube, la jeune fille attend. Des milliers d'autres attendent. Des officiers à cheval remontent les rangs. Marlborough, le prince Eugène et le général hollandais sortent de la tente de l'état-major, où ils ont mis au point les derniers détails de l'offensive, et chacun prend la tête de ses unités. Les tambours grondent pour ouvrir la marche, puis les fifres marquent le pas, emplissant les cœurs d'une sorte d'allégresse qui fait refluer la peur. Au bout d'un moment, la musique s'arrête, stoppant net les armées. Les Français sont là, derrière une ligne de canons. Un village sur la droite, nimbé des rayons du soleil. C'est Malplaquet. Son image est paisible, hors du temps. C'est pourtant sur ses champs et ses prés que les hommes vont s'affronter. Le brusque silence des instruments fait rejaillir la peur. Une peur aiguisée qui gonfle les vessies, tord les boyaux, affole les cœurs. Des ordres éclatent. Les artilleurs dételलent les canons et les mettent en batterie. Les Hollandais en uniforme bleu s'établissent sur l'aile droite, à l'ouest, les Autrichiens en blanc et vert sur la gauche, les Anglais en casaque rouge se réservant l'assaut de face. Devant la manœuvre, le duc de Villars, qui commande les troupes françaises, établit des canons sur ses flancs.

– Nous allons les écraser comme des mouches, déclare Anderlecht, au coude à coude avec Mary.

Mais sa bouche est sèche, sa voix mal assurée, et le rire qu'il libère sonne faux. Mary, elle, a hâte d'en découdre. Pourquoi attendre ? Pourquoi le signal d'attaquer tarde-t-il tant ? Ah, ça y est, les canons tonnent ! Les Anglais ont tiré les premiers. Des geysers de terre s'élèvent devant le front ennemi, des boulets font mouche et culbutent des hommes. Les Français ripostent, trouant la ligne adverse.

Un roulement de tambour. Enfin, ils martèlent la charge. Les fantassins s'élancent, baïonnette au fusil, rompant les rangs pour ne pas offrir de cibles groupées. Mary court droit devant elle. Au son du tambour et du canon. Elle hurle pour répondre au feu de l'ennemi. Elle hurle de frénésie ou de colère quand un camarade est touché. Elle hurle comme un sauvage, prête à mordre le Français. Elle hurle pour qu'on la voie, qu'on la montre du doigt, qu'on pointe une pièce sur elle... C'est de cette manière qu'elle peut gagner des galons ! Par sa vaillance au combat ! Les balles et les boulets sifflent dans l'air, le sol se soulève et brise des jambes, mais elle court toujours sous les yeux de ses officiers. Rien ne semble pouvoir l'arrêter. Si ! L'écroulement de trois compagnons qui viennent d'être fauchés par la salve qui lui était sans doute destinée. Elle se jette à plat ventre et laisse passer la mitraille suivante au-dessus de sa tête. Anderlecht la protège. Il s'est effondré, la poitrine défoncée. Juste devant elle. Pour la première fois, c'est la jeune fille qui se colle à lui. Qui accepte que son sang se répande sur elle. Son excitation est retombée. La mort est là, pressée contre elle, qui la regarde avec ses yeux vides. Elle ne se sent plus aussi invulnérable, et l'idée de gagner rapidement des galons s'évanouit.

Elle coince le canon de son arme dans l'angle que fait la tête d'Anderlecht avec son épaule, vise, et tire. La balle se perd dans la fumée de l'artillerie. Elle recharge, tire, recharge, tire... Rien ne se passe, comme si l'ennemi ignorait délibérément ses piques d'oiseau. « Je ne sers à rien ici », enrage-t-elle.

Les alliés ayant rameuté leurs forces à coups de clairon, une deuxième vague d'assaut est lancée contre les troupes de Villars. Mary sent la terre trembler sous elle quand les canons crachent à nouveau par toutes leurs bouches. Des hommes s'effondrent, mais la charge n'est pas ralentie pour autant. Les fantassins hollandais dépassent la jeune fille toujours étendue au sol. Alors elle se relève, saute par-dessus le corps d'Anderlecht et se précipite derrière eux. Les grenadiers français allument leurs explosifs et les jettent sur les assaillants. Les engins éclatent, creusant des remous dans la marée, mais les trous se rebouchent aussitôt. Délaissant l'artillerie, Villars commande une ruée de baïonnettes. Ses fusiliers jaillissent de la fumée et s'élancent contre l'infanterie adverse.

Les canons se sont tus. C'est le choc des hommes à présent. On tire encore au fusil, mais on transperce surtout. On plante, on enfonce, on arrache. Les mains sont poisseuses de sang, les têtes bourdonnent tant l'air résonne de hurlements. Sa baïonnette restant fichée dans un plastron de cuir, Mary empoigne son fusil par le canon et le fait tournoyer, l'abattant sur les fronts, fracassant les mâchoires, démettant les épaules... mais son arme lui est brutalement arrachée des mains. Elle esquive un coup en roulant au sol, ramasse l'épée d'un officier mort, se fend en avant et plonge la lame dans un ventre. Tuer un homme à moins d'un mètre de soi, le voir s'affaler sur les genoux, la bouche ouverte, le regard fou, les mains appuyées sur la blessure, cherchant à retenir sa vie, c'est autre chose que d'envoyer la mort par l'intermédiaire d'un projectile. Elle cesse d'être anonyme, elle prend un visage, la guerre: celui d'un homme, fils, frère, mari ou père, qu'on vient de soustraire à l'affection des siens.

Pas le temps de s'apitoyer ! Elle réclame ses coups, la guerre ! Une poigne saisit Mary par son col, la relève, la cale sur ses pieds.

– Allez, Willy ! crie une voix.

Mary ne saura jamais qui a crié, qui l'a redressée face au combat, qui lui a peut-être sauvé la vie. Serrant son épée à deux mains, elle frappe d'estoc et de taille. Les Français perdent pied. Ils n'ont plus le temps de recharger leurs armes, et la mêlée est si confuse que les grenades ne peuvent même plus être lancées. Elles éclatent près des visages, dans les jambes, parfois dans la main même des grenadiers. Le corps-à-corps est devenu du torse-à-torse, tant les rangs poussent, derrière. Les défenses françaises craquent. Les Anglais déferlent, s'emparent des canons, forcent Villars à la retraite. Les tambours jonchent le sol, crevés par les fuyards. Les étendards royaux sont piétinés, les hommes abandonnent leurs fusils pour s'enfuir plus vite, en désordre, sourds à leurs officiers, qui tentent de les regrouper. Ce n'est plus une défaite, c'est une débandade. Chacun pour soi. Les Hollandais hurlent de joie. Sur l'aile gauche, le prince Eugène s'apprête à porter le coup final quand une immense clameur retentit sur ses arrières.

Les dragons de Louis XIV ! Reconnaissables à leur bonnet qui retombe sur l'épaule, les dragons déboulent à cheval du bois de La Lanière et galopent sus aux Autrichiens. Devant ces renforts inespérés, les Français cessent de fuir et font volte-face. Les dragons s'enfoncent dans l'armée autrichienne comme une flèche dans un quartier de viande. Ils s'ouvrent un passage à coups de sabre, fendent l'infanterie en deux, reviennent sur les troupiers, qu'ils taillent en pièces. « Ça, ça s'appelle se battre ! s'émerveille Mary en submergeant avec son groupe l'ancienne position ennemie. C'est sur un cheval que le vrai guerrier donne toute la mesure de son art. » Les Hollandais s'établissent de manière à empêcher les Français de revenir sur le flanc droit, puis ils appuient l'action des Anglais par des tirs continus, fauchant tous les hommes de Villars qui tentent d'encercler l'armée de Marlborough.

Malgré l'intervention des dragons, malgré les lourdes pertes infligées dans les rangs des coalisés, Villars sait qu'il est battu. Les assaillants sont beaucoup plus nombreux que ses propres troupes. Mais il peut éviter la débâcle totale en se repliant en bon ordre et établir un front en retrait pour bloquer l'invasion en se ralliant à d'autres régiments. Il regroupe ses hommes par carrés et les accole les uns aux autres afin de constituer une masse infranchissable, une véritable tortue romaine. C'est pas à pas qu'il cède du terrain, flanqué par les dragons qui lancent de courtes charges pour éviter que les Anglais ne défoncent son arrière-garde. Les troupes austro-anglaises tourbillonnent un long moment autour des Français, puis Marlborough fait sonner l'arrêt des combats, permettant à l'ennemi de s'effacer du paysage. Le champ de bataille est jonché de morts, de cadavres de chevaux, de pièces d'artillerie éventrées... La terre a été entièrement labourée par la mitraille, par les grenades, par les boulets, et les ornières dégorgent d'une bouillie de chair et de sang.

Le silence donne l'impression à tous d'être enfermés

dans un tombeau de pierre. C'est comme un vide dans les oreilles et dans le cœur. Les armes pèsent au bout des bras, tout à coup. Et la moindre plaie éveille une douleur cuisante. On respire une odeur de charnier. On titube. On ne sait plus marcher après avoir tant couru. On perçoit enfin le râle des blessés. On se penche vers eux. On attrape par la bride les chevaux qui errent sur le terrain. On est heureux d'être en vie. On se parle. On se palpe le corps pour vérifier qu'on est entier. C'est la victoire ! Mais à quel prix ! Tant de compagnons ne dormiront plus sous la tente, ce soir. Où est l'ami, le frère ? On n'a plus qu'une envie, c'est de s'étendre là et dormir. Dormir tout son soûl. Et rêver que la bataille n'a jamais eu lieu. En fermant les yeux, on peut presque imaginer les blés blonds dans les champs. Pourtant, ils ne sont pas prêts de repousser sur les terres de Malplaquet.

*
* *

Mary a le temps de dormir. Tout son soûl. Même si parfois la vision de son premier homme tué vient hanter ses nuits et gâcher son sommeil. Son unité est cantonnée depuis plusieurs mois dans la région de Malplaquet, avec des lambeaux de régiments autrichiens. Villars s'est replié entre la Scarpe et la Canche, et Marlborough est retourné à Londres. C'est là-bas, et à Versailles, que se préparent les destinées du monde. Alors on attend en fourbissant ses armes. La guerre est devenue une guerre de position.

L'inaction ne convient pas à Mary. Ce n'est pas en lustrant ses boutons ni en assurant ses rondes et ses tours de garde qu'elle gagnera ses galons. Aussi, elle prend une décision.

– Changer de corps ? s'étonne son commandant. Tu n'es pas bien dans ta peau, Willy Read ?

S'il savait, le gradé, ce n'est pas ce genre de remarque qu'il lui servirait.

– Je veux m'engager dans la cavalerie, annonce-t-elle. J'ai vu combattre les dragons français. C'est autre chose que de courir dans la boue en rangs serrés.

– Tu offres une meilleure cible en haut de ton cheval.

– On se bat mieux.

L'officier plisse un sourire. Il pose ses coudes sur la table et se penche en avant.

– Tu aimes te battre, mon garçon ? demande-t-il au cadet debout devant lui.

– C'est le seul moyen pour obtenir un brevet d'officier.

L'homme arque un sourcil, surpris, puis il éclate de rire.

– Un brevet d'officier ? Pour toi, Willy Read ? Mais tu n'as pas de dentelle au cou pour espérer une telle promotion ! Le mérite, c'est pour les gens bien nés. Si tu as une particule à ton nom, tu deviens capitaine en trois coups d'épée. *Tok ! Tok ! Tok !* ponctue-t-il en mimant un combat. Fils de bourgeois, tu achètes ton office. Tu as de l'argent, Willy ?

La jeune fille s'est raidie. De l'argent ? Elle n'a qu'une demi-solde, vu qu'elle garde le reste pour sa mère. Qu'est-ce qu'il croit, le galonné ? Qu'elle risque sa vie uniquement pour la gloriole ? Pour que son général en chef en retire tous les avantages ? Elle aime l'odeur de la bataille et les cris, c'est vrai, mais autant que ça lui rapporte des galons ! Devant son silence, le commandant poursuit :

– Tu n'auras pas plus de chances de gagner une commission d'officier en entrant dans la cavalerie qu'en restant fantassin.

– Je préfère le sabre au fusil, répond Mary.

– C'est un fait, reconnaît l'autre. Je t'ai vu te battre à

Malplaquet. Tu manies le sabre aussi bien qu'un pirate. Mais sais-tu tenir en selle ?

– J'apprendrai !

L'officier soupire. Il prend une feuille de papier et trempe une plume d'oie dans un flacon d'encre.

– Il vaut mieux que tu deviennes un bon soldat dans l'arme que tu as choisie, plutôt que de ressasser ton amertume dans les parallèles[1]. Je vais m'occuper de ton transfert... Il y a une chose, cependant, que j'aurais souhaité entendre.

– Quoi donc ?

– Que tu me dises aimer les chevaux ! Un cavalier fait corps avec sa bête. À deux, ils ne forment plus qu'un.

– Je me sens tout à fait capable de nouer mes os à ceux de ma future monture, assure Mary avec un sourire malicieux. Cela ne doit pas exiger plus d'efforts que de vivre dans le corps d'un autre.

– Prends garde aux coups de sabot, Willy ! Ça vient rarement de l'intérieur de soi.

1. Tranchées pour les tireurs.

CHAPITRE 12

LE BEAU JOOS

Willy gueule d'amour ! C'est comme ça qu'ils appellent Mary, les cavaliers ! Parce qu'elle a des yeux d'or. Le visage fin. Les joues lisses, sans l'ombre d'un duvet. L'un d'eux a voulu se moquer d'elle en l'affublant d'un chapeau de donzelle et en l'invitant à danser. Mal lui en a pris. Mary a dégainé son sabre. Le drôle n'a pas vu venir le coup. Il s'est retrouvé avec une belle estafilade sous l'œil, et la pointe de l'arme piquée sur sa gorge. L'autre a juré comme un porcher, puis il est allé laver sa honte, sous les quolibets de ses compagnons. Son geste lui a attiré le respect, mais la jeune fille se méfie tout de même. Surtout la nuit. À partager la tente avec un gros ronfleur à moustache grise. Dans la journée, le vieux sert d'instructeur : il apprend aux jeunes à tenir en selle, à parler aux bêtes, à les étriller, à faire des chevaux des frères d'armes... La nuit, il devient l'ennemi. Mary feint tout de suite d'être endormie, mais elle sent le regard de l'homme sur ses formes. Elle a dix-huit ans, et elle s'inquiète de savoir si son corps de fille ne se devine pas dans la silhouette de Willy. Le vieux n'a jamais risqué une main sur elle, non, ni ne s'est livré à la moindre remarque ; il se contente de lui parcourir l'échine des yeux, comme s'il faisait glisser un poignard sur sa peau. Des yeux de loup. Plus collants et plus moites que le corps du pauvre Anderlecht. Des yeux de loup qui déshabillent. Qui interrogent le silence.

Les nuits de Mary sont aussi peuplées de cauchemars où le visage de son premier tué vient se substituer à celui du vieux. Avec des yeux blancs – comme ceux d'un aveugle – qui lui reprochent d'avoir ôté sa vie. Ses nuits sont humides de transpiration. Des gouttes de peur nées des regards superposés des deux hommes.

Et puis un jour, rattrapé par son âge, le vétéran s'en va. Le même matin, un jeune homme vient occuper sa place sous la tente. Joos Van de Kees. Un cadet, lui aussi, d'un autre régiment que celui de Mary, qui a voulu changer d'arme. Sympathique, le bougre, avec son visage d'ange !

– Tu es d'où ? demande la jeune fille.

– De Breda, dans les Provinces-Unies. Je n'ai qu'une envie, c'est que la guerre s'achève pour retourner là-bas et tenir une auberge.

– Et tu as pensé qu'à cheval tu la terminerais plus vite, cette guerre.

Joos sourit. Un sourire de petit garçon. Dieu, qu'elle a envie de le serrer dans ses bras pour le protéger ! Comme un frère ! Le destin vient peut-être de lui donner un frère pour remplacer le premier si tôt disparu.

– Je m'appelle Willy Read, se présente-t-elle en lui serrant la main. Moi, je n'ai pas d'endroit où aller en dehors de l'armée, alors je prie pour qu'elle s'éternise, la guerre.

– Tout nous sépare déjà, fait remarquer Joos d'une voix un peu triste.

Mary a un léger haussement d'épaules pour signifier qu'elle n'a pas eu d'autre choix, que la vie est ainsi. Elle a la vision fugitive de centaines de casaques et de caleçons qui attendent d'être lavés dans l'East End londonien, secoue la tête pour refouler cette image sordide... Non, vraiment, elle n'a pas eu d'autre choix.

– Viens, dit-elle en posant sa main sur le bras du jeune Flamand, nous allons faire une solide équipe, toi et moi.

Il ne faut pas longtemps aux deux jeunes gens pour s'accorder parfaitement. Ils galopent côte à côte au cours des manœuvres, s'épaulent dans les simulations de combat, s'acquittent ensemble des corvées, des tours de garde, du pansage de leurs chevaux... à tel point que les autres cavaliers finissent par les surnommer les frères siamois. Les plaisanteries fusent au cours des repas, mais elles restent de bonne camaraderie, sans rires gras ni boutades de soudard.

Les nuits de Mary deviennent plus douces, plus tièdes, sans moiteur ni glace le long du dos. Ce sont des bains sucrés dans lesquels elle plonge avec délice. Finis les cauchemars où les yeux du vieux tournaient comme deux soleils fous et où le mort dardait sur elle un regard de métal chauffé à blanc. À présent, elle rêve de Joos. De ses yeux. De son visage. De son corps. C'est elle, désormais, qui s'attarde dans la nuit, qui prolonge ses regards sur la forme allongée de son ami et qui ramène la couverture sur sa tête pour étouffer les mots qu'elle pourrait prononcer dans son sommeil.

« Attention, Willy ! crie une voix sous son crâne. Tu es un garçon, rappelle-toi ! La fille frappe de toutes ses forces entre tes os. Si tu lui ouvres, tu es perdu. »

« Je suis une fille ! » tressaille son corps.

« Tu es un soldat, Willy ! C'est de guerre dont tu as besoin pour occuper ton esprit. »

Les nuits passent. Les matins ramènent la lumière, et avec la lumière le cavalier Willy Read. Qui attend que le soldat Joos Van de Kees ait quitté la tente pour se comprimer la poitrine dans une écharpe.

*
* *

L'hiver touche à sa fin. Cela fait deux mois que Joos emplit la tête et le cœur de Mary. Deux mois que Willy emplit le cœur et la tête de Joos. Deux mois qu'ils se taisent, l'un et l'autre. Troublés par une amitié qui a débordé.

La jeune fille a l'impression de marcher à côté de ses bottes, et elle montre quelque négligence dans son service. Elle traîne, absorbée par ses pensées...

– Tu es dans la lune, Willy. Ce sont tes nuits qui te mettent dans cet état ?

Le cercle ricane autour du feu. Le beau Joos baisse la tête. Mary s'empourpre. Elle se dresse, prête à en découdre avec le drôle. Lui relève le défi.

– Où tu veux, quand tu veux, Willy ! Je te marquerai au visage. Je ne vise jamais sous la ceinture, achève-t-il avec un sourire canaille.

Mary lui crache au visage, l'empoigne par son col, cherche à le jeter à terre. Un sous-officier est obligé de les menacer de plusieurs jours d'arrêt pour les ramener au calme.

– C'est un mauvais matin, souligne un cavalier dont c'est la dernière campagne. Il est temps que la guerre sorte de ses quartiers d'hiver pour nous occuper à quelque belle bataille. Les chevaux s'empâtent, et nous, nous tournons en rond, à ne plus savoir distinguer le haut du bas. Va falloir se remettre la cervelle à l'endroit, les gars !

La baffe est pour tout le monde. Les hommes grommellent en hochant la tête, d'accord avec le vieux. Les deux antagonistes se rassoient en se jetant un regard noir. « Pourvu qu'elle ne me tue pas Joos, la guerre ! » s'inquiète Mary.

Avec la fin de la neige et les grands froids, elle se réveille, la guerre. Et ce jour-là, sous un soleil blanc, l'attaque vient de la brume.

– Les Français ! Les Français ! hurle une sentinelle en déboulant dans le camp à grand galop.

L'homme arrête sa bête devant la tente du général, saute à terre...

– C'est l'infanterie de Boufflers, avertit-il.

– Boufflers ne lance certainement pas un assaut tout seul, réfléchit le général. Villars doit l'appuyer par une offensive sur un autre front, sans doute contre nos fantassins et les lignes autrichiennes. Nous devons le repousser. Il est hors de question de permettre à un seul Français de poser son pied ici ! dit-il aux officiers qui viennent d'accourir.

Les ordres claquent. Les clairons jappent. Les soldats s'arment, courent vers les chevaux. Un tourbillon plus tard, les cavaliers se ruent à la rencontre de l'ennemi. Mary chevauche à côté de Joos. Elle ne sait pas ce qu'il vaut dans un combat, face à des balles qui tuent. C'est tout autre chose que de croiser le fer durant un exercice. Alors elle a décidé de le protéger, au risque d'exposer sa propre vie.

Le sol est parsemé de trous. La boue gicle à la figure des cavaliers et se colle sur les paupières, mais rien ne peut arrêter l'élan de cette masse de crinières et de casques qui plonge dans le brouillard. Bientôt une barrière sombre se dessine devant, floue et encore indécise.

– Sabres au clair ! crie un officier.

Les lames sont tirées du fourreau dans un chuintement métallique. Le clairon embouche son instrument et, sur des notes claires, il commande la charge. Penchée sur l'encolure de sa bête, Mary tient fermement son arme, son sabre prolongeant son bras. Soudain une pétarade ! Une ligne de chevaux s'écroule, forçant les suivants à s'écarter ou à sauter par-dessus les morts et les blessés. Les hommes qui ont vidé les étriers se tassent au sol pour éviter les volées de sabots, puis les plus valides se relèvent, récupèrent les bêtes encore en état et repartent à l'assaut. Les yeux de Mary ne quittent pas Joos, qui galope à présent devant elle. Et elle se demande si le jeune homme s'est placé devant elle pour la couvrir ou pour être le premier à taillader l'adversaire.

Les Français n'ont pas le temps de procéder à un deuxième tir groupé. La charge est sur eux. Éventrés, culbutés, les fantassins marquent un instant de flottement. Alors Boufflers ordonne une percée à la baïonnette. Les lames cherchent le poitrail des chevaux, les cavaliers font se cabrer leur monture, les sabots fouettent l'air, fracassent des crânes... Les sabres décrivent des cercles au ras des têtes, puis ils s'abattent. Les lames taillent, coupent, pourfendent, tintent contre les fusils. Des coups de feu crépitent, des corps s'affalent, le sol est un tapis de cadavres, les flaques des bouillasses de sang. On piétine les morts et les vivants. On frappe devant et autour de soi. On frappe pour gagner. On frappe pour se garder en vie. On frappe parce qu'on ne voit plus rien, aveuglés par la peur et la fureur, et qu'on ne sait plus faire autre chose que frapper, frapper, frapper au-delà de l'épuisement.

Mary se bat comme une lionne. Elle a deux vies à sauver : la sienne et celle de Joos. Le Flamand sait se défendre, il n'a pas besoin de l'aide de son compagnon, mais il reste auprès de lui pour le préserver d'un mauvais coup. Quand l'ennemi reflue enfin, leurs bras retombent, leurs regards se croisent... Un même sourire les illumine.

– Les nôtres poursuivent les Français, indique Mary. Il serait sage de les imiter.

Joos s'approche d'elle jusqu'à frôler sa jambe. Il pose la main sur la sienne et exerce une pression. Un geste qui exprime en général un remerciement ou un compliment. Mais Mary sait qu'il signifie tout autre chose...

– Il serait sage, en effet, convient son ami.

Et d'éperonner leurs chevaux pour rejoindre la troupe.

Les offensives de Boufflers et de Villars ont échoué sur tous les fronts. Du moins ont-elles montré aux alliés que Louis XIV dispose toujours de forces vives et qu'il s'emploie à contenir l'invasion. Les deux camps ont repris leurs positions. C'est comme si la journée de combats n'avait pas existé. À cela près que plusieurs milliers de morts de plus gisent sur les champs de bataille.

La cavalerie hollandaise a réintégré son casernement, après avoir renforcé la surveillance sur ses lignes. Les troupes restent en alerte mais, en attendant de remonter au combat, les hommes retrouvent leurs gestes de tous les jours, parmi lesquels l'étrillage de leurs chevaux après l'exercice.

Mary fait durer le bouchonnage de sa bête, et cela fait quatre fois que Joos éponge les jambes de sa jument. Ils ne partagent plus la même tente, les officiers ayant recomposé leurs unités en fonction de leurs pertes, dès le lendemain de l'affrontement, ce qui fait que Joos et elle ne se retrouvent plus seuls. Hormis à cet instant. Dans l'écurie.

Debout à côté de son cheval, Mary fait glisser sa main sur la robe de l'animal, puis ses doigts s'écartent et lâchent la brosse de chiendent. Elle entend, derrière elle, presser l'éponge dans un seau. La jeune fille voudrait parler mais les mots ne se forment pas dans sa bouche. Elle regarde fixement, devant elle, le rectangle de lumière qui provient de la porte laissée entrebâillée. « Je dois m'y résoudre, se dit-elle. Je ne peux plus vivre comme ça. »

– Joos ! appelle-t-elle d'une voix mal assurée.

Il ne répond pas mais vient près d'elle, troublé lui aussi. Elle pose une main sur son épaule, comme dans un geste de bonne camaraderie, et esquisse un sourire. Joos la regarde, attendant qu'elle dise quelque chose. Leurs yeux se fouillent et cherchent à découvrir ce qui se cache dans l'autre et qui tarde à s'exprimer. Le cœur battant, les lèvres sèches, Mary hésite. Elle a peur de la réaction de son ami. Et si elle se trompait ? Sent-il trembler la main sur son épaule ? Sent-il cette chaleur qui émane de sa poitrine ? Elle ferme les yeux et prend sa décision.

« Willy, non ! » hurle son cerveau en délire.

Elle se jette au cou de Joos et l'embrasse avidement. Quoi qu'il advienne à présent, elle a choisi de fondre dans ce baiser. L'autre ne résiste pas, ne la repousse pas... il pose simplement ses mains sur les hanches de la jeune fille, ferme les yeux à son tour et entrouvre la bouche pour accueillir sa langue.

– Joos... susurre-t-elle enfin.

– Willy... murmure le Flamand.

Mary prend une profonde inspiration.

– Je ne suis pas...

Le cheval les bouscule tout à coup, faisant dégringoler les mots dans la gorge. Le rectangle de lumière s'agrandit brusquement du côté de la porte. Quelqu'un entre ! Mary se dégage, passe sous le ventre de l'animal en ramassant sa brosse et se dépêche de sortir de l'écurie.

CHAPITRE 13

LA BALLE ET L'ANNEAU

Les nuits sont plus longues que les jours. Ce sont des nuits de printemps. Des nuits blanches, souvent, où Mary dirige ses rêves, où elle révèle à Joos sa véritable identité et où son corps de louve l'emporte sur les jérémiades de Willy. Pourtant, au réveil, la jeune fille change tout de suite de peau et se met à grogner et à jurer comme un vieux sergent.

Joos est un soldat. Et en tant que tel il n'aime pas la défaite. Il est allé trop loin avec Willy pour s'arrêter là. Il n'en dort plus, le bougre! Ses rêves ont la couleur du feu, et chaque nuit il revit la scène de l'écurie.

Ce jour-là, gonflée comme une grand-voile, Mary a décidé de tout avouer à Joos. Elle veut lui faire comprendre qu'elle est une femme. À mots doux, posés les uns devant les autres, comme sur un échiquier. Prête à les reculer si elle sent que Joos ne l'accompagne pas. S'il préfère Willy à Mary, elle se fera une raison et demandera une nouvelle affectation. Dans ce cas, le cavalier Willy Read renaîtra ailleurs. Mais elle espère de tous ses vœux que c'est son charme féminin qui lie Joos à elle.

– Joos ! appelle-t-elle à travers le campement.

Trois hommes sont assis sur une souche, en train de nettoyer leurs armes. La jeune fille se campe devant eux, mains sur les hanches, sourcils froncés, se donnant un air de capitaine.

– Où est Joos ? demande-t-elle. Son cheval n'est pas à l'écurie.

– Il est parti avec la patrouille, indique un soldat.

– Ah ? Ce n'était pourtant pas à lui de...

– L'officier de jour lui a ordonné de remplacer un homme tombé malade au cours de la nuit.

– Ils devraient tous revenir avant la fin de la journée, avance l'un des soldats.

Mary est déçue. Cela fait deux fois qu'elle manque l'occasion de se soulager du poids qui l'oppresse. Deux fois que Willy triomphe en ricanant dans sa tête. L'air résonne tout à coup de l'écho d'une bataille. Une véritable mitraille. Le camp se fige.

– C'est Joos ! C'est la patrouille ! s'écrie Mary. Ils sont tombés dans une embuscade !

Elle se précipite vers l'écurie. Pas le temps de sceller son cheval, Joos est en danger ! Elle passe la bride à la bête, puis saute sur son dos. À cru. Elle jaillit par la porte, comme le clairon retentit et rassemble les cavaliers.

– Willy ! appelle un sous-officier.

Tant pis pour les ordres ! Tant pis pour la charge groupée, panache au vent ! C'est son amour qu'elle veut sauver, pas emporter une défense ennemie ! Agrippée aux rênes et à la crinière, elle serre les genoux pour ne pas glisser et se dirige aux coups de feu. Quand elle perçoit les cris, elle se met à hurler de toute la puissance de sa voix. Pour laisser échapper sa rage et sa peur. Pour appeler Joos. Pour avertir que les renforts approchent. Sabre au poing, Mary plonge dans la mêlée. Il y a des corps au sol, hommes et chevaux. Elle ne voit pas Joos tant les Français tourbillonnent autour d'elle, mais on se bat encore plus loin. Elle se fraie un passage en faisant tournoyer sa lame. Elle frappe à droite, à gauche, s'entaille même la jambe en assenant un coup sur une main qui s'est posée sur elle pour la désarçonner.

Les Français savent que les Hollandais vont fondre sur eux. Alors ils relâchent leur étreinte autour de Mary pour s'établir en avant et former un rempart de fusils. Des notes de clairon ! La terre se met à gronder comme un tambour. Ça y est, la cavalerie est en vue. Un feu roulant brise la première vague, mais les cavaliers repartent à l'attaque avant que les Français n'aient le temps de loger une nouvelle balle dans leurs fusils. Entre-temps, la jeune fille s'est élancée vers un carré d'hommes qui résistent à l'ennemi. Joos est sans doute parmi eux. Elle force sa bête. C'est là-bas qu'est sa place, dos à dos avec son Flamand, à défendre leur vie contre la meute.

– Joos ! hurle-t-elle pour qu'il l'entende. Joos ! Jo...

Un choc à la poitrine ! Une douleur atroce ! Mary a l'impression qu'une main la frappe entre les seins pour la projeter à bas de son cheval. Elle tombe dans un trou noir. Sans avoir revu celui qu'elle aime.

Il fait noir, toujours. Le vide dans la tête de Mary. Et puis une brûlure se loge dans sa poitrine, ramenant sa conscience et une lueur ténue sous ses paupières.

– J'ai... mal... articule-t-elle.

Des mots voltigent autour d'elle. Quelqu'un lui a répondu. Elle n'a pas envie d'ouvrir les yeux. Pas encore. Elle veut d'abord rassembler les morceaux de ses souvenirs. La bataille. Le fracas des cris et des armes. Joos. Quelque chose l'a atteinte à la poitrine. Une balle, certainement. Un éclair traverse son cerveau. À la poitrine ? Mais alors... ? Bouger son bras exige un effort. Sa main rencontre le pansement qui entoure son buste. « Ouf, soupire une voix dans sa tête, le bandage est toujours là. Tes seins sont bien cachés. »

Pourtant... Les doigts se font plus précis dans leur recherche. Le nœud est devant. Ce n'est pas ainsi qu'elle se lace : elle dissimule le nœud sous son aisselle gauche. Une brusque remontée de feu dans tout le corps ! Un cri dans sa tête ! Ils savent ! Mary ouvre les yeux. Elle est dans une tente. Le médecin militaire est penché sur elle.

– Tu es sauvé, soldat Willy Read, annonce-t-il. La balle a ripé sur le sternum. Tu seras vite remis sur pied. Mais...

Il traîne, le *mais*. Il porte sur lui sa charge de questions. La jeune fille sent que la douleur de sa poitrine se loge aussi dans son crâne.

– Mais... Willy, ce n'est pas ton vrai nom, n'est-ce pas ?

Mary expire à fond. Tu as voulu la guerre, Willy Read, et la guerre t'a tué.

– Où est Joos ? demande-t-elle.

– Il va bien. Les renforts sont arrivés à temps pour éviter le massacre de la patrouille... Il a de la chance, Joos, d'avoir la seule femme du régiment pour lui.

Mary se demande comment Joos a réagi en apprenant qu'elle était une fille. Elle aurait tant voulu le lui annoncer elle-même et ne pas laisser la guerre le faire à sa place. Tant pis. C'est fait. Quoi que pense Joos à présent, il est vivant, c'est l'essentiel.

– Dois-je t'appeler Jane ou Margaret ?

– Mary. Mary Read. C'est mon nom. Qu'est-ce que je vais devenir ?

– Tu es le cavalier Mary Read. Qu'est-ce que tu veux

devenir d'autre ? Le général a besoin de gaillards dans ton genre... je veux dire, de fines lames... même s'il te faut encore apprendre à obéir. Ne t'éternise pas trop à l'infirmerie, termine l'homme en donnant une tape amicale à Mary, ton cheval t'attend !

– Je vais guérir vite, sourit la jeune fille. Je vous le promets.

Le médecin se rend au chevet d'un autre éclopé, à l'entrée de la tente. Un blessé tousse pour s'éclaircir la voix, à deux lits de Mary.

– Alors tu es une fille... !

Elle tourne la tête. C'est l'un des trois hommes auxquels elle s'était adressée avant d'enfourcher son cheval pour aller prêter main-forte à la patrouille.

– Ouais, appuie-t-elle en prenant un ton gouailleur. Ça change de l'ordinaire. Maintenant glisse-toi sous ta couverture et bouche-toi les oreilles ! J'ai à parler avec quelqu'un.

Elle entend le médecin s'entretenir avec Joos, lui dire que Mary est tirée d'affaire. Elle ferme les yeux, sachant que Joos va venir jusqu'à elle. En effet, un poids se pose sur son lit, faisant grincer les montants qui retiennent les sangles.

– Attention, Joos, ça va casser, murmure-t-elle.

Elle ouvre un œil. Elle a peur de sa première phrase.

– Mary... Mary... répète-t-il, comme pour essayer le nouveau mot dans sa bouche. Je me doutais bien que tu n'étais pas un garçon. Tu n'as pas de duvet au menton et, bien que tu traînes dans la tente pour procéder à ta toilette, je ne t'ai jamais vue utiliser le moindre matériel de rasage.

La jeune fille l'observe. Il a l'air d'un ange. Heureux. Tellement heureux.

– Et puis il y a eu ce baiser... poursuit-il en baissant la voix. C'étaient des lèvres de fille, à n'en pas douter.

Joos fait courir sa main sur le bras de Mary en une douce caresse, puis ses doigts viennent effleurer ses lèvres.

– Embrasse-moi, exhale Mary, les yeux mi-clos.

– Les autres...

– Les autres dépenseraient la moitié de leur solde pour être à ta place, soldat Van de Kees, l'encourage-t-elle.

Il se penche, s'empare de sa bouche. Le baiser se prolonge en témoignage d'amour. Joos se redresse enfin. Ses yeux sont des étoiles.

– Mon vœu le plus cher est de t'offrir une auberge à Breda, déclare-t-il.

Mary est soulagée, ivre de bonheur. Ce n'est plus la brûlure de sa blessure qu'elle ressent dans la poitrine, mais celle – délicieuse – d'un magnifique soleil.

Mary secoue la tête pour faire voler sa chevelure en tous sens. C'est si bon d'être libre ! Finies, les compresses et les queues-de-rat ! Elle est Mary, enfin ! Mary pour toujours ! Envolées toutes les craintes ! Le passage de Willy à Mary s'est fait si facilement ! L'armée ne pose pas de questions. Et il n'y aura plus jamais de questions autour de la jeune femme, où qu'elle aille, puisqu'elle s'appelle désormais Mary Van de Kees.

Ils viennent de se marier le matin même. Toute la garnison a tenu à être de la fête. Tous se sont cotisés, officiers et simples cavaliers, pour offrir une partie de son auberge à Joos, et sa robe à la mariée. Une belle robe rose, couverte de dentelles et de fanfreluches. Une robe de princesse comme dans les contes de fées. Sa première robe de femme. Ce matin, elle était belle comme un bouton de rose, Mary, quand elle est passée sous une haie de sabres au bras de son époux, après avoir contracté mariage devant l'aumônier. Si belle qu'elle a déclenché un ban de hourras !

CHAPITRE 14
AUX TROIS FERS

Avril 1712

L'engagement de Joos et Mary prend fin. Cela fait trois années qu'ils servent dans l'armée des Flandres : un an passé dans l'infanterie, comme cadets, et deux dans la cavalerie. Ils aspirent à présent à une vie paisible, sans clairon le matin, sans odeur de chevaux, sans charges et sans tueries. En cumulant leurs économies et leurs deux soldes, ils peuvent espérer acheter une auberge à Breda.

Ils partent donc. À pied. Dans le froid d'un printemps hivernal. Sur les chemins enneigés. Chacun son baluchon sur le dos. Ils montent sur un chariot un peu plus tard, un chariot mal bâché qui laisse passer le vent. Il leur faut deux semaines pour atteindre Breda. Deux semaines à user leurs semelles, à être bringuebalés dans des carrioles de passage, à se tenir la main, à se soutenir, à se réconforter, à se dire que la vie sera belle, là-bas.

– Je ne sais pas cuisiner, avoue Mary comme ils entrent dans la ville.

– Je t'apprendrai, c'est facile.

Elle l'arrête, pose sa tête sur son épaule.

– Tu ne me feras pas manger des rats crevés ?

– Ni des rats ni des chats, rit Joos. Je tiens quelques bonnes recettes de ma mère. Elle connaissait son art mieux que personne, et mon père n'a jamais manqué un de ses repas. Que Dieu veille sur leur âme, à tous les deux !

Ils s'installent dans une modeste pension, le temps de dénicher l'auberge de leur bonheur. Et ils la trouvent quelques jours plus tard, près du château de la ville, faisant pension et battant enseigne de trois fers à cheval. Pourtant l'argent dont ils disposent ne suffit pas à la payer entièrement.

– Nous vous verserons vingt pour cent des recettes à la fin de chaque mois jusqu'au règlement complet de notre dette, propose Joos au vendeur.

– L'auberge est bien placée, renchérit sa jeune épouse. Les clients ne manqueront pas. Breda est une ville de garnison, et j'espère bien attirer soldats et officiers en leur racontant des combats de mer et...

– Vous connaissez des histoires de pirates ? s'étonne le bonhomme.

– J'étais mousse dans la marine anglaise. J'ai participé à la prise de Minorque.

– Les gens sont friands de ce genre de récits, confirme l'homme, surtout quand c'est une femme qui les raconte.

– Nous évoquerons aussi nos charges de cavalerie, poursuit Mary. Ainsi, nos clients sauront ce qui s'est passé sur le front.

– Alors, nous topons là ? demande Joos en présentant sa paume.

L'autre tape dans sa main pour exprimer son accord.

– Vingt pour cent de vos recettes jusqu'à effacement

de la dette! conclut-il. Si vous avez besoin d'un commis, j'ai un petit-neveu qui...

– Nous verrons cela plus tard, l'interrompt Mary. Nous avons gardé juste assez d'argent pour nos premiers achats. Nous voulons ouvrir le plus rapidement possible.

Le vendeur tend la clé à Joos. C'est un grand moment lorsque celui-ci l'introduit dans la serrure. La jeune femme s'agrippe à son bras avant que la porte ne tourne sur ses gonds. Ils ont visité les lieux, bien sûr, mais ce tour de clé va ébaucher pour eux une vie différente. Une vie de propriétaires. Mary n'avait jamais rien possédé avant ce jour, pas même son sabre ni son cheval.

– Porte-moi pour entrer, suggère-t-elle à son mari.

Joos la prend dans ses bras, et il franchit le seuil. Sitôt chez elle, Mary se met à courir dans la salle, dans l'escalier, à l'étage... Elle court comme une enfant qui découvre une aire de jeux, comme un mousse qui monte sur son premier navire et l'explore du tillac à la soute. Elle court, heureuse. Elle court sur ses vingt ans.

Joos sait jouer du violon, et il ne le disait pas. Pour sa journée d'ouverture, le jeune couple a mis toutes les chances de son côté. La salle a été décorée, les tables et les chaises cirées, les chambres nettoyées et les lits tendus de draps propres, et Mary a vendu sa tenue de mariée pour s'acheter une robe rouge sur laquelle elle a passé un tablier brodé. C'est surtout pour la voir, elle, que de nombreux militaires se déplacent. Une femme qui a respiré la fumée des canons, qui a chargé l'ennemi à la baïonnette, qui a chevauché au côté des plus braves et qui a fait voler des oreilles à coups de sabre, voilà qui n'est pas commun. Le crieur a bien fait son travail dans les rues de Breda puisque la salle est comble. Joos aux fourneaux et à son violon – entre deux plats –, et son épouse dans la salle à servir le vin, la bière, le civet, le ragoût et les histoires de guerre : la journée fond comme beurre au soleil.

Les jours passent, les clients se fidélisent. Les soirs, on sert des soupes principalement, qu'on épaissit avec du pain et des morceaux de viande. Hormis les pensionnaires, il sort alors une autre faune des rues : des charbonniers, des ouvriers de manufactures, des catins blêmes, des fuit-la-couche qui retardent l'instant de retrouver chez eux le dragon ou la baleine à moustaches qu'ils ont eu le malheur d'épouser, des désespérés aussi, qui cherchent dans le potage et dans les yeux de Mary un peu de chaleur pour éviter d'aller se noyer...

Les semaines passent. Et puis un jour d'été...

– C'était terrible ! déclare un soldat en claquant sa timbale sur la table. Ils sont tous morts, tous morts, tous morts, mes compagnons.

On rapproche les chaises autour de lui pour écouter.

– Le prince Eugène est revenu de Vienne pour enfoncer les lignes françaises. Il a pris la tête de l'armée austro-hollandaise, et il s'en est allé ravager la Champagne. Après avoir pris Reims, il a voulu marcher sur Paris. La panique était telle, à Versailles, que les ministres ont pressé Louis XIV de se retirer sur la Loire. Le vieux roi a refusé, ne voulant pas abandonner son poste devant l'ennemi.

Le soldat humecte ses lèvres pour mieux faire glisser les mots hors de sa bouche. On lui sert une nouvelle rasade de clairet. Il poursuit :

– Trop sûr de vaincre, le prince Eugène a commis l'imprudence d'espacer ses magasins du principal corps d'armée, le camp de Denain étant chargé des communications entre eux. Les Français s'en sont rendu compte, et Villars a porté une attaque massive sur Denain et sur les postes secondaires. Quand le prince Eugène a appris qu'il était coupé de ses vivres et de ses munitions, il a fait marche arrière pour reprendre Denain, mais il a été vigoureusement repoussé. Taillé en pièces. Roulé dans les ornières. Il a perdu cinquante bataillons. La cavalerie hollandaise a été décimée, l'infanterie presque réduite à néant. Un vrai miracle que j'aie pu m'en sortir !

Un silence. Mary et Joos se regardent. Leur escadron anéanti ! S'ils n'avaient pas quitté l'armée, ils seraient au nombre des victimes, eux aussi. La jeune femme ferme les yeux. Elle revoit le visage de ses compagnons, leur joie lors de son mariage. Elle entend encore leurs hourras, leurs explosions de rire... Éteints à tout jamais. Les visages enfoncés dans la boue, méconnaissables, piétinés par les sabots de la Mort.

– Ça s'est passé le 24 juillet dernier, précise l'homme en cueillant de la langue sa dernière goutte de vin. Paraît que sur les cadavres, on va bâtir la paix.

– C'est pas trop tôt, grogne un sous-officier. À la longue, on ne savait plus pourquoi on se battait.

– La ville va se vider si on renvoie les soldats chez eux, relève un client.

Mary se raidit. Joos a pincé les lèvres. Plus de militaires, ça signifie une perte importante pour *Les Trois Fers*. Il ne restera que les poivrots, quelques pue-la-sueur... même les marchandes d'amour vont déserter le coin. Et il exigera toujours ses vingt pour cent, l'autre aigrefin ! Vingt pour cent de quoi ? Ce n'est pas ce qu'ils avaient calculé, les Van de Kees !

– Ne vous en faites pas, les rassure une femme qui remarque leur mine décomposée, ce n'est pas pour demain. Quand les rois négocient des conditions de paix, ça dure plusieurs guerres. Tenez, depuis janvier, ils discutent d'un traité, à Utrecht. Ben, ça n'a pas empêché le massacre à Denain, le mois dernier. Les Anglais vont revenir dans la course, les Autrichiens vont se refaire une santé, et on va décréter une levée en masse en Hollande. Vous verrez que ça se passera comme je dis.

Un nouveau silence. On hoche la tête, pris dans ses réflexions.

Cette nuit-là, elle ne dort pas, Mary. Couchée dans le noir, les yeux ouverts, elle revit les épisodes de sa vie. C'est la guerre qui l'a extirpée de l'East End londonien où elle aurait été condamnée à savonner les vêtements des autres, c'est la guerre qui a gonflé sa bourse de florins, c'est la guerre qui lui a fait connaître l'amour et qui l'a révélée femme, c'est la guerre qui remplit son auberge.

– Pourvu qu'elle dure, la guerre, souffle-t-elle. J'ai honte, mais...

Elle cherche la main de Joos. Leurs doigts s'accrochent. Lui non plus ne dort pas.

– Il ne faut pas penser aux morts, répond-il. Nous ne sommes pas responsables.

– Parfois, je me dis que nous aurions pu nous embarquer pour les Amériques.

– Le voyage coûte cher. Une fois sur place, nous n'aurions pas eu d'autre solution que de nous enrôler dans l'armée pour aller combattre les Peaux-Rouges. Je ne sais pas labourer la terre.

– Tu sais cuisiner, jouer du violon...

– Taper les cartes, manier un sabre, monter à cheval... ajoute Joos. Mais ça, tu sais le faire aussi. Ça ne fournit pas beaucoup de travail en dehors de l'armée. C'est vraiment une chance que nous puissions tenir cette auberge. Là-bas, dans les Amériques, ça nous aurait coûté beaucoup plus cher. On n'aurait pas pu faire ce qu'on fait ici.

– Ils vont se mettre d'accord, tu crois, à Utrecht ?

Elle l'entend qui pousse un soupir. Sans doute a-t-il même haussé les épaules. Il n'en sait pas plus qu'elle.

– Que ferons-nous si cela doit arriver ? Si les garnisons désertent la ville ?

– Nous irons grossir les rangs des pirates.

– Que tu es bête ! se moque-t-elle en se blottissant contre lui.

Joos la sent fragile, presque tremblante. Alors il la prend dans ses bras et la serre fort. Très fort. Pourtant, quand elle sombre enfin dans le sommeil, Mary a l'étrange sensation de dégringoler dans un trou noir qui pue la terre humide et le moisi.

*
* *

L'automne est là, avec son cortège de toux et de fièvres. On raconte que les rescapés du front ont ramené avec eux la petite vérole, la rougeole, la phtisie et toutes sortes de vermines. Les épidémies galopent à tous vents. Le risque de contagion est grand, mais ils ne peuvent pas fermer *Les Trois Fers*, les Van de Kees. Les affaires n'ont jamais été aussi florissantes. Toutes les chambres sont occupées, et les tables complètes le midi comme le soir. N'empêche, Mary tend le dos. Pourvu que l'hiver arrive vite, avec son froid purificateur ! Joos est à ses fourneaux, comme à son habitude, et sa femme court de table en table. Elle court toujours, c'est comme une seconde nature. De temps à autre, quand Joos racle son violon, c'est elle qui s'attache aux casseroles. Elle sait cuisiner à présent. Son mari lui a appris ce que sa mère Emma n'a jamais osé faire : se mouvoir dans sa peau comme une femme.

– Hé ! l'apostrophe un client, un midi, en la retenant par un pan de sa robe.

Mary se retourne, prête à lui claquer un pichet sur le

front. Elle n'aime pas qu'on porte la main sur elle. Mais alors pas du tout !

– Cela fait un moment que j'attends, grommelle l'homme, or mon assiette est toujours vide.

« Il a raison, le bougre ! reconnaît-elle. Qu'est-ce qu'il fabrique, Joos, dans la cuisine ? » Elle dépose son pichet, attrape une commande au passage et se rend dans l'office. Joos est appuyé contre un mur, la tête contre les pierres, et il semble reprendre sa respiration.

– Ça ne va pas ? s'inquiète aussitôt Mary.

Joos ne répond pas. Il tousse, puis se passe une main sur le visage. Sa femme remarque qu'il est moite de transpiration.

– C'est à cause de la fumée et de la chaleur dans la cuisine, explique-t-il. Sans compter la fatigue de ces dernières semaines.

– On peut fermer pendant quelques jours, propose Mary. Ou embaucher un commis.

Joos refuse en secouant la main.

– C'est rien, je te dis. Ça ira mieux après une bonne nuit de sommeil.

En effet, le lendemain, Joos s'efforce de moins tousser. Bien que la fièvre ne le lâche pas, il fait bonne figure et dispute même une partie de dés avec ses pensionnaires. Mais au milieu de la nuit suivante, une quinte terrible lui déchire la gorge et le redresse dans son lit. Chaque toux lui arrache la poitrine, et lorsqu'il inspire, son ventre se creuse et il se produit un sifflement semblable au hennissement d'une vieille haridelle[1].

– Ce n'est rien, continue-t-il à prétendre à son épouse,

1. Mauvais cheval maigre.

qui s'interroge. J'ai pris froid au marché aux légumes. C'est normal, avec ce temps pourri.

La jeune femme s'alarme pourtant. Lorsqu'elles étaient encore sur l'île de Sheppey, sa mère lui avait parlé de la fièvre des marécages ainsi que de la coqueluche qui fait tousser si fort qu'elle décolle la plèvre des poumons.

– Je vais te préparer du vin chaud avec du rhum, décide-t-elle.

Joos la retient de se lever.

– Ça passera, affirme-t-il.

Mary aimerait en être sûre. Pourvu qu'il n'ait pas la coqueluche ni une forme de tuberculose ! Ce serait le comble qu'il contamine en plus les clients ! Il n'y aurait plus qu'à mettre la clé sous la porte. Joos se recouche. Son accès de toux s'est apaisé. Mary soupire, soulagée. « Allons, se dit-elle, ce n'est sans doute qu'un vilain rhume qui aura glissé sur les bronches. Demain j'achèterai du quinquina, et lui en ferai boire une infusion. C'est ce que le médecin administrait aux soldats quand ils avaient de la fièvre. »

Le quinquina requinque. La fièvre baisse au cours des jours suivants, mais la toux persiste. On appelle le docteur. Il arrive. Ausculte. Fait la moue. Donne un remède... Autant prescrire du vent ! L'état de Joos empire. Un soir, il vomit dans la soupe. Plus question de le laisser à ses fourneaux, ni de le faire travailler en salle. Il a l'œil terne, le teint cireux, et il ne peut plus finir une phrase sans cracher ses poumons. Alors il reste dans sa chambre, à tourner en rond pendant que sa femme se démène pour tenir l'auberge.

Et un jour, il tombe.

Mary ne s'en aperçoit que le soir, en regagnant la chambre. Vite, vite, elle envoie un de ses pensionnaires quérir le médecin, tandis qu'avec l'aide de deux autres, elle étend son époux sur le lit.

Le médecin ne peut plus rien. Joos Van de Kees est à l'agonie.

La nuit suivante, l'homme expire. Sans tousser. Dans un souffle aussi léger qu'un soupir d'oiseau.

– Joos, Joos, pleure Mary, ne me laisse pas seule ! Pourquoi te prend-on à moi ? Qu'est-ce qu'on a fait pour subir ça ?

Libéré de sa souffrance, Joos a retrouvé son visage d'ange. Il repose, détendu, presque souriant. Mary lui parle, paroles et sanglots mêlés. Elle lui parle comme elle parlait au corps sans vie de Willy. À s'étourdir. À un moment, elle ouvre un tiroir, saisit la boucle de son ceinturon de soldat et s'enfonce l'agrafe dans la paume. Elle reste ainsi jusqu'au matin, oscillant sur son siège, le sang coulant de sa main, à fredonner sans fin :

Quand trois bateaux s'en vont sur l'eau
Le premier part pour Saint-Malo
Le deuxième pour Maracaibo
Et le dernier pour Santiago...

Deux jours plus tard, il y a du monde aux funérailles de Joos. On ne l'enterre pas à la sauvette, dans un trou à rats, comme Willy ou la poupée. Non, non ! Il y a des officiers, des pensionnaires des *Trois Fers*, des voisins... Des femmes soutiennent la jeune veuve et pleurent avec elle. On assure qu'on va l'aider, qu'on ne va pas la laisser seule... Des mots que le vent balaie après la cérémonie et que la pluie battante traîne dans les caniveaux.

La jeune femme se retrouve seule à courir des chambres à la salle, de la salle aux cuisines, des cuisines au cellier. Et chaque mois, elle continue à verser vingt pour cent de ses recettes pour payer son auberge. Elle s'use, s'épuise, se brise le corps à la tâche. Et puis un jour, elle s'assoit pour faire ses calculs : engager un commis ou réduire le nombre de ses pensionnaires ? Il faudra le payer, le roupiot, or certains de ses hôtes ont des ardoises en retard. Elle décide donc de poursuivre seule et de fermer quelques chambres. Son travail s'en trouvera ainsi allégé, et la diminution de ses frais compensera en gros le manque à gagner. « Quand j'aurai fini de tout payer, j'engagerai du personnel », se promet Mary. Elle a le temps, pense-t-elle.

Du temps ? On discute, à Utrecht.

En avril 1713, la nouvelle se répand comme une traînée de poudre. La paix d'Utrecht a été signée le 11. Les grands se partagent l'Europe.

Rien ne change cependant. L'empereur d'Autriche semble vouloir reprendre la guerre pour lui seul, et les canons grondent à nouveau. Les garnisons sont maintenues à Breda, les officiers se pressent toujours aux *Trois Fers*, et la jeune aubergiste refuse du monde.

– J'avais raison, rappelle une femme qui lampe sa soupe à grand bruit. Un traité de paix, ça déclenche des guerres. Y a toujours un parti lésé dans l'histoire. L'ennemi a beau avoir changé de visage, la guerre reste la guerre.

Mary va mieux. En réduisant le nombre de repas à préparer et le nombre de chambres à nettoyer, elle trouve le temps de souffler et d'aller se recueillir de temps à autre sur la tombe de son amour trop vite disparu.

– Pauvre Joos, murmure-t-elle un jour en changeant les fleurs, on aurait vraiment dû partir pour les Amériques.

Elle reste debout de longs moments devant lui, à rêver à haute voix de l'océan, des pirates, des combats contre les Peaux-Rouges... pendant que d'autres batailles résonnent à Spire, à Worms, à Landau et à Fribourg, et que Villars défait coup sur coup les armées du prince Eugène. Elle prend le temps, Mary...

Du temps ? On discute à nouveau. À Rastadt cette fois.

En mars 1714, l'événement est sur toutes les lèvres. Le 6 du mois courant, la paix de Rastadt a complété la paix d'Utrecht. La guerre est finie. Il n'y a plus d'ennemis.

– Pfff, plus d'ennemis ! crache la pensionnaire en haussant les épaules. Y a qu'à se baisser pour en trouver, des ennemis !

Mais les rois ne se baissent pas. La paix est bien réelle. Les garnisons quittent Breda. La clientèle déserte l'auberge en masse. Ce ne sont pas trois soûlauds et deux catins qui peuvent faire vivre les *Trois Fers*. Alors, un matin, devant sa glace, Mary s'efface : elle a recroquevillé ses seins sous un bandage, endossé son caleçon, ses braies, sa chemise et sa veste d'homme, et elle termine de serrer ses cheveux en queue-de-rat. L'autre godelureau se réveille dans sa tête et claironne : « Tu as enfin compris, Mary, tu abandonnes Vénus au profit de Mars. Qu'est-ce que ça t'a rapporté de jouer à la femme ? Personne ne veut de ton auberge ! Te voilà pauvre, misérable, couverte de dettes ! Avec une plaie dans le cœur qui ne guérira jamais ! T'es pas belle à voir, Mary ! Willy va reprendre du service et te sortir de là. Y a des régiments d'infanterie qui tiennent leurs quartiers dans les villes-frontières. Tu y trouveras ta place. »

Silencieuse et docile, Mary se coiffe de son tricorne. Adieu Mary Van de Kees, le seul nom qui était vraiment le tien ! Adieu Mary Read ! Adieu Mary Davon ! Adieu Mary tout court ! Revoilà Willy Read ! À tout jamais !

TROISIÈME PARTIE

MARY PIRATE

Printemps 1715, au passage des îles de la Frise,
au nord des Pays-Bas

CHAPITRE 15

POUR TROIS PATATES DU ROOSENDAAL

Mary s'offre enfin à la mer. L'air est vif sur le pont du navire et lui fouette le visage, mais cela n'empêche pas la jeune femme de respirer le vent à pleins poumons. Les poulies couinent au-dessus de sa tête, les voiles claquent. Parti d'Amsterdam, le *Roosendaal* quitte la mer des Wadden[1] et franchit le passage entre l'île des Oiseaux et le continent. La mer du Nord s'ouvre à lui. Mary est heureuse. Elle laisse derrière elle tout son passé. Après être partie de Breda, elle s'est engagée pendant un an dans l'infanterie, mais il n'y a pas d'avancement à espérer avec la paix. Alors elle s'est embarquée sur un bateau de commerce à destination des Amériques. Adieu l'Europe, adieu Joos, adieu Emma!... La vie est devant elle, à présent.

– Hé! Willy Read! Bouge-toi! Ne reste pas dans les jambes de l'équipage!

Elle s'écarte et va s'appuyer au bastingage. Elle regarde

1. Mer intérieure au nord des Pays-Bas.

le rivage. Elle veut le voir s'éloigner le plus vite possible. « Je ne reviendrai jamais, se jure-t-elle. Je vais me mettre un voile noir sur le cœur pour oublier ceux que j'ai aimés. Je ne veux pas les emporter avec moi. » Pour payer son voyage, elle a proposé au capitaine de s'occuper de menus travaux : aider à la cambuse, au nettoyage du pont, au rafistolage des hamacs, à l'entretien des poulies, des palans et des cordages, et au service des pièces d'artillerie en cas de mauvaise rencontre. Pour lors, au départ, elle n'a rien à faire d'autre qu'à regarder la distance qui la sépare de la côte.

Et elle s'éternise, la côte. Hollandaise d'abord. Française ensuite. Il faut des jours et des jours au *Roosendaal* pour sortir des eaux de la Manche et s'élancer vers le grand large. Le flot change, devient plus souple, la terre s'engloutit enfin derrière le vaisseau. Le timonier tient le cap au sud-ouest en s'inclinant sous le vent, et le navire fait route au plus près tribord amures*. Beaucoup plus tard, après avoir dépassé les îles Madères, le *Roosendaal* vire plein ouest pour prendre les alizés par l'arrière, et il file vent sous vergue, gonflé d'air et claquant pavillon.

– Les Amériques sont au bout de la course, dit un gabier à Mary. Les alizés vont nous y mener tout droit, sans qu'on ait de peine à la manœuvre.

– Justement, relève-t-elle, si le navire court tout seul, tu peux m'apprendre à manipuler les écoutes* pour orienter les voiles.

– Ho, Willy ! crie soudain le bosco à la mine de bouledogue. Corvée de patates !

La jeune femme soupire. Elle sait bien qu'elle paie sa traversée de cette façon, mais elle aimerait tout de même qu'on l'emploie à autre chose. C'est du boulot de mousse ! D'autant que les patates ne seront pas pour l'équipage. Uniquement pour les officiers de commerce, les matelots devant se contenter d'une ragougnasse dont l'odeur et l'aspect n'engageraient même pas un chien à s'en approcher. Mais elle se tait et descend dans la cambuse rejoindre le maître queux. Maniant le couteau, elle épluche.

– Tu pourrais rajouter des épices dans ta sauce, fait-elle remarquer au cuistot. Ça donnerait meilleur goût.

L'homme lui décoche un regard lourd, du genre « de quoi tu te mêles ? »

– C'est moi le chef ici, grogne-t-il. Qu'est-ce que tu sais de la cuisine, toi ? Ça fait trente ans que j'ai le nez dans les casseroles, alors ne viens pas me chanter turlutaine, fesse d'huître !

Mary se tait. Inutile de chanter à ce cuistre qu'elle a tenu une auberge, car il est aussi buté qu'un âne ! Alors, elle se venge à sa façon. Pendant que le gâte-sauce touille son brouet en lui tournant le dos, elle dissimule trois pommes de terre dans le tas d'épluchures. Il n'a quand même pas compté ses patates, l'autre tartignole ! Puis elle fourre le tout dans une corbeille, remonte par l'échelle d'écoutille et se penche par-dessus la lisse de bastingage. Un coup d'œil derrière elle. Personne ne l'observe. Au moment de vider la corbeille dans la mer, elle subtilise les pommes de terre et les cache dans sa chemise. Elle ira les faire griller à la lampe d'un fanal, dans la cale, en prenant pour prétexte d'aller chasser les rats.

– Hé, Willy ! C'est jour de lessive aujourd'hui ! trompette le bosco. Les matelots vont t'amener leurs effets.

Mary déteste laver. C'est le passé qui revient comme une gifle en pleine figure. Elle n'a pas fui les caleçons de l'East End pour plonger ses mains dans ceux du *Roosendaal*. Et pourtant, elle ne peut s'y soustraire !

– Et n'oublie pas de laver aussi ta chemise ! complète le braillard.

– Ouais, ouais...

Un marin remonte deux gros baquets de la cale, que la jeune femme remplit avec force seaux d'eau. Chaque homme lui apporte ses caleçons, ses chemises, ses casaques, qui s'empilent en pyramide sur le tillac.

– Allez, Willy Read, paie ton dû !

Mary saisit une planche, l'incline dans un baquet, puis elle y étale une chemise qu'elle commence à frotter avec un gros savon cubique. Elle frotte à se rompre les bras. Puis elle rince les vêtements dans le deuxième baquet et va les étendre sur une corde fixée entre les haubans de bâbord et les haubans de tribord. Les genoux meurtris, les dents serrées, elle ravale sa rage : elle a vraiment l'impression qu'on la prend pour une souillon, elle qui a connu le feu de la guerre et sabré les Français. Elle n'en peut plus, elle en tremble de passer une demi-journée à frotter, rincer, étendre, frotter, rincer, étendre, frotter, rincer, étendre... Enfin, elle tire un baquet vers un sabord de décharge pour vider l'eau.

– Hé, Willy ! T'as toujours ta chemise sur le dos ! On ne veut pas de pue-la-sueur sur ce navire. Alors trempe tes fripes dans le baquet, ou c'est dans la mer que je vais t'envoyer te laver !

– Je suis plus propre que toi, pourceau de latrines ! se rebiffe Mary. Je n'attends pas que mes vêtements soient raides de crasse pour me changer.

Des matelots rigolent. Le bosco s'empourpre de colère. Il attrape la jeune femme par sa chemise, la secoue pour la lui retirer. Les trois pommes de terre tombent sur le pont. L'homme s'immobilise, les yeux écarquillés par la surprise. Mary ferme les yeux et se désagrège de l'intérieur, comme si ses os devenaient du sable.

– Mais... tu es un voleur, Willy Read ! s'exclame le gaillard.

Il se baisse, ramasse les patates et les brandit au vu de tous.

– Tu voles à la cambuse ! poursuit-il. Tu voles le repas des officiers !

L'équipage se rassemble autour d'eux. Les mines sont graves, le silence de mauvais augure.

– Trois malheureuses patates... se défend Mary, la bouche sèche.

– Trois aujourd'hui ! Mais combien hier ? Et avant-hier ? Le drôle se nourrit sur le dos de chacun de nous !

– Sur le dos de ceux qui dînent avec le capitaine, rectifie un marin. Ceux de l'entrepont...

– La ferme ! aboie le bosco. Il y a des règles sur ce navire. Les voleurs sont punis du chat à neuf queues.

– Doucement, maître d'équipage ! lance une voix de la dunette. Si Willy Read était l'un de mes hommes, je lui compterais dix coups de fouet. Mais il est notre passager...

Les têtes se tournent vers le gaillard d'arrière. Le capitaine et son second descendent les quelques marches qui relient la dunette au tillac.

– Sauf votre respect, monsieur, un voleur reste un voleur, insiste le bosco.

Le capitaine balaie l'objection d'un geste.

– Willy Read, gronde-t-il en se plantant devant Mary, vous payez votre voyage par vos travaux, et non par des pièces sonnantes et trébuchantes qui vous autoriseraient à vous asseoir à ma table.

La jeune femme le regarde bien en face. Va-t-il ordonner qu'on la jette par-dessus bord ? Pour trois patates ?

– Je meurs de faim, répond-elle. C'est un crime devant Dieu que d'installer un affamé devant de la bonne nourriture, de la lui faire préparer pour les autres tout en lui interdisant d'y goûter. Ce que je dis vaut aussi pour tout l'équipage, monsieur. Nos biscuits sont rongés par les vers.

Les matelots approuvent par des murmures.

– Aucun de mes hommes n'a jamais tenté de me dérober quoi que ce soit sur ce bateau.

– C'est la première fois, assure Mary. Et puis vous les avez récupérées, vos trois précieuses patates.

Les traits du capitaine se durcissent.

– Vous serez puni, Willy Read. Par là où vous avez péché. Vous avez faim ? Je vous condamne au biscuit sec et à l'eau. Dans la cale. Les fers aux pieds. Pendant trois jours. Un pour chacune de ces précieuses pommes de terre.

Il ouvre sa main. Le bosco y dépose les patates. Le capitaine les fait sauter devant les yeux de Mary puis, d'un simple geste, il les lance dans la mer.

– Pour les poissons ! conclut-il. La route est encore longue jusqu'aux Amériques. Qu'on me donne encore un seul motif de se plaindre de vous, passager Read, et c'est vous qui irez nourrir les requins !

Assise dans le noir, le menton sur ses poings, Mary s'interroge. Doit-elle absolument rester Willy ? Que se serait-il passé si le bosco avait fait saillir ses seins en lui arrachant sa chemise et son bandage ? Le capitaine l'aurait-il invitée à sa table ? Qu'aurait-il exigé d'elle pour s'acquitter du prix de sa traversée ? Certainement plus de graisser les poulies ni de respirer le graillon de la cambuse ! « Je préfère rester Willy, se dit-elle, plutôt que d'offrir Mary aux caprices de ce bouffeur de patates. Trois jours, c'est vite passé, d'autant que pendant ce temps, le navire dévore l'espace entre les Amériques et moi. » La jeune femme ne sait pas ce qu'elle va faire de sa vie sur le nouveau continent. Pour lors, elle fuit. Une fois que le *Roosendaal* l'aura débarquée à Curaçao, elle rejoindra peut-être la Jamaïque. Ira-t-elle travailler dans une plantation de canne à sucre ? Redeviendra-t-elle soldat pour mater les rébellions indiennes, traquer les esclaves en fuite ou s'opposer aux attaques des pirates ? Ou choisira-t-elle l'existence des boucaniers ? C'est si loin devant elle, encore ! Et pourtant, à chaque pensée qui traverse son esprit, le *Roosendaal* se rapproche un peu plus de sa destination.

Flouf !... Flouf !... Flouf !... Le bruit de l'étrave heurtant la vague est amplifié dans la cale. Et dans le noir, il devient oppressant. Pour oublier qu'elle a faim, Mary essaie de dormir. Est-ce le jour ? Est-ce la nuit ? Depuis combien de temps est-elle enfermée là-dessous avec une carafe d'eau et une boîte de biscuits qui s'émiettent entre les doigts – sa ration pour trois jours ?

Quelque chose bouge contre sa cheville, s'enhardit sur son pied... Des griffes s'accrochent à sa peau. Un rat ! La jeune femme pousse un cri et détend sa jambe. L'anneau de fer entrave son mouvement. La bestiole ne s'effraie guère. Ce sont les biscuits qui l'attirent. À tâtons, Mary cherche le couvercle pour refermer la boîte. Sa main rencontre des formes velues qui se bousculent entre ses jambes. Elle hurle, tape des pieds, fait cliqueter la chaîne pour les tenir à distance. Les rats se sauvent, mais ils se regroupent à moins d'un mètre et étudient l'adversaire. Les plus audacieux tentent une approche. Ils sont balayés par de grandes claques que Mary décoche au hasard, la cruche calée entre ses genoux pour éviter de la renverser. Elle balance ses bras à droite, à gauche, devant et derrière elle. Elle n'est plus qu'un hérissement, un bloc de répulsion animé de mouvements convulsifs, mal dirigés. Elle cogne dans les planches, se blesse aux doigts, enfouit ses mains sous ses aisselles de crainte que les rats ne soient attirés par le sang de ses écorchures, se plie en deux et se met à pleurer. D'effroi, de colère contre elle pour s'être laissé prendre, de rage contre les officiers de marine, de rancœur contre son corps de fille qui, décidément, gâche tout. Elle se vide de tout ce qui peut sortir d'elle. Sauf de sa haine de l'injustice.

CHAPITRE 16

LA COLÈRE DE NEPTUNE

L'éclat du jour est comme un poignard qui entre dans la tête. Mary cligne des yeux. On vient de l'extraire de la cale au bout de trois jours de terreur intense. Une éternité pour elle. Elle s'était juré de les toiser tous, de les défier du regard, mais la lumière du jour lui fait baisser la tête. La mer est mauvaise et secoue le navire.

– Y a du travail, Willy ! jappe le maître d'équipage.

Il s'attend à ce que le jeune homme réclame à manger et à boire, à ce qu'il le supplie de le laisser reprendre des forces, mais celui-ci n'en fait rien.

– Je suppose que depuis trois jours le maître queux n'a pas servi de patates à ses supérieurs parce qu'il n'a trouvé personne pour les lui éplucher, ironise Mary. Que le capitaine se rassure, il pourra s'en gaver aujourd'hui, à s'en lécher les doigts, puisque me revoilà !

Le bosco l'arrête comme elle fait mine de se diriger vers l'écoutille qui mène à la cambuse.

– Tu vas descendre dans la soute à eau. Quelques tonneaux m'ont l'air fragiles, en bas, et je ne voudrais pas que les bonds de la mer les fassent éclater. Faut étouper leurs fentes ! T'as trois jours de travail à rattraper, Willy, si tu ne veux pas qu'on te jette à l'eau trois jours avant d'arriver.

Mary serre les poings. Le bonhomme ne va pas lui rendre le voyage facile. Si l'équipage décide de se mutiner, elle sera de la partie, et elle lui fera bouffer des rats crevés, au bougre ! Elle se rend dans la grande cale étayée par des épontilles*, où des barils de bière sont arrimés sur des tonneaux d'eau douce. La sciure répandue sur le sol est imprégnée d'humidité par endroits. La jeune femme décroche un fanal et inspecte les tonneaux. Une coulure perle de l'un d'eux. Elle passe sa main sur l'eau qui suinte, cueille les gouttes et les porte à sa bouche. Elle s'humecte d'abord les lèvres, puis aspire la fine pellicule d'eau concentrée dans sa paume. Elle répète son geste plusieurs fois, jusqu'à apaiser sa soif. Elle calfate soigneusement les fentes puis passe au tonneau suivant. L'un oscille dans ses attaches et frappe une barrique à chaque roulis. « Il va finir par faire éclater les douves[1]. J'ai intérêt à coincer de l'étoupe entre eux avant de retendre les cordages. »

Une lumière se balance soudain en haut de l'échelle de cale. Deux jambes apparaissent, puis un barbu coiffé d'un bonnet.

– Qu'est-ce que tu veux, Rudy ? questionne Mary. Tu viens me surveiller ? Le bosco a peur que je vide les tonneaux pour étancher ma soif ?

– Je viens t'aider. La mer durcit, et les réserves sont trop précieuses pour risquer une fausse manœuvre de ta part. D'autant qu'il va falloir culbuter quelques barriques pour examiner le fond, au cas où elles fuiraient par le bas. Et elles sont très lourdes.

L'homme défait les attaches d'un tonneau, le fait pivo-

1. Les planches d'un tonneau.

ter pour dégager un petit espace dans lequel la jeune femme se glisse pour étudier d'autres douves.

– Tout est sec ici, annonce-t-elle.

Ils remuent d'autres barriques, soulèvent et déplacent des barils de bière qu'ils calent entre les porques, de fortes membrures liant et renforçant les parties de la coque. Ils découvrent une longue traînée foncée dans la sciure, tel un serpent brun.

– Cela provient de ce tonneau. Le cercle de fer a du jeu, l'eau fuit par une fente.

Ils calfeutrent la fissure avec de l'étoupe, puis enfoncent des coins à coups de maillet entre les douves et le cerceau.

– Ça ira, dit Rudy. Voyons les autres.

Un roulis plus fort, tout à coup !

– Attention !

Le tonneau que manipulait le marin culbute en arrière, renversant l'homme. Mary se précipite pour retenir la barrique avant qu'elle ne roule sur lui, mais le navire plonge, la propulsant contre une épontille. La masse des fûts vacille, tendant les cordes au maximum. La proue se soulève, le vaisseau craque...

– Aaahhh ! hurle Rudy.

Le tonneau lui broie les jambes. La jeune femme se rue vers lui et, profitant d'un nouveau roulis qui entraîne la barrique par bâbord, elle saisit l'homme sous les aisselles et... Un choc violent dans le dos. L'arrimage s'est relâché d'un côté, et un baril de bière vient de glisser. D'autres tressautent derrière lui et le poussent en avant.

– Ça s'écroule sur nous ! s'affole Mary.

Elle lâche Rudy, saisit une amarre et tire de toutes ses forces pour la tendre et empêcher les barils de basculer. Le vaisseau bondit et pique à nouveau, puis il donne de la gîte par tribord. Le lourd tonneau revient sur eux, passe sur la tête de Rudy, qu'il écrase comme une noix, et enfonce le mur de barils à quelques centimètres de Mary.

– Rudyyy !

Elle saute en arrière pour ne pas être ensevelie sous l'effondrement. Un tonnelet éclate, projetant sa bière mousseuse jusqu'au faux pont. « C'est fichu ! Le navire est pris dans la danse. Je n'arriverai jamais à... ». Un martèlement derrière elle. Des voix. Des matelots accourent. Des mains l'agrippent, la repoussent.

– Remonte et laisse-nous faire ! lui lance un homme.

Mary se retient à une épontille. Elle ne veut pas sortir de la cale alors que les autres achèvent son travail. Alors elle attend que le navire se redresse pour aller prêter main-forte à ceux qui dégagent Rudy.

– Qu'est-ce qui se passe ? demande-t-elle.

– La tempête arrive, lui apprend-on. La mer l'annonçait déjà en moutonnant depuis hier soir. Le capitaine a fait enverguer les grandes toiles et amener les voiles* hautes pour saluer le grain.

– Le pauvre Rudy n'a pas eu de chance. Si le grain enfle, nous pourrions bien être plus nombreux à aller embrasser Neptune, fait remarquer un marin d'un air sombre.

Dès que le mort est déposé près de l'échelle de cale, tous les hommes s'empressent de redresser les tonneaux et de les arrimer en renforçant les cordages. Mary essaie de bourrer de l'étoupe entre les douves qui laissent suinter l'eau, mais chaque embardée du navire l'écrase contre une barrique ou la rejette en arrière.

– Tu ne sers à rien, Willy ! Tu redescendras quand l'océan se sera calmé. Aide plutôt à remonter Rudy sur le pont !

Des cadavres, Mary en a vu souvent, mais elle n'en a jamais transporté. Rudy lui paraît lourd, si lourd qu'elle a l'impression que la mort l'a rempli de plomb. Titubant le long des coursives et se cognant aux poutres à chaque envolée ou chute du *Roosendaal,* la jeune femme et un marin peinent à ramener le corps sur le tillac. Sitôt à l'air libre, elle prend la tempête en plein visage. Le ciel est couleur de suie ; une mer d'encre se cabre en soulevant des vagues énormes. Le grain a crevé, et une trombe d'abat hache le navire. Cramponnés aux drisses et aux écoutes, les gabiers achèvent d'enverguer les basses voiles et bordent plat les huniers et les cacatois. Puis ils redescendent en se laissant filer le long des étais*. Le capitaine est agrippé à la rambarde de la dunette, assisté du second et du bosco, qui s'égosille à redistribuer les ordres à l'équipage.

– Jetez le corps à la mer ! l'entend hurler Mary.

– Pas comme ça ! Pas sans quelques mots ! refuse-t-elle. Ce n'est pas un morceau de bois ni un rat crevé.

Le marin à côté d'elle est de son avis, mais il comprend bien qu'on n'a pas le temps de chanter une messe pour le défunt.

– Prends-le par les pieds ! ordonne-t-il. À trois, on le passe par-dessus bord !

– S'il n'était pas descendu, c'est moi qui serais allongée là, la tête en bouillie. Je me sens responsable de...

Une lame plus violente couche le vaisseau par bâbord. La mer embarque, balaie le pont et tasse les hommes contre les sabords de décharge par lesquels elle se déverse en cascade. Mary se retient à grand-peine, une jambe dans le vide, le cadavre pressé contre elle. Quand le navire se redresse et s'incline à tribord, le mort et elle glissent de l'autre côté et viennent s'écraser contre le bordage. La jeune femme veut appeler à l'aide, mais l'eau la submerge et cherche à l'entraîner par les sabords.

– Lâche-moi !... Lâche-moi !... Lâche-moi !... hoquette-t-elle, repoussant à coups de pied le corps qui semble vouloir s'accrocher à elle.

Un marin se laisse drosser jusqu'à elle.

– Faut pas garder de mort sur un bateau, souffle-t-il. Ça porte malheur !

Se retenant d'une main à la lisse, l'homme et Mary redressent Rudy, l'appuient contre le bastingage et, d'un même effort, le font basculer par-dessus bord.

– Essaie d'atteindre le gaillard d'avant ! crie le matelot pour couvrir le grondement de l'eau. Et attache-toi au mât de misaine* !

Elle se relève, saisit les bas haubans et longe la coque, s'arrêtant chaque fois qu'une vague déferle sur elle. Le vent saute tout à coup au nord-est et irrite furieusement l'océan. Les flots se creusent, deviennent des abîmes. Quand le *Roosendaal* y plonge, la jeune femme a l'impression que ses intestins lui remontent dans la bouche. Quand il escalade la muraille suivante, c'est comme si la main d'un titan lui enfonçait le cœur dans le ventre. Pourtant Mary n'a pas peur. Elle entrevoit bien les hommes d'équipage ballottés en tous sens, elle perçoit des bribes d'ordres qui éclatent ici et là, mais elle se sent presque heureuse dans la colère de l'océan. C'est un grain arqué, une tornade, qui les a pris en chasse. Un grain qui fait tout oublier. Enfin un adversaire à sa mesure ! C'est cela qu'elle cherche depuis toujours, Mary, et que même la guerre n'a jamais pu lui donner. Plus rien n'existe en dehors de ce duel. Pas de mitraille, pas de querelles de rois, pas de places fortes à emporter... Rien que cette coquille de noix face au mugissement terrible de la montagne qui charge.

– Voilà comment je voulais vivre, frissonne-t-elle. Voilà comment je vais mourir.

Le navire affronte la vague de trois quarts. Il s'envole,

retombe, paraît se démembrer, puis se couche sur le flanc, son étrave frôlant l'océan... et ne se redresse plus. Il reste engagé par tribord et embarque les rouleaux. Pour éviter d'être emportée, Mary a grimpé dans les haubans de misaine, et elle s'y accroche de toutes ses forces.

– Ferlez* les hautes voiles ! Ferlez les hautes voiles ! s'époumone le capitaine. Défoncez le pavois* et jetez à la mer les ancres et les canons sous le vent !

Les gabiers grimpent dans la mâture tandis qu'une équipe attaque le bordage à la hache. Un nouveau coup de boutoir de la mer fait tressauter le bâtiment. Des matelots tombent, immédiatement avalés par l'océan.

– Plus le temps pour la manœuvre ! Tranchez les drisses et les écoutes ! hurle le bosco. Sinon, au prochain assaut, nous nous retrouverons quille par-dessus tête !

Hachette à la main, les gabiers entaillent les cordages. Un hurlement ! Coupée net, une écoute a giflé un homme en se détendant. Le malheureux dégringole le long des haubans de misaine. Mary l'attrape au passage. Il est blessé mais n'a pas lâché sa hache. La jeune femme entrelace le bras du matelot dans les enfléchures*, saisit son arme et monte vers la hune. Les autres gabiers ont tranché les attaches des hautes voiles, mais comme le navire ne se redresse toujours pas, ils abattent le petit mât de hune. L'océan pousse une vague monstrueuse vers le *Roosendaal.* Mary atteint la plate-forme et, se retenant d'une main, elle s'acharne à sectionner les drisses. L'une après l'autre, les cordes lâchent en sifflant et en cisaillant l'air. Sitôt le grand mât décapité et sa dernière voile libérée, le vaisseau roule sur sa quille et se hérisse. Il rebondit contre le flot, ses hautes voiles de misaine et d'artimon* flottant et claquant telles des bannières.

Mary ne redescend pas. Perchée sur la hune de misaine et solidement fixée au mât par des bouts de corde qu'elle a récupérés sur les drisses, elle est devenue la tempête. La bouche ouverte, elle boit le vent. Les énormes vagues passent sous elle comme un troupeau de baleines, et le navire roule d'un bord à l'autre, embarquant et déchargeant la mer. Il pique et se soulève, et la jeune femme hurle d'ivresse. Figure de proue vivante, laquée de pluie, c'est elle qui se précipite au cœur de l'abîme, rattrape son vol, crève le mur d'eau noire et se dresse sur la crête, pointée vers le ciel qu'elle semble vouloir percer à son tour.

Les grains se succèdent au cours de la journée, le vent sautant d'une direction à l'autre, appuyant les bonds de l'océan par ses rafales pour tenter de désarçonner le *Roosendaal*, mais le vaisseau tient bon malgré les cacatois et les perroquets qui se déchirent et s'entortillent dans les cordages. Et Mary hurle à se briser la voix pour répondre au grondement de Neptune.

Enfin le vent mollit, l'océan s'assagit, la jeune femme se tait, et le brusque silence dans sa tête l'amène au vertige.

– Renvoyez de la toile ! braille le bosco. Qu'on sorte de cette marmite !

Les gabiers remontent dans le gréement. Ils déferlent les grand-voiles et les huniers et retirent les toiles endommagées. Le vaisseau retrouve la maîtrise de sa route. Une main se referme sur l'épaule de Mary.

– Tu as fait du bon travail, Willy. Le capitaine t'attend en bas.

Quand elle prend pied sur le tillac, l'officier la regarde en hochant la tête.

– On devrait t'appeler Willy Tempête, dit-il. Ta bravoure te fait grâce des trois jours de corvée que tu me devais, suite à ton séjour en cale, mais...

– Mais ? répète-t-elle en l'interrogeant du regard.

– Mais tu fais peur, Willy.

CHAPITRE 17

DERRIÈRE LE BROUILLARD DE L'OCÉAN

Des jours ont passé. Tant de jours que Mary ne les compte plus. L'océan n'est qu'un horizon éternellement recommencé. Les hautes voiles ont été changées, et le petit mât de hune remplacé par un mât de perroquet que le navire transportait en réserve dans la soute à voiles.

Depuis la veille, le *Roosendaal* avance au fanal dans une bouillasse grise, un brouillard épais qui enfume tout et donne l'impression de faire du surplace. Le vent est faible, et les toiles ralinguent[1] contre les mâts. De temps à autre, la vigie embouche sa corne de brume et pousse un son lancinant, semblable à une lamentation flottant dans l'invisible. Un marin est mort ce matin. De dysenterie. Deux autres sont malades au point de se traîner sur le pont. L'alcoolique qui fait office de médecin de bord leur a administré un remède qui a aggravé leurs souffrances. Le capitaine a refusé de les laisser agoniser dans leur hamac,

1. Les voiles battent sans être tendues.

prétextant que si Dieu a décidé de les rappeler à lui, aucun repos ni aucune médication n'y pourront rien changer, alors autant qu'ils passent leurs derniers instants à se rendre utiles. Les autres matelots évitent de les approcher, craignant la contagion, et les deux malheureux sont relégués chaque nuit sous le gaillard d'avant, au milieu des cordages. On pense qu'un des tonneaux contient de l'eau croupie. Cependant, pour éviter de la gaspiller, le capitaine la fait mélanger avec de la bière afin d'atténuer ses effets. On pense que c'est l'eau... mais c'est peut-être autre chose. Une humeur maligne soufflée dans l'air ! Et qui sait si cette brumaille n'est pas l'haleine du Diable, et si le kraken – cette pieuvre géante à gueule de tigre – ne va pas remonter des abysses pour ceinturer le navire dans ses tentacules et l'entraîner par le fond ?

Le brouillard est silence. Hormis l'appel de la corne, il court peu d'ordres sur le pont. Même le bosco a fermé son clapet. On écoute l'océan, on cherche à deviner par ses frémissements ce qui se passe en dessous. On a la crainte de voir surgir un tentacule dans un jaillissement d'écume. On retient sa respiration. Le *Roosendaal* est un nerf à fleur d'eau. Le vent est blanc, de la couleur de l'incertitude. Il se donne quelques élans, les voiles se gonflent puis retombent telles des besaces vides. On dirait qu'il a peur, lui aussi, qu'il ignore de quel côté il doit souffler, ou même s'il a le droit d'exister. Il tâtonne, s'enhardit puis se couche et fait le mort. La mer est plate comme un lac de mercure.

Les poulies grincent tout à coup. Les toiles se bombent, les cordages se tendent avec un son de harpe... Ça y est, la brise s'est ravivée et elle adonne[1].

1. Le vent tourne dans un sens favorable à la marche du navire.

– Mettez-moi cette bande de fainéants à la manœuvre ! commande le capitaine.

Le second détaille les ordres, repris par le bosco, qui les fait claquer comme des coups de fouet. Le brouillard se troue et laisse entrevoir un pâle soleil. Puis il s'effiloche en longues écharpes d'argent, se balance, s'étale, devient transparent... Le ciel et la mer se dégagent, frottés de bleu. L'horizon apparaît, descendu d'un nuage et chargé de lumière.

– Voile à tribord !

Le cri de la vigie suspend les gestes. Les hommes se pressent au bordage. Ce n'est rien qu'un brigantin, un deux-mâts, qui se découpe dans la lunette du capitaine, mais c'est le premier bâtiment qu'ils croisent depuis leur départ d'Amsterdam. Alors, au bout de tout ce temps, c'est comme si le monde extérieur leur adressait un petit signe de vie.

– Tu vois ses couleurs ?

Le bosco sait bien qu'à cette distance des yeux ne peuvent distinguer le pavillon, mais par le biais de sa question à la vigie, il espère une réponse de la part du capitaine. Celui-ci, l'œil vissé à sa longue-vue, étudie le navire qui cingle vers le *Roosendaal.*

– Il vient droit sur nous, signale-t-il à son second.

– Un Français ? Un Espagnol ? s'inquiète l'autre.

Mary ressent un flottement parmi l'équipage, l'enthousiasme des premiers instants se muant progressivement en une vague appréhension, une tension piquetée d'anxiété. Certains marins se décollent du bastingage et reculent de quelques pas, semblant redouter un je-ne-sais-quoi. Pourquoi ce brigantin met-il le cap sur eux ? Il ne suit ni la route du Vieux Continent ni celle des Amériques. Il va vite. Il se rapproche, et sa coque ressemble de plus en plus à un cachalot noir.

– Il hisse un pavillon... commente le capitaine. Par tous les saints, c'est le Jolly Roger ! Le pavillon noir !

– Des... des pirates ! balbutie le second, soudain aussi blanc qu'un linge.

– Des pirates ! hurle le bosco. Les fils de Satan ! Les suppôts de l'enfer !

Du coup, il en oublie de clamer ses ordres et laisse s'affoler l'équipage.

– Maître d'équipage ! gronde le capitaine. Reprenez vos hommes en main ! Il faut échapper aux forbans ! Délestez le navire mais ne touchez pas à la cargaison !

– Des pirates ! répète Mary, les doigts crispés sur la lisse.

Fascinée, elle garde les yeux sur le brigantin. Des pirates ! Comme ceux de Cap'taine Kidd ! Va-t-elle tomber raide morte quand leurs regards vont rencontrer le sien ? Elle n'a rien ressenti quand William Kidd a posé ses yeux sur elle, mais peut-être était-ce parce qu'il avait déjà perdu son pouvoir ? Ceux qui se ruent sur le *Roosendaal* sont bourrés de fureur, comme leurs canons de poudre. « S'ils montent à l'abordage, je... »

– Allez, Willy ! la secoue le bosco. Remue-toi ou ces bouffeurs de tortues vont nous rattraper ! Et alors je ne donnerai pas cher de ta peau !

Elle aimerait courir, Mary, mais les charges sont lourdes. Il faut être à deux pour remonter les sacs de sable et de cailloux, ainsi que les gueuses[1] de métal, et les flanquer par-dessus bord. Plus léger, le vaisseau fatigue moins au roulis, mais le navire pirate ne se laisse pas distancer. Au contraire. On peut même lire son nom à présent sous la figure de proue : *Kingston.*

1. Masse de fer fondue, telle qu'elle sort du haut-fourneau.

– Jetez la cargaison à la mer ! décide le second tandis que l'équipage panique et piétine sur le pont.

– C'est trop tard, souffle le capitaine, c'est trop tard...

Un canon tonne. Un geyser se soulève devant le *Roosendaal.* C'est un coup de semonce. La salve suivante déchirera la coque du navire. Et puis les marins ne sont pas des combattants.

– Prenez la cape* ! ordonne le capitaine. Nous nous rendons.

On diminue la voilure pour réduire la vitesse. Le *Kingston* se range bord à bord avec le navire hollandais. Une passerelle vient se crocheter sur le pavois. Deux pirates s'engagent sur la planche tandis que d'autres, suspendus à des cordages, s'envolent du gréement et viennent atterrir sur le tillac du *Roosendaal.* Ils forment une ligne menaçante de gueules barrées de cicatrices, de têtes hirsutes au regard sauvage... Ils n'ont pour tout vêtement qu'une casaque de toile et un caleçon taché de sang qui leur arrive à mi-cuisse, mais ce sont surtout les armes qui les habillent : des pistolets, des sabres, des coutelas, des haches, quelques fusils... Il y a même un Noir et deux Indiens Karibes parmi eux, bardés de poignards jusqu'aux oreilles. Mary les observe tous, et cependant elle ne s'effondre pas, consumée par leurs regards. « C'étaient des sornettes, comprend-elle. Les yeux des pirates sont comme ceux des albatros : ils englobent tout mais ne voient rien de particulier. Pas un de ces rufians ne se doute que je suis une femme. » Alors elle n'hésite plus à ancrer son regard sur le chef, qui franchit la passerelle. Vêtu de calicot rouge et d'un tricorne orné d'une cocarde, son sabre traînant au côté, deux baudriers à pistolets croisés sur la poitrine, l'homme saute à bord du *Roosendaal* et se campe devant l'équipage pétrifié de peur.

– Je suis John Rackham ! jette-t-il en anglais. Quelqu'un comprend-il ma langue sur ce rafiot ?

– Moi ! répond Mary, surprise de sa propre audace.

– Approche !

La jeune femme avance de quelques pas. Le pirate l'attrape par une épaule, la fait pivoter et la maintient face aux Hollandais.

– Je veux...

– Attention, Calico Jack[1] ! crie un pirate.

Caché derrière ses marins, le bosco s'est brusquement rué sur Rackham, le sabre en avant.

– Va au Diable, enfant de p... !

Pan ! La détonation fait sursauter tout le monde. Atteint au front, le maître d'équipage s'écroule comme une masse, son arme venant rouler aux pieds de Mary.

– Bien visé, Bonn ! lance le pirate à un jeune homme qui se tient près de lui. S'il y en a encore un qui remue le petit doigt, je vous massacre tous et je balance vos corps aux requins ! Traduis ça ! fait-il en secouant Mary par l'épaule.

Elle s'exécute. Puis Rackham exige qu'on lui remette les médicaments et la cargaison. Les marchandises changent rapidement de bord.

– Y a-t-il un médecin sur ce navire ? demande-t-il ensuite.

Mais lorsqu'il découvre l'alcoolique, il le fait jeter à la mer, estimant que s'encombrer d'une telle épave est plus dangereux pour un équipage que de subir l'attaque de l'ennemi. Bonn glisse alors quelques mots à l'oreille de son chef. Celui-ci allonge les lèvres en une mimique de

1. Surnom de John Rackham, car il ne s'habille que de calicot (c'est-à-dire de vêtements en coton).

réflexion, puis il pose à nouveau sa main sur l'épaule de la jeune femme et la tourne vers lui. Leurs yeux se croisent, s'étudient. Mary se fait la remarque que le forban a une tête de pie, et elle se retient pour ne pas sourire. Envolée la crainte du pirate ! John Rackham n'est pas plus impressionnant que William Kidd sur la potence. « D'ailleurs, c'est de cette manière-là qu'il finira aussi, lui », songe-t-elle.

– Toi, je t'emmène avec nous ! annonce-t-il.

Mary écarquille les yeux. Quoi ? Devenir pirate ? Accepter de suivre ce flibustier, c'est se passer la corde au cou ! Elle n'est pas folle, tout de même ! Qu'il aille griller seul en enfer, ce... !

– Ou tu acceptes, ou Bonn te loge une balle entre les deux yeux, achève Calico Jack.

Bonn a rechargé son arme, et il pose le canon de son pistolet sur le front de la jeune femme.

– Regarde ton capitaine, lui dit-il. Il n'a pas un geste, pas un mot pour te venir en aide. Le seul qui avait un brin de courage, je l'ai étendu mort sur le pont. Viens avec nous, tu seras le matelot[1] d'Old Bailey.

Le regard de Mary glisse des yeux du pirate à sa bouche. « Accepte ! Je t'en prie, accepte ! » lit-elle sur ses lèvres. Et c'est ce conseil muet, cette supplication intérieure, qui la décide plus que la menace. « Pourquoi ? » demande-t-elle en arquant les sourcils, alors même qu'elle prononce dans un souffle :

– J'accepte.

– Bien, bien, se réjouit John Rackham.

1. C'est le principe de l'amatelotage : les pirates se joignent par deux pour s'assister mutuellement et se remplacer l'un l'autre dans leurs tâches.

Il passe la pointe de son pied dans la poignée du sabre perdu par le bosco et, d'un mouvement vif, il le projette en l'air.

– Ton sabre !

Mary réagit par instinct. Elle saisit l'arme au vol et la garde brandie entre Rackham et elle. Un éclair de peur passe dans l'œil du pirate, les yeux de Bonn se réduisent à deux fentes et son doigt se crispe sur la détente. Que la recrue dirige le tranchant de la lame vers son capitaine, et il lui fera sauter la tête !

– Il me faut un fourreau, précise la jeune femme en passant le sabre dans la bande qui lui sert de ceinture, sinon je vais faire tomber mon caleçon chaque fois que je dégainerai.

Rackham éclate de rire, brisant la tension.

– Quel est ton nom ?

– Willy... Willy Read.

– Tu me plais, Willy. Mais à te voir manier ta broche, je ne crois pas que tu sois un simple marin.

– J'étais cavalier dans l'armée des Flandres. Le sabre, ça me connaît. Je me suis embarqué pour rejoindre les Amériques.

– Je t'y mènerai, aux Amériques, foi de Calico Jack ! Et ton cheval, désormais, c'est mon navire. Bienvenue sous le pavillon noir, Willy Read ! Une nouvelle vie commence pour toi !

CHAPITRE 18

LA RÉPUBLIQUE DES GUEUX

Mary a les yeux fixés sur le crâne et les tibias entrecroisés. Bonn et un deuxième pirate tiennent le drapeau noir tendu entre eux. Plantés de part et d'autre, John Rackham et la jeune femme se font face pour établir une charte-partie[1].

– Répète après moi, ordonne le pirate, et jure sur le Jolly Roger !

Mary pose la main sur le pavillon.

– Je jure obéissance à mon capitaine, tant qu'il sera en mesure d'assurer le bien de ses hommes. Je fais partie d'un groupe et, à ce titre, je ne chercherai pas le profit pour moi seul. Je m'associe à mon matelot pour le meilleur et pour le pire. Je le soignerai s'il est malade ou blessé, et s'il arrive que l'un de nous deux meure, l'autre aura le pouvoir de s'emparer de tout ce que possède son compagnon. En cas de querelle avec un membre de l'équipage, je préférerai le dialogue au duel. Je ne sèmerai pas le

1. Une convention qui règle les rapports entre les hommes.

trouble, je ne tricherai pas, je ne volerai pas, je ne tuerai pas un frère dans son sommeil, je n'apporterai aucune femme à bord qui exciterait la jalousie. Les dieux n'ont pas de place sur ce navire, et je ne ferai aucune différence entre le chrétien et le païen, ni entre le Blanc, le Noir et l'Indien. Je n'hésiterai pas à offrir ma vie pour sauver le navire. Je mettrai la compétence et le courage au sommet des valeurs. Ma part de butin se calculera en fonction de mon mérite. En tant que Frère de la Côte, j'aurai droit de vote sur le vaisseau, et je recevrai du rhum et de la nourriture fraîche.

Le regard de John Rackham se fait plus dur lorsqu'il dicte les paroles suivantes :

– En cas de manquement à la discipline et au contrat établi, je recevrai le châtiment de mes fautes : le fouet, les mutilations, la privation de tous mes droits, l'abandon sur une île déserte. En cas de trahison, je subirai la mort par la planche[1].

Mary reprend les phrases sans l'ombre d'une hésitation.

– Willy Read, nous t'accueillons parmi les Frères de la Côte ! s'exclame ensuite le capitaine. Un boujaron de tafia pour nos deux matelots !

Old Bailey présente deux récipients remplis d'un alcool tiré des mélasses de canne à sucre. Un pour Mary et un pour lui. La jeune femme voit son matelot pour la première fois. Le drôle n'a plus d'âge tant la mer et le soleil l'ont buriné. Il ressemble à un morceau de cuir, un foulard lui enveloppe le crâne, et deux gros anneaux de cuivre pendent à ses oreilles. « Une chance qu'il n'ait pas encore

1. Yeux bandés et mains liées dans le dos, le condamné avance sur une planche suspendue au-dessus des flots.

une jambe de bois et un crochet à la place des mains », se dit Mary en réprimant une grimace. Tous deux lèvent leur timbale et portent un trinquet.

– Ni dieu ni roi ! craille le vieux.

– Au Diable ! ponctue la jeune femme, plus par bravade que par conviction.

Ils boivent sans se quitter des yeux, puis ils s'essuient la bouche d'un revers de manche.

– Cela équivaut à échanger son sang, indique Bonn en repliant le drapeau noir. Dommage que personne ne sache écrire à bord, parce qu'alors... !

– Je sais lire et écrire ! annonce Mary, les joues chauffées par le tafia. Voilà pourquoi je m'appelle Read.

– Ah bon ? Et comment t'appelais-tu avant de savoir tout ça ? réagit le pirate.

Question d'inquisiteur ou plaisanterie ? La jeune femme ébauche un sourire gêné. Rackham et Bonn flairent son trouble et lèvent le nez comme des chiens de chasse. « Ils me sondent, ressent Mary. Je ne dois rien laisser transparaître. » Elle est bien consciente d'être déjà en infraction avec le code de la piraterie, car elle est femme, or la règle stipule : pas de jupons sur le navire ! Les flibustiers ne fréquentent que les catins dans les tavernes des îles. Une gigolette à chaque escale et dans chaque port.

– Alors tu vas pouvoir rédiger ton matelotage sur un papier et le conserver sur ton cœur, reprend Bonn. Afin de ne jamais oublier tes engagements envers Old Bailey.

– Tu hériteras de mon chapeau quand je serai mort, fait le vieux. C'est un grand chapeau de feutre avec une plume d'autruche piquée sur le dessus. Un vrai chapeau de mousquetaire !

– Avec ça sur la tête, tu formes une cible parfaite pour l'ennemi ! se moque Calico Jack. Voilà pourquoi Old Bailey ne le sort jamais de son coffre.

Les hommes éclatent de rire.

– Et toi, qu'est-ce que tu me donneras ? s'enquiert le vieil homme.

– Les armes que j'aurai prises aux Français ou aux Espagnols, décrète Mary.

– Chez nous, tout navire est jugé de bonne prise, signale Rackham. Qu'il soit français, anglais, espagnol, portugais ou hollandais ! Il nous arrive même de revendre aux armateurs leurs propres marchandises.

– Sans risques ? s'étonne la jeune femme.

– S'il n'y avait pas de risques, il n'y aurait pas de pirates, conclut le capitaine. Assez paressé, bons à rien ! lance-t-il à l'équipage en changeant de ton. Cap sur la Jamaïque ! Nous allons y écouler les étoffes du *Roosendaal*. Quant à toi, Willy... !

Mary fronce les sourcils. Pourvu qu'il ne l'envoie pas chasser les rats ni gratter le moisi sur les vaigres dans la cale !

– Tu m'as l'air d'être aussi léger qu'un oiseau. Quand tu auras écrit ton contrat, tu monteras dans la mâture et tu aideras Old Bailey à manœuvrer les voiles.

Bonn et Rackham se dirigent ensuite vers la dunette. « Si ces deux-là ne sont pas amatelotés, je veux bien avaler mon sabre, pense la jeune femme. L'un est le dos, l'autre la chemise. »

– Fais gaffe, Willy, avertit un certain Walter Rouse en passant près d'elle. Malgré son âge, le vieux vole comme un albatros dans les cordages, et il est dur avec ses matelots. T'es son troisième en moins d'un an.

– Qu'est-il arrivé aux autres ?

– Sont tombés du haut des mâts, mais on n'est pas sûr que ce soient les ouragans qui les aient fait glisser. L'est un peu dingue, le vieux.

*
**

Depuis trois jours, le *Kingston* vogue au milieu des goélands, preuve que les îles ne sont plus loin. Depuis trois jours, l'air vibre de piailleries et de rires stridents, et le navire est couvert d'excréments. Les gabiers nettoient la voilure, les autres pirates le pont. Mary est heureuse. Heureuse de se balancer entre les drisses et les écoutes. Heureuse de vivre entre ciel et mer. Heureuse de n'avoir plus à laver les casaques et les caleçons des autres. Heureuse de n'avoir plus à passer son temps dans la cale. Manœuvrer les cordages, enverguer et ferler une voile, choquer* ou embraquer* pour border plat, tout cela n'a plus de secret pour elle. Et puis le vieux n'est pas si désagréable. Ils se prélassent en ce moment sur la hune de misaine, Old Bailey laissant les oiseaux lui frôler les épaules.

– Les goélands et les albatros sont les maîtres de l'océan, affirme-t-il. Nous, avec nos grands voiliers, nous essayons de leur ressembler, mais...

Ses mots s'envolent avec son geste. Un oiseau gifle Mary de son aile. Elle lève le bras...

– Ne le chasse pas, il ne te veut pas de mal, l'arrête le vieux. Les goélands n'attaquent que ceux qui veulent les attraper. Alors c'est toute une nuée qui enveloppe l'imprudent, et elle n'a de cesse de lui avoir ouvert le crâne à coups de bec.

– Si je le laisse faire, il va me chier dessus.

– Bah ! sourit l'homme en posant sa main sur le genou de Mary.

Elle n'écoute plus. Les mots d'Old Bailey sont des cailloux qui tombent tout droit le long du mât. A-t-il senti que le corps de son matelot s'est hérissé ?

– T'en fais pas, fils, poursuit-il en tapotant légèrement le genou. Vaut mieux ça qu'un méchant coup dans l'œil.

– Qu'est-ce qui est arrivé à tes anciens compagnons ? demande la jeune femme d'une voix tendue.

– Ils voulaient être gabiers mais n'aimaient pas les oiseaux. Ils soutenaient que l'albatros et le marin sont des ennemis de toujours. Le vent les a emportés. S'ils avaient été plus malins, ils auraient fait ami ami avec les oiseaux pour apprendre à voler.

« Il est dingue, a dit Walter Rouse », se rappelle Mary.

– Tu sais voler, toi ?

– Ouais, assure le vieux pirate. Un jour, je te prendrai par la main, et on se jettera du haut du mât. T'auras même pas besoin de battre des ailes, tu flotteras rien qu'en étendant les bras.

Mary se rembrunit. Le vieux parle-t-il sérieusement ? Du coup, elle commence à douter fortement que les deux matelots d'Old Bailey aient été arrachés par des rafales. « Va falloir que je me tienne sur mes gardes. »

Un cri tout à coup !

– Des tortues ! Tout un banc de tortues !

Old Bailey bondit sur ses pieds et se penche en se retenant aux cordages.

– Regarde ça ! On dirait des vagues sous les vagues. C'est ça qu'ils attendaient, les goélands ! Ils filent au ras des flots pour essayer d'en attaquer quelques-unes quand celles-ci remontent pour respirer.

– Ça ne coule pas, une tortue ?

– Lorsqu'elles sont blessées, elles nagent à la surface. Les oiseaux les assaillent alors et leur arrachent des lambeaux de chair qu'ils engloutissent aussitôt. Mortes, les tortues vont nourrir les poissons.

– Brrr, frissonne Mary. J'ai mal pour elles, de savoir que certaines vont être dévorées vivantes.

– C'est aussi ce qui arrive au matelot qui tombe nez à nez avec un requin, assène le vieux avant de s'agripper à un étai et de se laisser filer jusque sur le tillac.

Read l'imite et se retrouve au milieu de l'équipage. On met en cape sèche* afin d'arrêter le navire. Des hommes retirent leur chemise et, le couteau entre les dents, ils enjambent le bastingage et sautent à l'eau.

– À toi, Willy ! fait Bonn en lui lançant un coutelas. Ramène-nous une belle pièce !

On ne tergiverse pas avec un pirate. Mary quitte ses souliers et plonge derrière les autres.

– Ha ! Ha ! Ha ! rit Rackham. Ce garçon est tellement pressé d'aller chasser qu'il n'a même pas pris le temps d'ôter sa chemise.

Les pirates nagent sous l'eau. Lorsqu'ils émergent pour aspirer une longue goulée d'air, ils tiennent leur lame dressée au-dessus de la tête afin de dissuader les goélands de s'attaquer à eux. La mer est claire, baignée de soleil ; la lumière permet de distinguer les colonnes de carapaces qui ondulent entre deux eaux. Quand les oiseaux commencent à s'abattre sur les bêtes remontées à la surface, la peur gagne les tortues, et elles s'enfoncent avec des mouvements affolés. Les hommes sont obligés de se laisser couler pour les atteindre. Ils choisissent alors des proies de taille moyenne, plus faciles à ramener que les grosses. Mary se faufile derrière la tortue qu'elle a repérée et, battant des jambes, elle la rattrape et s'agrippe à sa carapace. Elle s'apprête à la blesser quand Walter Rouse, surgissant près d'elle, lui retient le bras et lui fait signe de ne pas l'égorger. Il attrape lui aussi la bestiole et, conjuguant leurs efforts, ils l'obligent à remonter. Dès qu'ils refont surface, les oiseaux plongent sur eux avec des cris perçants.

– Maintiens la tortue sous l'eau, conseille Rouse, mais empêche-la de filer.

Le pirate décrit des moulinets avec son arme pour tenir les goélands à distance puis, ayant rempli leurs poumons, Mary et lui disparaissent à nouveau sous l'eau, et ils se dirigent vers le navire. L'échelle de coupée pend à flanc de coque. Les bêtes sont attachées à des filins et hissées à bord.

– Vivantes, on les conserve beaucoup plus longtemps, explique Walter Rouse à la jeune femme comme ils gravissent l'échelle de corde. On préfère la viande fraîche à la viande boucanée, qui devient parfois si dure qu'on croit mordre dans du cuir... Et puis, si tu avais versé son sang, il aurait pu attirer les requins, achève-t-il.

Une dizaine de tortues s'entassent sur le pont, la tête rentrée dans la carapace.

– Beau travail ! reconnaît Rackham. Le cuistot va nous en faire cuire deux, que nous mangerons à parts égales. Portez les autres à l'abri ! Quand ils ne les verront plus, les goélands cesseront leur manège autour de nous. Le *Kingston* n'est plus un navire, mais une volière, nom d'un sabord !

Craignant qu'on ne lui demande de se déshabiller pour sécher ses vêtements, Mary grimpe dans la mâture et va se percher au plus haut, sur la vergue de cacatois. Là, sûre que personne ne peut distinguer la bande qui comprime sa poitrine, elle retire sa chemise et la fixe à la flèche. Le vent s'y engouffre aussitôt et la fait battre tel un pavillon.

– Je crois que Willy est aussi fou qu'Old Bailey, fait remarquer Bonn en l'apercevant du pont.

– Ouais, c'est un drôle d'oiseau, lui aussi, confirme John Rackham en se grattant le menton. J'espère qu'il sait voler. Je n'aimerais pas qu'il tombe du haut du mât.

CHAPITRE 19

KINGSTON

Mary sautille de joie, aussi excitée qu'un enfant. La terre qui monte à l'horizon comme une croûte posée sur l'océan, c'est la Jamaïque ! La jeune femme reste collée à la proue, les yeux fixés sur l'île qui s'allonge et dévoile peu à peu ses plages étincelantes sur fond de montagnes vert tropical. C'est à peine si elle entend les ordres du capitaine qui rebondissent derrière elle.

– Tu rêves, Willy ! la houspille un pirate en lui bottant le derrière. Old Bailey t'attend dans la mâture.

Elle se retourne, l'œil mauvais, tombe nez à poitrail avec Brazil, le géant noir qui dirige les manœuvres.

– Je ne rêve pas, grogne-t-elle. Je regarde l'Amérique. C'est ma nouvelle patrie, à présent.

– Ta patrie, c'est le *Kingston*, rétorque le bosco. Si tu as l'intention de nous fausser compagnie une fois à terre, je m'arrangerai pour que tous les marrons[1] te donnent la

1. Esclaves noirs qui se sont enfuis des plantations pour vivre en liberté dans les forêts et les montagnes.

chasse et te ramènent par la peau du dos. Les Antilles ne seront pas assez grandes pour te cacher.

– Je n'ai jamais failli à ma parole, se rebiffe Mary.

– Alors assure ton matelotage ! Le vieux compte sur toi.

L'instant d'après, oscillant sur les marchepieds de vergue, elle aide à ferler les ris, les remontant pli par pli et les nouant au moyen de garcettes.

La côte se précise, bordée de cocotiers. Des cabanons se devinent au pied des collines...

– Hissez le pavillon anglais !

Les couleurs de l'Union Jack filent en haut des mâts.

– Tu sens les îles, fils ? demande Old Bailey en voyant son matelot inspirer à pleins poumons.

– Je cherche des odeurs de vanille, répond la jeune femme.

– Tu les trouveras dans les ruelles de Kingston, mêlées à toutes sortes d'effluves : de l'ananas au crottin d'âne ! C'est notre port d'attache : Calico Jack y écoule toutes ses marchandises, c'est pour ça qu'il a donné le nom de la ville à son brigantin.

Des barques de pêche et des pirogues s'écartent devant le vaisseau, qui double une langue de terre avant de virer pour pénétrer dans une rade. Les restes bouleversés d'une ville se hérissent à main droite, dont une grande partie a été engloutie.

– Qu'est-ce qui s'est passé ici ? s'étonne Mary.

– C'est Port-Royal, dit le vieux. La Babylone de l'Ouest, comme on l'appelait alors. Avec l'île de la Tortue, c'était le paradis des flibustiers. Un tremblement de terre suivi d'un raz de marée a détruit les deux tiers de la ville et tué plus de la moitié de sa population. Même le fort n'a pas résisté. Ça s'est passé il y a vingt-trois ans... en juin, je crois.

– Je venais tout juste de naître, souligne Mary.

Le vieil homme ne relève pas. Il poursuit :

– Kingston n'était qu'un village à cette époque. Après la destruction de Port-Royal, les rescapés ont décidé de s'y établir. Et voilà ! termine-t-il avec un geste pour désigner le port et la ville de pierres blanches qui s'offrent à eux.

– Il y a beaucoup d'églises.

– Oui. Presque autant que de tavernes. Les habitants ont besoin de Dieu et des pirates. De Dieu pour se protéger des soubresauts de la terre et des cyclones. Des pirates pour réaliser de bonnes affaires.

– On va rester longtemps à terre ?

– Le temps qu'il faudra pour s'approvisionner... sans compter qu'il va bien falloir dépenser notre part du butin, rit Old Bailey.

Un petit rire en cascade. Un rien canaille.

– Y a de jolies filles à Kingston ! reprend-il. Les Créoles sont les plus belles femmes du monde. Tu crois étreindre du soleil et de la vanille. Je t'emmènerai au *Poulpe-Écarlate*. Tu y trouveras une ponette à ta pointure, fiston !

Mary serre les dents. La terre lui fait peur tout à coup. Elle aimerait bien que le vaisseau cesse d'avancer. Les bras passés autour de la vergue, elle fixe sans les voir les différentes embarcations qui encombrent la rade. Ici des barques des îles, longues d'une vingtaine de mètres, gréées d'un seul mât à voile triangulaire. Là des pinasses à fond plat chargées de barriques et de sacs qu'elles transporteront par les fleuves vers les localités de l'intérieur. Là des sloops et des brigantines pour caboter jusqu'au continent. Et là-bas, à quai, une frégate de vingt-deux canons...

– C'est le *Pearl* ! signale Old Bailey, le nouveau navire du capitaine Charles Vane. C'est un pirate, ajoute-t-il avec un gloussement de vieille poule. Ça nous promet de belles bagarres dans les tavernes et dans les rues.

Devant le silence de son matelot, il juge utile de spécifier :

– Vane était l'ancien capitaine du *Kingston*. Ses marins l'ont déposé et remplacé par Rackham. L'un et l'autre ont eu des mots assez violents en se quittant, et chacun a promis de tirer au canon sur l'autre. On va vraiment s'amuser à terre ! Faudra pas oublier de charger les pistolets avant d'aller boire un coup !

– Mettez à la cape sèche ! commande Brazil d'une voix de tonnerre.

Les gabiers s'accrochent aux drisses. Les dernières voiles remontent dans des sifflements de poulies. Le *Kingston* glisse sur les vagues et vient se ranger contre un appontement de bois, en face du *Pearl*.

– Je lui enverrais bien une canonnade, grommelle Tupi, un des Indiens au service de la batterie.

– Pas dans le port, le retient Rackham. Le gouverneur Hamilton me chercherait querelle après cela, et nous ne serions plus accueillis comme des marchands. Je ne tiens pas à connaître les geôles de Kingston ou de Santiago de la Vega[1]. Mais si Vane lève l'ancre en même temps que nous, je n'hésiterai pas à lui faire bouffer quelques boulets à moins de deux encablures de la côte.

Des hommes attendent près des bittes d'amarrage qu'on leur lance les cordes. Les filins sautent dans l'air. Ils les attrapent, les enroulent autour des bornes... le *Kingston* se colle au ponton. La passerelle tombe du pavois. Rackham et Bonn sont les premiers à poser le pied sur la planche.

– Willy, viens avec nous ! lance Bonn.

1. La plus grande ville de l'île, à l'époque. Aujourd'hui Spanish Town.

Le capitaine regarde son matelot. Le regard de Calico Jack est une question.

– Il est bon que Read sache comment nous fonctionnons, dit le jeune pirate. Il doit se demander pourquoi les forbans ne sont pas accueillis à la pointe des baïonnettes.

– Hum, hum, grommelle John Rackham, l'air suspicieux.

« Faudra que j'aie l'œil sur ces deux-là, rumine-t-il. Je n'aimerais pas que Bonny me joue un tour de cochon. »

– Qu'il vienne ! accepte-t-il. Mais que personne d'autre ne quitte le navire avant notre retour ! Même si Vane vient vous chercher querelle !

Old Bailey donne une tape dans le dos de Mary.

– T'es dans les bonnes grâces du capitaine, dit-il. Ne le fais pas attendre !

La jeune femme se laisse choir sur le tillac en glissant le long d'une drisse.

– Brazil ! Procure-lui un baudrier muni de deux pistolets ! claironne Bonn. Qu'il ne se rende pas tout nu chez messieurs Feak et Aldcroft !

Feak et Aldcroft Compagnie ! C'est dans les entrepôts de ces deux respectables gentlemen de la Jamaïque que s'engouffrent toutes les cargaisons des pirates, esclaves compris. Vautrés dans un fauteuil, les deux marchands ne daignent pas se lever quand John Rackham, Bonn et Mary sont introduits dans leur salon particulier. Ils écoutent le pirate, puis Feak prend un air affecté en déclarant :

– Depuis que la paix a été signée entre la France et l'Angleterre, le nombre de flibustiers s'est considérablement accru. À croire que la piraterie est le seul remède contre le mal de l'existence.

Calico Jack se tient raide face à eux, les deux mains crochetées à sa ceinture. Bonn et Read sont derrière lui, l'un tripotant des doigts la poignée de son sabre, l'autre découvrant un luxe inouï.

– Ce qui revient à dire ? demande le capitaine, sur la défensive.

– Ce qui revient à dire que les toiles de Hollande ne sont plus des articles très prisés, intervient Aldcroft. La préférence va actuellement aux nègres de Guinée. Les planteurs ont besoin de main-d'œuvre.

– Si les vaisseaux n'ont plus de toiles, comment navigueront-ils ? réagit Bonn. Ils vont venir à la rame de la Guinée aux Antilles ?

– Comprenons-nous bien, reprend Feak en agitant les mains. Nous vous achetons votre marchandise, mais pas au prix habituel. La conjoncture...

D'un geste vif, le pirate dégaine son poignard et le plante sur la table qui le sépare des marchands. Les deux hommes tressautent sur leur siège.

– Comprenons-nous bien ! répète Rackham d'un ton qui n'admet pas de réplique. La conjoncture n'a pas cours sur mon navire. Nous avons toujours besoin de nous ravitailler, et les prix ne baissent pas. Nous ne sortirons pas d'ici avant d'avoir perçu notre dû.

Du coin de l'œil, Mary surveille le gros Aldcroft, qui, imperceptiblement, approche sa main d'un cordon de soie qui pend du plafond et qui est relié à une clochette. Au moment où il s'apprête à la saisir pour appeler ses serviteurs, elle extirpe son sabre et *ziiip !* tranche le pompon au-dessus de sa main.

– Il vaudrait mieux nous payer, avertit-elle. Si nous ne ramenons pas la somme convenue à nos matelots, ils vont pointer la bouche des canons sur votre demeure, et alors... !

– Vous n'oseriez pas ! s'offusque Feak. Le gouverneur vous ferait une chasse impitoyable.

– Le gouverneur Hamilton encaisse dix pour cent sur chaque transaction, rappelle Rackham. Ce sont les pirates qui l'enrichissent.

– Rien ne l'empêchera de soutirer cette somme aux honnêtes bateaux de commerce lorsqu'il n'y aura plus de pirates, prévient Aldcroft. Et de faire de ce prélèvement une taxe légale.

– Pour lors, la situation se présente ainsi, résume Bonn. D'un côté, deux gros bourgeois assis. De l'autre, trois paires de pistolets et des sabres. Qui va gagner ?

Sur un signe d'Aldcroft, son associé se lève, va ouvrir un coffre et compte trois mille livres qu'il répartit dans six bourses de toile.

– La prochaine fois, je tâcherai d'aborder un navire français chargé de porcelaines et de petites cuillères en argent, se moque Calico Jack en accrochant les sacs à sa ceinture.

– Plutôt un négrier portugais, insiste Aldcroft. Je vous promets de vous acheter alors toute la cargaison au prix fort.

Les trois pirates ressortent et descendent la rue qui mène au port, Bonn et Mary flanquant leur capitaine, la main sur la poignée du sabre et l'œil alerte, prêts à pourfendre quiconque risquerait une main vers les bourses.

– Le vent tourne, note Bonn. Il y a encore quelques mois, nous étions reçus comme des princes, et on nous offrait le ratafia[1].

– La paix a vidé l'océan de ses navires de guerre, mais

1. Liqueur obtenue par macération d'ingrédients divers (tels que fruits, noyaux de fruits ou encore épices) dans de l'eau-de-vie additionnée de sucre.

elle a multiplié la concurrence, se plaint John Rackham. Il y aura bientôt plus de vaisseaux pirates que de galions.

– Que ferons-nous à ce moment ?

Mary se fiche de savoir ce qui se passera ensuite. Que les forbans deviennent soldats ou planteurs lui importe peu. Pour lors, elle respire les Antilles. Les rues de la ville sont étroites, bordées d'étals présentant des quartiers de viande, des tresses d'ail et d'oignons, des piments de différentes couleurs, des épis de maïs jaunes et rouges, des haricots noirs, des cabosses de cacao... et des fruits ! Des pyramides de fruits qui exhalent une odeur de sirop. Une odeur lourde, un peu écœurante à force d'être sucrée et qui monte à la tête. Les rues sont beaucoup plus bruyantes qu'à Londres ou à Breda. Le soleil jette les gens hors de leur maison. Si quelques Indiens sont affalés à l'ombre des flamboyants, paraissant indifférents et hors du temps, les Jamaïcains tourbillonnent dans un fourmillement de couleurs : Créoles aux robes vives, Métisses aux étoffes bariolées, hommes au torse luisant doré à la lumière des îles...

Quand Rackham remonte sur le *Kingston*, son équipage se presse autour de lui. Les matelots sont impatients de recevoir la part qui leur permettra d'imaginer, le temps d'un soir, qu'ils sont des capitaines, des princes ou des rois. L'argent est réparti équitablement entre les pirates, une part supplémentaire étant accordée à Bonn pour avoir sauvé la vie de Calico Jack sur le *Roosendaal*, et une part double étant versée au capitaine, ainsi qu'il est convenu dans la charte-partie. Après quoi, Rackham donne trois cents livres à un gratte-papier emperruqué venu encaisser la part du gouverneur.

– Sortez les violons ! chante ensuite Brazil. Nous allons danser une...

– Vous danserez plus tard ! coupe Rackham. Une partie

de l'équipage descendra à terre aujourd'hui, l'autre demain. Je ne veux pas laisser le navire à côté du *Pearl* et sous les canons du fortin avec seulement trois hommes de quart à bord. Brazil, tu iras mouiller au-delà de la rade. Reviens à midi, nous intervertirons les équipes à ce moment-là.

Le capitaine se tourne vers ses hommes.

– Quartier libre jusqu'à demain pour une moitié d'entre vous ! clame-t-il. Le bosco va s'occuper de la liste des noms. Si l'un de vous manque à l'appel une heure avant midi, j'irai le rechercher moi-même, et je lui tanne-rai le cuir à m'en rompre les bras. Compris ?

Les pirates acquiescent en marmonnant. Brazil commence à énumérer des noms.

– Nous sommes de la fête, ce soir, se réjouit Old Bailey en attrapant Mary par un bras. J'ai promis de t'emmener au *Poulpe-Écarlate*, et je n'ai qu'une parole. Viens, fils, faut s'amuser avant que le Diable ne nous tire sa bordée ! Y a de jolies goélettes au *Poulpe*, qui n'attendent que nous !

– Eaton, Baker, Quick, Cole et Howard, vous venez avec Bonn et moi ! ordonne Rackham. Nous devons acheter des médicaments, de la poudre et du rhum. Nous rejoindrons les autres plus tard. Laisse-nous la chaloupe, ajoute-t-il à l'intention de Brazil.

– N'oubliez pas la viande fraîche, rappelle Mary, qui n'a aucune envie d'aller se frotter aux sirènes des tavernes.

– Pour ça, nous avons une autre méthode que l'achat, indique le vieux en la poussant sur la passerelle. La viande et l'eau ne nous coûtent pas un penny. Tu com-prendras plus tard.

– On dirait que notre Willy traîne la jambe, constate Bonn. On ferait peut-être mieux de le prendre avec nous.

Le chef des pirates se penche au bastingage et lance à Old Bailey :

– Ton matelot m'a l'air d'être un béjaune[1] en matière de taverne. Je compte sur toi pour le déniaiser. Mais qu'il n'étouffe pas, tout de même !

– Si sa tête et ses jambes s'alourdissent au ratafia comme à la belle, je le ramènerai sur mes épaules, promet le vieux.

1. Jeune homme sot, inexpérimenté.

CHAPITRE 20

AU POULPE-ÉCARLATE

Le *Poulpe-Écarlate*. Un plafond bas, des poutres noires, une atmosphère enfumée, une odeur de tabac et de graillon, et des rires, des appels, des coups de gueule, et des poings qui s'écrasent sur les tables. On joue aux dés, on tape les cartes, on siffle gobelet sur gobelet en conservant son tricorne sur la tête et son sabre au côté.

– Y a des hommes de Vane, remarque immédiatement Old Bailey. Faudrait que d'autres compagnons nous rejoignent ici pour pouvoir déclencher une belle bagarre. À deux, il est préférable de se couler dans la fumasse et de passer inaperçus.

Mary et lui s'installent dans un angle, à côté d'un perroquet attaché par la patte à un perchoir et qui lâche des jurons de pirates sur commande contre des croûtes de pain. C'est la première fois que Read met les pieds dans un tel tripot, et elle ne s'y sent pas à l'aise. Des filles passent entre les tables, se laissent agripper par les clients et embrasser à pleine bouche. Plusieurs marins, occupant une grande table, ont invité des Métisses à s'asseoir parmi eux, et ils s'amusent à leur lutiner la taille ou la gorge en débitant de grosses plaisanteries ponctuées d'éclats de rire tonitruants. Le vieux pirate retient une drôlesse au moment où elle passe près de lui.

– C'est jour de fête aujourd'hui ! claironne-t-il en faisant tinter ses pièces sur la table. J'ai un nouveau matelot, et je veux pour lui ce qu'il y a de meilleur dans cette tanière. Pour moi, Mama Aruba fera l'affaire ! Elle tient la boisson aussi longtemps que moi, précise-t-il à Mary. Apporte-nous du cochon grillé et une dame-jeanne de ratafia de vanille !... Tu vas les sentir, les îles, mon gars ! achève-t-il en donnant une tape sur la cuisse de son matelot.

« Si je ne peux pas faire autrement que de monter dans une chambre avec une coquine, je la paierai pour qu'elle n'aille pas chanter que je me suis tout de suite enfuie par la fenêtre », songe la jeune femme.

On leur sert la liqueur en attendant d'apporter la viande. Walter Rouse et deux camarades entrent au *Poulpe* à ce moment, et ils vont s'installer dans une arrière-salle. Old Bailey remplit les timbales, et il vide la sienne d'un coup. Une femme noire approche en chaloupant, suivie d'une jolie Indienne en robe safran.

– Mama Aruba ! s'exclame le vieux en levant les bras. Si tu savais comme j'ai pensé à toi depuis la dernière fois ! Pousse-toi, fils !

Mary ripe sur le banc pour laisser de la place à l'imposante matrone. L'Indienne vient s'asseoir sur ses genoux.

– Je m'appelle Xaymaca, se présente-t-elle dans un anglais un peu zézayant. Tu me plais bien.

Comme son matelot ne répond pas, Old Bailey lui décoche un petit coup de coude dans le flanc.

– Te raidis pas, Willy ! On croirait que t'as vu entrer ta mère ! Ha ! Ha ! Ha !

– Laisse les jeunots tranquilles, vieux phoque ! dit

Mama Aruba. Parle-moi plutôt de tes exploits ! As-tu réussi à amasser un trésor, cette fois ?

Mary se force à sourire, mais sa gorge est sèche. Elle saisit sa timbale et commence à boire à grandes lampées. Une brusque chaleur l'envahit, un brouillard de larmes lui trouble la vue.

– C'est très rare de tomber sur un pirate timide, susurre Xaymaca en lui caressant la joue. Ta peau est aussi douce que celle d'une femme.

Read coule un regard sur son compagnon, craignant une repartie qui l'embarrasserait fort, mais celui-ci est lancé dans une invraisemblable histoire d'abordage.

– Et toi, tu n'as rien à me raconter, mon doux matelot ? reprend la belle Arawak en lui passant les bras autour du cou et en tendant ses lèvres.

– Je...

« Comment me tirer d'affaire ? s'affole la jeune femme. Je ne peux pas la repousser sans provoquer un esclandre qui risquerait de me porter tort. Et je ne vais quand même pas l'embrasser ! Mon corps me fiche une fois de plus dans de sales draps. » Elle remarque tout à coup qu'un des matelots de Charles Vane s'est levé pour se plaindre à grands cris du retard de ses plats.

– Attends, fait-elle en posant un doigt sur la bouche de Xaymaca.

Elle empoigne son gobelet et apostrophe le braillard.

– Hé ! Le cancrelat du *Pearl* ! Avale ça si t'es pressé !

L'homme n'a que le temps de tourner la tête et d'entrevoir l'objet qui vole vers lui, mais il ne peut l'éviter. La timbale en fer-blanc l'atteint au front.

– Par le Diable ! rugit-il. Qui a osé... ?

– Moi, Willy Read, un homme de Calico Jack !

– Sacrebleu ! enrage le flibustier en portant la main à son arme. Je vais te faire bouffer la terre !

– Sauve-toi, mon cœur, et mets la dame-jeanne à l'abri ! conseille Mary à l'Indienne, toute verve retrouvée. Y a des plumes qui vont voler dans la basse-cour !

– Tu pouvais attendre pour la bagarre, Willy, ronchonne Old Bailey en donnant une claque sur les fesses de Mama Aruba pour l'inciter à se reculer. J'étais en train de...

Avec un hurlement d'abordage, le pirate du *Pearl* bouscule un client et se rue sur Mary, le sabre au poing.

– Le banc ! crie-t-elle au vieux.

Ils le soulèvent à deux et le projettent sur le drôle. L'homme tombe à la renverse. Mary bondit par-dessus la table, dégaine son sabre à son tour et se précipite sur le gaillard, avant qu'il ne puisse se relever. D'un revers de sa lame, elle fait sauter son arme. Mais les hommes de Vane se portent au secours de leur compagnon.

– À moi, les frères du *Kingston* ! appelle Mary Read en faisant tournoyer son arme.

Les sabres se croisent, tintent, jettent des étincelles. Old Bailey tranche une oreille, mais il est repoussé contre une table, envoyant les plats sur un gros pirate et sur sa ribaude.

– Ma robe ! Ma robe ! piaille la gigolette.

Les deux s'en prennent au vieil homme, l'un le serrant au col, l'autre le gratifiant d'une giboulée de gifles. Walter Rouse et ses deux amis s'élancent dans la bagarre.

– Pour l'honneur de Rackham ! hurle-t-il.

– Pour Vane et le *Pearl* ! ripostent les autres.

Les filles s'enfuient en emportant les carafons. Les hommes empoignent les chaises, les abattent sur des dos, on retourne les tables pour empêcher les béjaunes de se cacher dessous, et on tape, on fend des lèvres, on casse des gueules... Les timbales volent, et le perroquet bat des ailes sur son perchoir, pinçant du bec quiconque se retrouve à sa portée... Mary se démène au beau milieu de la mêlée. Elle ne sait plus où sont les marins de Vane, mais qu'importe ! Elle frappe sur tout ce qui bouge, hormis sur ses compagnons. Pour elle, c'est un jeu qui lui a permis de se protéger, et elle s'en donne à cœur joie. C'est une façon de se rétablir pleinement dans la peau de Willy, après l'alerte due à la bagatelle.

Après s'être débarrassé du gros pirate et de sa pieuvre au profond décolleté, Old Bailey a distribué maints horions et pris possession de l'escalier qui conduit aux chambres. Là, campé sur une marche, il repousse à coups de tabouret ceux qui cherchent à le déloger.

– Tiens, mais c'est cette fripouille de Charles Vane ! s'exclame-t-il soudain en apercevant un homme en noir qui vient d'entrer dans la taverne. Je parie que je peux lui faire sauter son chapeau d'ici.

Il écrase le tabouret sur le crâne d'un client, l'assommant net, dégaine son pistolet, vise en fermant un œil et tire. La balle va se loger dans le linteau de la porte. La détonation fige. On suspend son geste, le poing levé, les doigts serrés autour d'un cou, le genou appuyé sur un ventre. Les têtes se tournent. Les yeux s'ancrent sur le vieux qui recharge son arme. Le silence est terrible. L'attention de Mary se porte sur un des pirates de Vane qui, monté sur une chaise, lance un poignard. Le mot « Non ! » se forge dans sa bouche, mais il n'éclate pas sur ses lèvres. Trop tard ! Alors sa main saisit son pistolet, son pouce relève le chien, son index presse la détente. Le coup de feu fait tressaillir. Touché au bras, le forban dégringole de sa chaise.

Old Bailey est appuyé contre le mur, les deux mains crispées sur le manche du couteau enfoncé dans sa gorge. Des flots de sang jaillissent entre ses doigts et rougissent sa chemise.

– Old... Old Bailey... bredouille Mary.

Un tourbillon agite la salle. Vane rameute ses hommes. Une cohue se presse à la sortie, bouscule, écrase les pieds... Old Bailey s'est effondré sur les marches, les yeux grands ouverts, saisis d'étonnement. La jeune femme est agenouillée devant lui, et elle essaie de le faire réagir en l'appelant.

– C'est pas la peine, l'est mort, déclare Walter Rouse.

Il se penche, arrache le poignard, le jette au sol et annonce :

– Faut filer d'ici avant que les soldats ne rappliquent ! Y feront pas de différence entre les hommes de Vane et nous. Y nous arrêteront et nous foutront au trou. Le juge nous collera le meurtre sur le dos, et ce sera la corde... Mais pas vus pas pris ! termine-t-il.

– Ceux d'ici ne diront rien, renchérit son matelot. Ils parleront de la casse, mais pas du mort.

Deux hommes attrapent le cadavre par les aisselles et par les jambes, et tous s'empressent de quitter le *Poulpe-Écarlate*.

– Si on entend les pas d'une patrouille, on abandonne le vieux, prévient Rouse. Sa mort passera pour le crime d'un rôdeur.

– C'est ma faute, se désole Mary. Si je n'avais pas déclenché cette bagarre, il...

– C'est fait ! tranche un pirate. C'est sans doute aussi de la faute d'Old Bailey si ses matelots sont tombés du mât. Il n'a jamais manifesté le moindre regret. « Ils étaient trop lourds pour voler », qu'il répétait tout le temps. Qui sait, Willy, tu serais peut-être tombé, toi aussi ? Alors faut pas te dessécher le cerveau avec ça ! C'est Vane qui paiera quand on le retrouvera.

– Old Bailey est mort en se battant. L'a bien rigolé

avant de passer. Ça vaut mieux que la corde après des jours d'attente entre les murs humides d'une prison.

Mary ne dit rien. Quoi qu'en pensent les autres, elle se sent responsable. Tout ça pour échapper au baiser d'une greluchette ! C'est lourd payé tout de même ! À quoi elle joue, la vie ?

La ville est sombre déjà. Sous les tropiques, l'obscurité tombe avec le soir. Les ruelles s'enténèbrent de bleu. Des lanternes à huile s'allument ici et là au-dessus des portes. Un des pirates a hissé Old Bailey sur son dos, et il le transporte comme s'il s'agissait d'un camarade estourbi par l'alcool. Des Indiens et des Noirs les croisent avec des regards indifférents ; seul un chien s'est mis à les talonner, attiré par l'odeur du sang.

– Fais-moi déguerpir ce fils de loup ! grogne Walter Rouse à Mary.

Plusieurs jets de cailloux font détaler l'animal, mais il continue à les suivre à distance, aussi collant qu'une ombre. Des femmes sont assises à la fraîche sur le seuil de leur bicoque, la porte ouverte, silhouettes massives ou filiformes découpées dans la lueur des quinquets ; des hommes bavardent ; des gosses sont alignés derrière des palissades, le front sur le bois, et ils observent la rue d'où la nuit les a chassés. Les pirates regagnent le port en empruntant des venelles tortueuses, loin du quartier des belles bâtisses regroupées du côté des églises et du fortin.

Soudain un coup de sifflet ! Répété deux fois. Un coup bref, un coup long.

– C'est Bonn ! dit Rouse. Calico Jack et les autres ont dû apprendre ce qui s'est passé au *Poulpe*, et ils nous cherchent.

Il glisse deux doigts dans sa bouche et émet un signal identique.

– Si les soldats l'entendent, ils risquent de se diriger sur nous, non ? s'enquiert la jeune femme.

– Le danger, c'est plus Vane que les tuniques rouges, soupire le gaillard, qui porte Old Bailey. Il doit s'imaginer que le vieux a voulu l'assassiner. Va falloir que Rackham le coule, sinon c'est lui qui nous aura !

Ils se rangent sous un porche et attendent. Le chien s'est arrêté à deux pas, lui aussi, la truffe dans des ordures, et il fait semblant de fureter. La nuit bouge. Des ombres se déplacent dans les rues, vite avalées par les tavernes. Des paroles s'envolent des fenêtres des maisons, cris ou rires des familles... Un nouveau sifflement raie la nuit. Tout proche. Soulagée, Mary fait un pas.

– Ils sont l... !

Une main la tire si violemment en arrière qu'elle en tombe.

– N'est pas de Bonn, c't appel-là ! prévient Walter Rouse.

Les pirates sont tendus, les doigts se referment sur la poignée des sabres, l'homme qui porte Old Bailey le dépose sur le sol. Le chien émet tout à coup le couinement de la bestiole qui a reçu un coup de pied. Il s'enfuit vers le porche mais fait un brusque écart quand on le chasse d'un geste.

– Ils sont là-bas ! clappe une voix. Nous les tenons !

Un bruit de course. Ponctué par des hurlements de charge truffés de menaces et d'injures.

– Ce sont les hommes du *Pearl* ! alerte Rouse.

Il lance un sifflement à l'intention de Bonn, puis il fonce sus à l'attaquant. Ses compagnons l'imitent. Le combat s'engage immédiatement. Comme la ruelle est mal éclairée, les coups s'échangent un peu au hasard. Mary bataille telle une diablesse. Elle sait manier un sabre et connaît les feintes. C'est elle qui force les autres à reculer, mais ils se regroupent à trois contre elle et finissent par l'acculer le dos au mur. De leur côté, ses compagnons ferraillent dans une escarmouche qui s'éternise.

La jeune femme se démène avec la rage au cœur. Elle a son vieux pirate à venger. Les lames s'entrecroisent sans arrêt devant elle, qu'elle contient avec son sabre à la main droite et son poignard à la main gauche. Ses assaillants se battent comme des chiens, l'écume aux lèvres et les yeux fous. « Ils cherchent à me tuer, comprend Mary. Vane veut me faire payer la blessure de son matelot. »

– Pour Rackham ! Pour Rackham ! clame brusquement la rue à son extrémité.

Calico Jack et sa bande arrivent enfin à la rescousse.

– Balayez-moi ces rats de cale ! commande le capitaine.

Les hommes de Vane prennent peur. Les trois qui s'acharnent sur Mary voudraient l'étendre au sol, mais le danger est dans leur dos, à présent. Bonn est le premier à fondre sur eux, permettant à Read de se dégager. Rackham fait tournoyer sa rapière et hache les chapeaux.

– Quand vous remonterez sur le *Pearl*, la tête et les membres en sang, dites bien à Charles Vane que je le poursuivrai jusqu'en enfer et que je me taillerai un nouveau pavillon dans ses vêtements. Lui, je le ferai rôtir sur une broche et je le donnerai à bouffer à mes Indiens.

Un ordre claque au fond de la ruelle. D'une gorge d'officier. Un martèlement de bottes résonne sur la terre battue.

– C'est la patrouille ! crache Bonn.

Tous les Frères de la Côte se sauvent. Deux hommes se chargent de transporter Old Bailey. Les autres se partagent les gargousses de poudre, les coffrets de médicaments et les barils de rhum qu'ils ont achetés.

– On devrait abandonner le vieux pour fuir plus vite.

– Pas question ! refuse Rackham. Il a droit à son tombeau dans l'océan.

– Les soldats nous rattrapent !

Bonn dégaine ses deux pistolets, se retourne et fait feu sur les tuniques rouges.

– J'ai tiré au-dessus d'eux, précise-t-il comme Calico Jack le fusille du regard.

– N'empêche, ça ne va pas arranger nos affaires ici !

– Elles prennent l'eau, nos affaires, à la Jamaïque ! rappelle son matelot tout en courant. Nous irons vendre nos prises ailleurs : à Hispaniola, à Cuba ou dans les îles Lucayes[1].

Perplexe et prudent, l'officier a fait stopper la patrouille. C'est la première fois que les flibustiers ouvrent le feu contre des soldats. Ceux-ci ne sont armés que de pertuisanes – sorte de hallebardes – et leur rôle est avant tout de ramasser les ivrognes. Se frotter aux pirates peut se révéler extrêmement dangereux.

– Je vais aller prévenir mes supérieurs, dit-il à son sergent. Eux décideront s'il faut tenter une action contre ces forbans.

– J'ai entendu crier le nom de Rackham, fait observer le sous-officier.

– Lui ou un autre, ce sont tous des gibiers de potence. Il est temps de nous débarrasser de cette racaille. Et je crois que ces fripouilles viennent de nous en fournir l'occasion.

Quand les fuyards atteignent le port, ils constatent avec soulagement que les soldats ne les talonnent plus. Les hommes de Vane se hâtent de remonter sur le *Pearl*, tandis que Calico Jack entraîne les siens vers la chaloupe.

– Qui manque à l'appel ? interroge Walter Rouse.

– Personne, répond John Rackham. Bonn a rappelé

1. Les Bahamas.

tout le monde par ses sifflements une fois qu'on a appris ce qui s'était passé au *Poulpe-Écarlate.*

– La nouvelle s'est déjà répandue dans la ville ? s'étonne Mary.

– Non. Nous étions en route vers la taverne quand nous sommes tombés sur un client qui s'en était échappé. Comme il me connaissait, il nous a tout raconté. Pour les autorités de Kingston, il ne s'agira que d'une rixe de plus, puisqu'il n'y a pas de cadavre. Le hic, c'est que nous avons ouvert le feu sur les gardes. Ça, le gouverneur ne le pardonnera jamais.

La chaloupe est échouée sur une courte plage, à côté de pirogues de pêche. Les marins y entassent la poudre, les médicaments et les tonnelets, puis ils poussent l'embarcation à l'eau, y grimpent, saisissent les rames et s'éloignent de la ville.

– Rien ne bouge sur le *Pearl,* constate Mary. Vane est-il homme à attendre que les soldats viennent le cueillir sur son navire ?

– Vane est coincé. Il ne peut sortir de la rade à cause de la chaîne.

– La chaîne ? Quelle chaîne ?

Ignorant la question, Bonn demande à Rackham :

– Tu crois qu'il peut échanger sa liberté contre notre capture ?

– C'est ce que je promettrais à Hamilton si j'étais à sa place, mais une fois au large...

La chaloupe atteint la pointe de terre sur laquelle subsiste une partie de Port-Royal. Une énorme chaîne, dont les anneaux ont l'épaisseur d'un bras, est tendue à un mètre au-dessus de la surface, barrant l'accès d'une rive à l'autre.

– La chaîne repose sur le fond pendant le jour, mais on la remonte chaque nuit, explique Walter Rouse. Elle garantit la ville de toute attaque par mer.

– Baissez vos têtes !

La grande barque se faufile par-dessous, frôlant les anneaux. Le *Kingston* est au mouillage derrière la rade, bien visible avec ses fanaux accrochés à la proue et à l'extrémité des vergues.

– Nous lèverons l'ancre sitôt à bord, annonce Rackham.

À ce moment, un éclair jaillit d'une tour du fortin, et une courte explosion secoue la nuit.

– Ils nous tirent dessus !

– Non, rectifie Bonn. Ils nous adressent un message.

– Le gouverneur Hamilton nous signifie que nous ne sommes plus les bienvenus sur son île, complète le capitaine. J'ai bien peur que l'océan se couvre bientôt de frégates de combat, comme au pire temps de la guerre.

– Que deviendrons-nous alors ? demande Mary.

– Des errants, des vagabonds des mers...

– Ne raconte-t-on pas que les flibustiers ont tous un trésor enterré quelque part ? insiste la jeune femme. Pourquoi ne pas en vivre ?

– C'est le rêve de tout pirate, convient l'homme, mais il meurt souvent avant de profiter de ses richesses, si toutefois il parvient à les amasser.

– À quoi sert de nous battre, alors ? Qu'est-ce qu'elle nous donne, la vie ?

– John vient de te le dire, soupire Bonn. Le rêve, l'aventure, et la corde qui nous fait danser la gigue au-dessus des autres.

CHAPITRE 21

LE BOIS D'ÉBÈNE

Un énorme soleil s'extrait des vagues, tout ruisselant d'or fondu. La mer est rouge, le ciel violet encore, marbré de traces de nuit. L'équipage du *Kingston* fait cercle autour du corps d'Old Bailey enveloppé dans une toile et couché sur une planche.

– Je sais que tu aurais souhaité un concert d'albatros, commence Rackham, mais la mer est silence aujourd'hui. Le ciel s'ouvre à peine. Ton matelot t'a vengé en faisant couler le sang de celui qui t'a tué. Conformément au contrat qui vous lie, je lui ai donné ton grand chapeau.

Mary avance d'un pas, retire la plume d'autruche de son nouveau couvre-chef et la pose sur le vieux.

– Tu vas devenir un oiseau, Bailey, assure-t-elle.

Sur un signe du capitaine, quatre hommes soulèvent la planche et l'inclinent au-dessus du bordage. Le corps glisse et tombe dans les flots. Pendant un court instant, il reste visible – grande forme claire ressemblant à un requin blanc –, puis il s'estompe et, chargé d'eau, coule à pic. La plume surnage, légère, gonflée d'air, prise dans l'ondulation éternelle de l'océan. Quand les hommes retournent à leurs occupations, la jeune femme grimpe dans la mâture et va s'isoler sur la hune de misaine, l'endroit préféré du vieux pirate. « C'est ma faute s'il est mort, se répète-t-elle. J'aurais dû écraser un baiser sur les lèvres de cette ponette, et Old Bailey serait toujours là. C'est peut-être aussi à cause de moi que Joos est mort. J'aurais dû appeler le médecin plus tôt. Et Rudy ! Si je l'avais tiré sur le côté au lieu de retenir les barils, il n'aurait pas été écrasé par l'énorme tonneau. Et le capitaine de la batterie, sur le *Black Shadow* ! Si je n'avais pas lancé ma plaisanterie, il aurait entendu le sifflement du boulet et se serait jeté au sol. Et maman ? Est-ce qu'elle s'en sort ? J'aurais peut-être dû rester auprès d'elle ? Qui sait si je ne vais pas être responsable de sa mort, à elle aussi ? J'ai l'impression de détruire tout ce que je touche. Je crois que c'est parce que je ne suis personne. Ni Willy ni Mary. Willy vit caché dans la fille, et Mary se dissimule dans des habits d'homme. Je m'étais juré de ne plus penser à tout ça, mais avec la mort d'Old Bailey, le passé me revient en pleine figure. »

Elle détache la hachette de gabier qui pend à sa ceinture, s'entaille la paume sur le tranchant et regarde le sang qui s'égoutte. Elle a mal et se penche tout entière sur sa douleur, refoulant les souvenirs dans le noir de sa mémoire.

– Ahi ! Ahi ! gémit-elle en tenant sa main blessée, comme lorsqu'elle était enfant et aidait sa mère à creuser la tombe de Willy.

Elle ferme les yeux, se recroqueville contre le mât et se met à fredonner du bout des lèvres :

Quand trois bateaux s'en vont sur l'eau
Le premier part pour Saint-Malo
Le deuxième pour Maracaibo
Et le dernier pour Santiago...

*
**

Des jours plus tard... Pris dans des coups de vent, le *Kingston* navigue au bas ris*, tous les perroquets calés. Il n'a pas de destination précise, il cherche, il chasse...

Négrier de son état, le capitaine Corner fait route vers la Jamaïque avec deux cent cinquante esclaves de Guinée enchaînés dans la cale du *Shark*. Sa vigie vient de l'avertir qu'un brigantin est sorti de la vague, et qu'il semble foncer droit vers eux.

– Faites les signaux d'usage, commande Corner à son second, et demandez-lui de s'identifier !

Les fanions montent le long des drisses et claquent au vent. Le capitaine règle sa longue-vue et étudie le vaisseau.

– Il ne répond pas, constate-t-il. Il n'y a pas âme qui vive sur le pont, à l'exception du timonier et de deux marins.

– C'est peut-être un vaisseau en détresse, suppose le second, la main en visière. Il marche debout au vent, à sec de toile, sans un foc* ni même un hunier cargué en fanon*.

– Je me demande bien où est le reste de l'équipage... s'interroge Corner.

– Le navire aura subi une tempête, une attaque de pirates, ou alors le scorbut ou la fièvre jaune aura décimé les hommes.

Le capitaine fait la grimace. La maladie, la contagion... voilà bien ce qu'il redoute le plus ! Trop tard pour passer au large !

– Barre à bâbord ! hurle-t-il cependant pour éviter la collision.

Puis il tend la lunette à son second.

– C'est le *Kingston* ! indique celui-ci. Il n'est pas chargé et sautille sur le flot. C'est à peine s'il prend le roulis.

– Mmm, grommelle Corner, les mains crispées sur la rambarde de la dunette. Qu'il passe ! Son sort m'indiffère totalement. J'ai assez de soucis avec mes nègres, qui meurent comme des mouches. C'est une cargaison de moribonds que je vais ramener à Feak et à Aldcroft si nous n'arrivons pas bientôt à la Jamaïque.

Le *Shark* dévie légèrement de sa route. Les deux vaisseaux se croisent, personne n'échangeant le moindre appel, puis le négrier se remet au vent. Alors le *Kingston* s'anime. Son équipage surgit par l'écoutille, escalade les haubans et déploie toute sa surface de toiles. Le timonier vire vent debout* pendant qu'on borde plat les voiles. Après quoi, comme le navire court bâbord amures*, on choque les écoutes. La voilure s'oriente et embarque le vent, les mâts et les cordages grincent comme s'ils voulaient parler, et, toute brise arrière, le *Kingston* s'élance dans le sillage du *Shark*.

– Ils hissent le pavillon noir ! s'étrangle le second de Corner, qui a suivi la manœuvre. Ce sont des pirates !

Le mot sème la panique sur le tillac. Les marins piétinent, ne sachant que faire.

– Il nous rattrape, monsieur ! jette le bosco à son capitaine. Dois-je réduire les voiles ?

Corner hésite. A-t-il une chance de leur échapper ? Un boulet est tiré du *Kingston*, du canon de chasse situé à côté du beaupré, et il va se perdre dans la mer.

– Nous n'avons aucun moyen de leur résister ! s'affole le second. Nos trois pièces ne leur causeront aucun mal. Si nous ripostons, nous risquons de mettre ces forbans en colère, et alors ils nous égorgeront tous.

Un deuxième tir enfume l'avant du *Kingston* et fait dégringoler le grand hunier du *Shark*.

– Mettez en cape sèche ! ordonne enfin Corner.

Toutes les toiles sont remontées à grand ahan. Le vaisseau pirate vient heurter la coque en se rangeant bord à bord. Quelques coups de feu éclatent des bas haubans du *Kingston*, couchant les hommes du négrier sur le pont. Les flibustiers envahissent le navire, relèvent et désarment l'équipage, puis le regroupent sur le gaillard d'avant. Rackham pique la pointe de son sabre sur la poitrine de Corner.

– Je n'ai pas de temps à perdre, lui dit-il. Quel est ton nom ? As-tu de l'or ? Qu'est-ce que tu transportes dans tes cales ?

Le bougre répond qu'il fait trafic d'esclaves, rien de plus, que l'or est envoyé d'Amérique vers l'Europe, et jamais d'Afrique vers les Antilles. D'un mouvement de la tête, Calico Jack ordonne à Bonn d'aller fouiller sa cabine.

– Brazil, Rouse, Read, descendez là-dessous et voyez ce qu'on peut en tirer !

Mary suit ses compagnons par l'échelle d'écoutille, traverse une coursive de l'entrepont et pénètre dans les soutes à esclaves. L'odeur y est abominable. Relents de sueur et d'excréments. Les hommes sont assis sur les côtés, les femmes étendues sur des plates-formes à deux niveaux, au centre. Tous ont des chaînes aux pieds. La jeune femme observe Brazil, guettant une réaction, mais le visage de l'homme est sans expression. Ni colère ni compassion. Rien que l'œil du pirate qui évalue la cargaison. Il choisit les plus valides – une quarantaine d'hommes et de femmes –, les débarrasse de leurs fers et les conduit sur le pont. Sitôt à l'air libre, les esclaves baissent la tête et clignent des yeux.

– Ils sont nus comme des vers, souligne Mary. On devrait leur donner...

– Contrairement à nous, le noir habille, l'interrompt Bonn. Ils n'ont rien d'indécent.

Rackham et ses hommes les transbordent ensuite sur le *Kingston* et vont les enfermer dans la cale.

– Je croyais qu'on allait les enrôler dans l'équipage, s'étonne Mary.

Bonn lui lance un regard goguenard.

– Et l'attaque du *Shark* ne nous aurait rapporté que quarante bouches supplémentaires à nourrir ? D'autre part, nous n'avons nul besoin de femmes sur ce navire. Nous allons les vendre sur le marché aux esclaves de Providence ou d'ailleurs. Le commerce, c'est le commerce, achève-t-il.

– Alors nous sommes des négriers, nous aussi... Je croyais que les flibustiers ne voulaient ni maîtres ni esclaves et que leur but était surtout d'attaquer les galions chargés d'or et de joyaux.

– Tout ça, c'est des histoires. La réalité, c'est qu'aucun flibustier ne se risque à aborder un convoi d'or escorté par une flottille de guerre. Le but du pirate est de se constituer un petit pécule pour pouvoir ouvrir une boutique ou une taverne dans les îles. Les plus chanceux s'achètent une terre et se transforment en honnêtes planteurs. Mais rares sont ceux qui y parviennent.

– Tu es encore très naïf, Willy, lance Rackham, qui a tout entendu. Si cela peut te rassurer, les esclaves seront mieux traités sur le *Kingston* que sur le *Shark*. Ils ne seront plus enchaînés, et je leur permettrai de monter sur le pont tous les jours afin qu'ils fassent quelques exercices pour se maintenir en forme. Je n'ai jamais compris pourquoi on en entassait un si grand nombre dans les soutes pour les y laisser pourrir. C'est contraire à toute logique mercantile. Ceux qui restent sur le bateau de Corner ne valent plus grand-chose.

– Autant les jeter en pâture aux requins ! conclut Walter Rouse.

– Ou l'équipage ! grogne Brazil, sortant enfin de son mutisme.

Calico Jack sourit. Un sourire canaille qui découvre ses dents et fait briller ses yeux.

– Tu me donnes une idée ! s'exclame-t-il. Va donc libérer tous les nègres et rassemble-les sur le gaillard d'arrière !

Un instant plus tard, les esclaves se retrouvent sur la dunette, tenus en joue par les pirates, qui ont regagné leur navire et se sont établis sur les bas haubans.

– Qu'avez-vous l'intention de faire ? braille Corner. Nous n'avons plus aucune possibilité de les contrôler puisque vous nous avez retiré nos armes.

– La même distance sépare les Noirs et ton équipage du grand mât, dit John Rackham, debout sur la lisse de pavois du *Kingston*, et se retenant à un étai. Nous avons découvert une caisse renfermant des armes blanches dans ton entrepont... Brazil ! Cole !

Les deux hommes approchent du bordage, soulèvent une caisse et la lancent sur le *Shark*. Elle vient s'écraser au pied du grand mât.

– À chacun sa chance ! crie Rackham.

À ces mots, Corner et ses hommes se ruent vers les armes, imités par les esclaves, de l'autre côté. Les flibustiers baissent leurs pistolets et leurs fusils et suivent d'un œil moqueur la lutte qui s'ensuit, encourageant qui les Noirs, qui les marins.

– Qui va l'emporter ? demande Mary comme les deux bâtiments s'écartent l'un de l'autre.

– Corner ! affirme Bonn. Les nègres ne savent pas manœuvrer un vaisseau. Après avoir tranché quelques gorges, ils vont vite comprendre que leur intérêt est de se rendre s'ils ne veulent pas dériver à l'infini sur l'océan.

– Calico Jack leur a donné un faux espoir, soupire la jeune femme.

– Il les a mis devant un choix, rectifie le pirate. À eux de savoir ce qu'ils veulent faire de leur vie.

CHAPITRE 22

MARRONS !

Le lendemain, à midi, le soleil darde à plomb et la mer paraît blanche tant elle reflète l'aveuglante lumière. La Grande Inagua[1] est un trait sur l'eau, une sorte de barre verte qui fixe et repose le regard.

– Cap sur l'île ! chante le capitaine Rackham.

– C'est là où nous allons vendre les esclaves ? questionne Mary.

– Non, nous allons pourvoir à notre ravitaillement, répond l'homme. Grimpe dans la mâture, Willy, et apprête-toi à amener la voile de misaine quand je le dirai !

La jeune femme monte dans les haubans et s'installe sur la hune. L'île grandit rapidement et se présente comme une immense étendue de forêt. Aucune habitation n'est visible, aucun ponton permettant l'accostage d'un navire ne s'aligne sur le rivage, aucune barque de pêche ne danse sur les vagues. « Qu'est-ce que c'est que cette île ? Où John veut-il acheter sa nourriture s'il n'y a

1. Une des îles Bahamas.

pas même un comptoir à terre ? S'il existe une ville plus loin, pourquoi a-t-il décidé d'aborder à cet endroit ? » Les ordres de Rackham, repris par Brazil, crépitent bientôt sur le pont, pressant les gabiers de relever et d'enverguer les voiles. Le *Kingston* vient mouiller à deux cents mètres d'une plage qui s'enfonce en pente douce dans la mer. Le filin de l'ancre glisse à travers son écubier*, puis la chaloupe est mise à flot.

– Laisse les esclaves prendre l'air sur le pont, dit John à son bosco. Je vais en emmener une dizaine pour nous servir de porteurs.

Dix Noirs prennent place dans la grande chaloupe, encadrés par le capitaine, Mary et quelques hommes armés, dont les deux Indiens. La barque est si lourdement chargée que l'eau arrive au plat-bord. Des filets sont rangés au fond de l'embarcation, et une vingtaine de tonnelets vides sont ensuite jetés par-dessus bord, reliés entre eux par une corde. Bonn en saisit l'extrémité et l'attache à l'arrière, après quoi les pirates obligent les esclaves à souquer.

– Si nous ajoutons une plume dans la chaloupe, nous coulons, fait Read.

– Nous ferons plusieurs traversées, au retour, indique Calico Jack.

– Tu comptes aller chasser dans la forêt et fumer ton gibier ?

– Ça, c'est le travail des boucaniers, répond-il. Moi, je veux de la viande sur pied.

Rouse et les esclaves sautent dans l'eau et tirent la chaloupe sur le rivage. Les Noirs posent chacun deux tonnelets sur leurs épaules, puis la troupe se dirige vers l'intérieur de l'île. La forêt s'ouvre largement sur des espaces herbeux. Des chèvres et des petits porcs sauvages s'y ébattent, d'une curiosité imprudente. Ils s'approchent des hommes, regardent les deux Arawaks qui font tournoyer les filets au-dessus de leur tête... et se retrouvent pris dans les rets. Rackham laisse la moitié de ses hommes sur place, afin qu'ils capturent des animaux et ramassent suffisamment de tubercules pour les nourrir, puis il continue avec les autres et les esclaves, s'enfonçant dans la forêt. L'atmosphère change à mesure que la végétation s'épaissit. La lumière faiblit, le sol est moussu et trempé, l'air est plus lourd, mêlant le parfum des fleurs à l'odeur fétide de l'humus et des mares d'eau croupie. Enfin, la marche est rendue plus éprouvante par les tiges qui échappent aux coups de sabre et reviennent en pleine figure. Des trilles et des commérages d'oiseaux fusent de toutes parts, appuyés de temps à autre par le hurlement des singes. Mary est un peu étourdie par ce qu'elle découvre et qui correspond bien à ce que racontaient les hommes qui venaient voir sa mère sur l'île de Sheppey: elle rêve depuis l'enfance de la jungle, avec ses arbres gigantesques, ses feuilles aussi larges que des ombrelles, ses perroquets bavards, ses serpents gros comme des chaînes d'ancre, ses Indiens sanguinaires – cannibales, pourquoi pas ? – et ses cités d'or. Ce qu'elle n'imaginait pas, c'était l'air moite et oppressant qui fait transpirer, les moustiques qui agacent, les sangsues qui se collent aux mollets, les plantes urticantes qui brûlent la peau...

– Allez, Willy ! l'encourage Bonn. Tu te traînes comme un albatros à terre.

La jeune femme aimerait répliquer par une plaisanterie, mais elle manque de souffle, d'autant que le terrain se relève en pente raide. Plus résistants qu'elle, ses compagnons prennent de l'avance. Elle s'active alors pour les rattraper, craignant de se perdre entre les arbres.

– J'arrive ! lance-t-elle pour se rattacher à eux par les mots.

Les craquements s'estompent, devant. Les pirates et les porteurs se sont engloutis dans la masse des palmes. Mary est seule au milieu des troncs et des feuilles, qui se resserrent autour d'elle, et des champignons géants, qui dégagent une affreuse odeur de moisi. Elle a soudain l'étrange sensation d'être observée. Elle dégaine et arme son pistolet, jette un regard circulaire et s'exclame :

– Qui va là ?

Rien ne bouge. Quelque chose dégringole le long d'une écorce, mais cela tombe de si haut que Mary suppose qu'il s'agit d'un fruit lâché par un animal. Elle hausse les épaules et, pour effrayer un hypothétique suiveur – singe ou fauve –, elle tranche des tiges, des lianes et des fleurs à grands moulinets de sabre.

– Voilà ! termine-t-elle, pensant avoir ainsi intimidé la forêt.

La jeune femme reprend sa marche, un peu inquiète tout de même d'avoir perdu les autres de vue. Un froissement dans son dos. Elle se retourne d'un bloc, sur le qui-vive, le pistolet pointé sur une fougère qui oscille encore. Elle veut tirer, hésite pourtant. « Le coup de feu va faire revenir les autres, mais si ce n'est qu'un oiseau, j'aurai l'air ridicule. Ils se moqueront tous de moi. C'est la jungle, c'est rien que la jungle qui respire », se dit-elle pour se convaincre qu'il n'y a aucun danger. Elle poursuit donc, laissant la forêt respirer autour d'elle et les feuilles s'écarter au passage des ombres qui la suivent.

Elle a un brusque sursaut lorsque quelque chose s'anime derrière une cascade de feuilles de bananier, mais le sourire lui revient aussitôt. C'est Bonn qui s'est détaché d'un tronc, Bonn qui l'a attendue, Bonn qui lui tend la main pour la tirer à lui alors qu'elle dérape en atteignant la crête du talus.

– Tu peines, Willy ! Tu n'es à l'aise que dans le gréement.

– Ma mère disait que j'avais des os d'oiseau, remplis d'air. Pas faits du tout pour crapahuter dans la terre et la boue. Old Bailey n'était pas si fou quand il déclarait vouloir voler. Je crois qu'un jour je me laisserai aussi flotter en haut d'un mât.

La main de Bonn tient toujours celle de Mary. Elle la retire, légèrement troublée. Elle le trouve beau, ce pirate, d'une grâce toute féline, bien différent de ces forbans à la peau tannée et tournés comme des morses. La fille éclôt à nouveau en elle, tandis que Willy, furieux, cogne du pied sous son crâne. Bonn lui entoure les épaules de son bras.

– Si tu peines dans la forêt, je peux...

– Et alors ? rugit brusquement la jungle.

Les oiseaux en perdent leur caquet. John Rackham surgit d'entre les feuilles, poings sur les hanches, la mine furibonde.

– Que signifie ce maternage ? gronde-t-il à l'adresse de son matelot. Si Read n'est pas capable de soutenir l'allure, tant pis pour lui ! Nous le récupérerons au retour, ou alors la forêt aura eu raison de lui. Il n'y a pas de place pour les faibles dans ma troupe.

Bonn se rembrunit, s'écarte de Mary, allonge le pas et dépasse le capitaine. Bien qu'orageuse, l'intervention du forban a aidé la jeune femme. « Calico Jack vient de me tirer d'affaire en remettant Bonn à sa place. Mais je n'ai plus intérêt à me laisser distancer si je ne veux pas qu'on me considère comme une papaye molle. Vivement une belle bataille, que je puisse montrer à tous ce que je vaux ! »

Rackham suit des yeux les deux matelots qui marchent devant lui. De sombres pensées bouillonnent dans son cerveau. « J'ai la très nette impression que Bonny a jeté son dévolu sur Willy. Va falloir que je tranche net le lien qui se tisse entre eux. Au premier faux pas, c'est Read qui paiera ! »

La forêt s'ouvre sur une minuscule clairière adossée à un pan rocheux d'où s'écoule une petite cascade. L'eau se perd ensuite dans un mince filet qui serpente sous les herbes.

– Remplissez les tonnelets ! ordonne Calico Jack aux esclaves.

Ils obéissent, quand un cri s'envole tout à coup d'entre les arbres. Un cri que seuls les Noirs semblent comprendre, car ils se redressent et échangent des mots entre eux. Les pirates tirent leurs sabres et sortent les pistolets de leur baudrier.

– Ce n'est pas une langue arawak, certifie Tupi, un des deux Indiens. Encore moins un appel de perroquet.

Rackham attrape un esclave par le bras, le secoue et lui demande de quoi il s'agit. L'autre esquisse une moue, indiquant qu'il n'en sait rien.

– Tu mens ! s'écrie le pirate en lui appliquant sa lame sur la gorge.

Un hurlement de douleur lui fait tourner la tête, et il roule des yeux ahuris en voyant s'effondrer l'un de ses hommes, une javeline fichée dans le dos.

– Des marrons ! Ce sont des marrons ! avertit Cole.

La végétation dégorge une bande de Noirs armés de lances et de couteaux. Des coups de feu sont tirés, les sabres taillent à vif dans les bras et dans les poitrines, puis l'attaque éclair cesse aussi brutalement qu'elle a commencé.

– Nos nègres se sont enfuis ! lance Bonn. Il faut les poursuivre !

– Les marrons ne nous ont assaillis que pour les délivrer. Qui sait combien ils sont là-dedans ? dit Tupi avec un grand geste pour désigner la forêt tout autour. Il faut déguerpir en vitesse avant qu'ils ne se décident à nous charger pour nous anéantir. D'anciens esclaves pardonnent rarement à leurs négriers.

– Emportez tous les tonnelets que vous pourrez, et filons d'ici ! recommande le capitaine pirate.

– Et le mort ?

– On l'abandonne sur le champ de bataille. Si on traîne, on risque tous d'y passer !

Un baril d'eau douce sur une épaule, son sabre à la main, Mary court au milieu de la colonne, s'efforçant de conserver le rythme pour éviter que Rouse, derrière elle, ne lui marche sur les talons. Tout en fuyant, les hommes gardent un œil sur chaque balancement de palme, et ils lâchent plusieurs coups de pétoire ici et là.

La jungle se desserre bientôt, au grand soulagement de tous. La jeune femme rengaine son sabre et prend le tonnelet dans ses deux bras pour reposer son épaule endolorie. Maudissant le sort qui lui a ravi dix robustes esclaves mâles, Rackham accorde une courte pause à ses hommes en surveillant ses arrières, puis il remet sa troupe en mouvement. Les pirates retrouvent plus loin leurs compagnons laissés avec les animaux. Des porcs et des chèvres sont couchés sur le flanc, les pattes entravées, et jettent des grognements et des bêlements indignés.

– Où sont les porteurs ? s'étonnent les pirates restés sur place.

– Z'ont profité d'une attaque des marrons pour filer les rejoindre, annonce Walter Rouse.

– On va emmener une partie des bêtes et revenir chercher les autres après, décrète Calico Jack. Toi, reste ici pour les garder ! enjoint-il à Tupi. Nous ne serons pas longs à...

L'air vibre soudain d'une pétarade, et un bruit de tonnerre parvient de la côte.

– Ce sont les canons du *Kingston* ! relève Bonn.
– On fonce ! hurle Rackham en élevant son sabre comme pour diriger un abordage.
– Qu'est-ce qu'on fait des bestioles et de l'eau douce ? demande un homme. On se charge d'une partie ou pas ?
Le chef des forbans réfléchit rapidement. Tout laisser sous la surveillance de l'Indien, c'est s'alléger et courir plus vite. Mais si, d'aventure, ils se trouvaient empêchés de revenir, ils manqueraient cruellement de provisions.
– Le navire n'a tiré que deux coups de canon, signale Mary. Il n'a pas dû subir une attaque par mer.
– On n'entend plus rien, complète Bonn. Ce ne devait être qu'une simple altercation avec des indigènes.
– Ou bien Brazil nous appelle à l'aide ! corrige John. Chargez-vous au maximum ! Personne ne reste en arrière !
Les pirates installent les petits gorets sur leurs épaules tandis que les chèvres, dont on a libéré les pattes, sont encordées par le cou et attachées derrière chaque homme, à sa ceinture. Puis le cortège s'ébranle. La mer apparaît peu après, d'un bleu paisible. Le *Kingston* est toujours au mouillage, oscillant doucement au gré des vagues. La chaloupe n'a pas bougé de la plage, mais des cadavres de Noirs sont étendus sur l'estran, secoués par des paquets de vagues mousseuses.
– Ce sont des marrons qui ont attaqué le navire, comprend Rackham.
– Une chance qu'ils n'aient pas crevé la chaloupe, note Walter Rouse.
– Leur but est de nous chasser de l'île, pas de nous y retenir.
Une partie des bêtes et des tonnelets est entassée dans l'embarcation, quelques matelots y grimpent, empoignent les rames et souquent ferme pour rejoindre le vaisseau. Des corps noirs et ensanglantés flottent sous la surface,

lentement drossés vers la plage par la marée. C'est un Brazil tout penaud qui reçoit son capitaine pendant que les hommes remontent les animaux dans des filets.

– Les marrons nous ont eus par surprise, explique-t-il. Personne ne les a vus approcher. Ils ont nagé sous l'eau et ont escaladé le filin relié à l'ancre. Nous étions en train de surveiller les nègres sur le tillac quand ils ont jailli dans notre dos. Nous en avons blessé quelques-uns, mais les esclaves ont profité de la bataille pour sauter par-dessus bord.

– J'imagine la suite, continue Rackham. Dès que les nègres se sont échappés, les autres ont rompu le combat et se sont jetés à la mer.

– C'est ça, confirme le bosco. Nous n'avions pas la chaloupe pour les poursuivre, et plonger derrière eux n'aurait servi à rien. Ils étaient plus nombreux que nous. Alors nous les avons tirés au fusil et lâché sur eux deux coups de canon comme ils détalaient sur la plage... Je remarque que tu as aussi perdu les tiens.

– Nous avons réalisé une mauvaise affaire en abordant le *Shark*, conclut Calico Jack. Autant ne plus en parler !

– Il nous reste une négresse, précise un matelot. L'un d'entre nous s'amusait avec elle dans l'entrepont quand les marrons ont investi le navire.

On pousse l'esclave vers le capitaine. La pauvresse tremble de tous ses membres et craint de regarder le pirate en face. La tête rentrée dans les épaules, elle fixe ses pieds et se tord les doigts de terreur. Mary suit la main de Rackham lorsqu'il la pose sur la poignée de son sabre. « Il ne va quand même pas la fendre en deux ! » s'effraie-t-elle. L'homme se ravise, se précipite sur l'esclave, la soulève à bras-le-corps et, poussant un grand rugissement de fureur, il la flanque à la mer.

– Pas de femme à bord ! hurle-t-il en se tournant vers

l'équipage. Willy ! Redescends dans la chaloupe avec Cole ! Vous allez faire la navette entre la plage et le *Kingston* jusqu'à ce que le dernier tonnelet et la dernière bique soient embarqués ! Tupi, pointe les canons vers la lisière de la forêt ! Au premier froissement de branches, tu envoies une bordée ! À présent, j'ai besoin d'une grande lampée de rhum ! achève-t-il en regagnant sa cabine, entraînant Bonn dans son sillage. Des journées comme celle-là, je les laisse au Diable, nom d'une barrique !

Arqués sur leur rame, Cole et Mary tirent sur leurs bras et décollent la chaloupe du navire. Ils atteignent la rive en même temps que l'esclave, à quelques mètres l'un de l'autre. La femme panique, persuadés que les deux gaillards en ont après elle. Elle jette un regard effaré du côté de la forêt, quêtant une aide.

– N'aie pas peur, lui dit Mary en étendant la main pour l'apaiser.

Les deux jeunes femmes échangent un regard. L'un se veut rassurant, souligné d'un sourire, l'autre est celui d'une bête prise au piège.

– Qu'est-ce qui s'est passé sur le bateau ? s'enquiert Walter Rouse en déposant un tonnelet d'eau douce dans la barque. Et qu'est-ce qu'elle fiche ici, celle-là ? On va la ramener par les oreilles.

D'un geste, Read encourage l'esclave à courir vers la forêt.

– Va, tu es libre !

– Tu la laisses filer ? s'étrangle Rouse. Si Rackham l'apprend, il...

– C'est lui qui l'a foutue à l'eau, intervient Cole. Y a plus un seul nègre sur le navire. Les marrons les ont tous délivrés.

– Alors c'était ça, les coups de feu ! Doit être fou de rage, Calico Jack.

– Ouais, il va se noyer dans le rhum pendant deux jours pour oublier sa déconfiture.

– Faut qu'il trouve vite un autre vaisseau à piller, sinon y va nous rendre la vie impossible, à bord.

L'esclave comprend le signe qu'on lui adresse, mais elle redoute un coup de sabre entre les omoplates si elle tourne le dos aux pirates. Elle recule pas à pas, ses yeux sautent d'un homme à l'autre, mais reviennent s'ancrer dans ceux de Mary. « On dirait qu'elle cherche quelque chose au fond de moi. S'est-elle rendu compte que je suis différente des autres ? » La femme noire prononce un mot dans sa langue, qu'elle répète plusieurs fois. Une question ? Un appel de détresse ? Une accusation ?

– File d'ici, toi ! grogne Cole en brandissant son pistolet.

Il tire en l'air, provoquant la fuite éperdue de l'esclave.

– Si ça continue, y aura bientôt plus de nègres que d'Indiens dans ces îles, ronchonne Walter Rouse. Allez, Willy, on retourne sur le *Kingston* ! Y aura encore un voyage à effectuer après çui-là.

– Et ensuite ? Où irons-nous ?

– Là où le vent nous poussera. Nous sommes des loups de mer, Willy. On guette, on chasse, on traque. L'air qu'on respire sent souvent la poudre, mais à la différence de la guerre, c'est pour not' profit qu'on se bat. Ça s'appelle la liberté !

Tout en maniant sa rame, Mary laisse courir son regard sur la forêt bordière. L'esclave s'y est engouffrée, et elle ne tardera pas à retrouver les siens. Pour elle, la liberté vient de prendre une odeur de moisi.

CHAPITRE 23

FLEURS DE TILLAC

La nuit est une coupole d'étoiles au-dessus des Caraïbes, le *Kingston* navigue au bas ris, avec le bruit des vagues contre ses flancs. Mary est appuyée sur la lisse de bastingage, et elle regarde le sillon de lait que la lune trace à la surface de l'eau. L'homme de quart est assis à côté du timonier, qui a encordé la roue pour se reposer et fumer une pipe, et tous deux bavardent à mots étouffés. Les autres membres de l'équipage dorment dans l'entrepont, bercés dans leurs hamacs par le léger roulis. John Rackham est dans sa cabine, une carte et un carafon de rhum posés devant lui, sur une table clouée au sol.

Mary pense à ses jours de pirate. Un soldat libre, voilà comment elle se définit, et c'est cette vie qui lui convient le mieux. Elle ne peut s'empêcher de sourire en revoyant la tête de Calico Jack au moment où il a appris que tous ses nègres s'étaient envolés. Elle est heureuse qu'ils aient réussi à s'enfuir ; se considérer comme un négrier la mettait mal à l'aise. C'est d'or et de pierres précieuses qu'elle veut remplir les cales du navire, pas de marchandise humaine. « Fort de sa déconvenue, j'espère que John évitera désormais de s'en prendre aux bateaux d'esclaves. »

Sur la dunette, l'homme de quart vient de se lever, et il descend l'échelle qui mène au tillac. La jeune femme l'entend qui approche, mais elle ne se retourne pas. L'homme s'accoude près d'elle. Tout près d'elle. Épaule contre épaule.

– Tu ne vas pas dormir, Willy ? demande Bonn.

– J'ai besoin d'air frais avant d'aller me plonger dans les odeurs de pieds. Si tu partageais l'entrepont avec nous, au lieu de la chambre du capitaine, tu passerais plus de temps sur le tillac que dessous.

– Tu as les narines trop sensibles, sourit le pirate.

Un silence. Seuls s'entendent le bruissement de l'océan et le claquement des quelques voiles qui embarquent la brise.

– Depuis la mort d'Old Bailey, tu n'es plus amateloté, poursuit Bonn. Tu dois te sentir bien solitaire.

– Ceux qui ont perdu leur matelot pendant l'attaque des marrons se sont remis deux par deux, dit Mary. Ils se connaissaient depuis longtemps, moi je suis nouveau à bord.

– Je ne peux pas me lier à toi, vu que je le suis déjà avec Calico Jack, mais je peux devenir ton ami, propose Bonn en lui passant son bras autour des épaules.

La jeune femme ferme les yeux, le pont paraît devenir mou sous ses pieds, lui donnant l'impression d'être directement debout sur la mer. Elle a très bien compris où le bougre veut en venir, et cela l'angoisse. Bonn est beau, mais ce n'est pas Joos. Celui-ci avait un visage d'enfant qui appelait une protection un peu maternelle ; Bonn, lui, est un faucon qui sait tracer sa voie d'un courant à un autre. Mary ressent pour lui un sentiment de camaraderie, bien consciente cependant que ce sentiment risque d'évoluer et de la conduire, un jour prochain, à lui révéler sa féminité, à lui céder et à lui faire promettre le silence. Pour lors, elle se dégage doucement d'un simple mouvement d'épaule. Bonn n'en prend pas ombrage.

– C'est la réaction que j'attendais de toi, Willy. Et cela me rassure.

Mary se tourne vers lui, étonnée.

– Je ne comprends pas.

L'homme lui pose un doigt sur la bouche.

– J'ai un secret à te confier, mais même le vent ne devra rien savoir.

– C'est vrai que s'il le chante aux mouettes, il n'y aura pas un endroit où... mais... qu'est-ce que tu fais ?

Bonn a délacé sa chemise.

– Donne-moi ta main !

Comme la jeune femme hésite, il lui prend la main droite et la pose sur la chair nue de sa poitrine. Sur un sein. Les yeux de Mary s'arrondissent, sa bouche forme un O.

– Une femme !... Tu es une femme !

– Chut ! fait Bonn en jetant un coup d'œil du côté de la dunette. Personne ne doit être au courant.

– Et Rackham ? Il sait, lui ?

– Évidemment ! C'est mon galant. Mon nom est Ann Bonny et... et j'ai très envie de toi, Willy.

Passé l'instant de stupeur, Mary éclate de rire. Un rire qui sort du plus profond de ses entrailles et qui la secoue, la plie en deux et hache sa respiration. Un rire qui la vide de toute la tension accumulée en elle depuis si longtemps. Il existe donc une deuxième Mary, et sur le même navire ! La fille danse dans le cœur de la jeune femme tandis que Willy grince des dents dans sa tête, fâché de comprendre que la situation ne pourra se débloquer que si Mary dévoile, à son tour, son corps de donzelle.

Ann s'est raidie. La réaction de Read l'indispose. Comment, ce freluquet ose se moquer d'elle ? Elle tire le poignard qu'elle porte à la ceinture, redresse l'autre par son col et lui pique la pointe sous le menton.

– Je vais t'enfoncer la lame jusqu'au cerveau et te balancer à la flotte, grince-t-elle. Ça éteindra ton rire de mouette.

– Je ne me fiche pas de toi, lui assure Mary. C'est la surprise. C'est... c'est...

Elle se résume dans un geste qui exprime son incapacité à trouver ses mots.

– Je suis content que tu sois une femme, termine-t-elle.

Bonny se radoucit. Son poignard regagne son fourreau, et elle fait glisser sa main sur la nuque de Mary.

– Je t'ai remarqué dès que j'ai posé le pied sur le *Roosendaal*, confie Ann. Tu m'as plu tout de suite.

– C'est pour ça que tu as suggéré à Calico Jack de m'emmener avec vous, et que le mouvement de tes lèvres m'incitait à accepter.

– Oui.

– Tu aurais vraiment tiré sur moi si j'avais refusé ?

– Perdu pour perdu... souffle la pirate. J'en aurai été attristée, mais tu es là, et cela seul compte à présent.

Elle attire Mary à elle pour l'embrasser, mais celle-ci résiste en lui appuyant les mains sur la poitrine.

– Attends. Moi aussi j'ai quelque chose à t'avouer.

– Serais-tu timide, Willy ? Laisse-toi faire, lui conseille Bonny d'une voix susurrée.

– Je suis...

Le baiser d'Ann lui scelle la bouche. Willy ricane sous son crâne.

– Je suis une femme, reprend Mary après s'être légèrement écartée. Tout comme toi !

Ann Bonny fronce les sourcils et la dévisage. Toutes

deux ont la peau bleuie par la lune. Une peau nette, sans l'ombre d'un duvet.

– Qu'est-ce que... qu'est-ce que tu racontes ? balbutie-t-elle, incrédule.

– Je m'appelle Mary Read, je me compresse les seins dans une bande, et je subis ma perte de sang tous les mois.

D'un geste vif et précis, Ann plaque sa main sur l'entrejambe de Read, lui tirant un sursaut doublé d'un hoquet.

– C'est vrai, constate-t-elle.

Sur l'instant, elle ne sait plus que dire, la mine désappointée.

– Nous partageons le même secret, murmure Mary. Nul ne doit se douter que...

– Bonn !

Le cri a claqué tel un coup de tonnerre. Les deux femmes se retournent d'un seul mouvement. John Rackham est campé devant la dunette.

– Tu chantes la romance avec ce foutriquet de Willy Read ? Je vais le tailler en pièces ! hurle-t-il en fonçant sur eux.

– Sauve-toi, Willy ! Rackham est plus jaloux qu'un crabe, et il est bourré de rhum jusqu'aux oreilles. Il te tuera s'il t'attrape !

Mary s'accroche aux bas haubans et escalade les cordages jusqu'à la hune. Ann s'est jetée devant le pirate et elle tente de le raisonner.

– Ce n'est pas ce que tu crois ! commence-t-elle. Il n'y a rien du tout entre Willy et moi.

– Vraiment ? Ta chemise s'est ouverte toute seule ? Tu présentes ta blancheur à la lune ? C'est comme ça que tu exerces ton tour de quart ?

– Retournons dans la cabine, je vais t'expliquer.

– Y a rien à expliquer ! fulmine l'homme en repoussant Ann. Je ne crois que ce que je vois.

Trop ivre pour grimper dans la mâture, il empoigne le grand mât et essaie de le secouer comme s'il s'agissait d'un cocotier.

– Descends de là-haut, Willy Read ! Que je te coupe la gorge !

Ses braillements attirent quelques pirates sur le tillac. Ann se hâte d'enfermer sa poitrine sous sa chemise et de bien tendre les lacets, puis elle ordonne aux hommes d'attraper Rackham à bras-le-corps et de le ramener sur son lit. Comme ils se montrent réticents à la manœuvre, arguant que leur capitaine n'est pas un sac de fèves, Bonn leur demande :

– Seriez-vous prêts à le suivre, dans son état, s'il commandait un abordage ?

Les hommes regardent leur chef, qui s'est mis à frapper le mât à poings nus et à coups de pied. « Non ! » font-ils de la tête.

– Alors obéissez-moi ! C'est moi qui suis de quart ! C'est donc moi qui suis habilité à commander en cas d'absence ou d'incapacité du capitaine !

Ils se décident enfin, se mettent à quatre pour s'emparer de Calico Jack.

– Il se débat, l'animal !

– Je te tuerai, Willy, je te tuerai ! Je te prends en duel demain, ici même, devant tout l'équipage ! Au sabre d'abordage ! Au coupe-coupe ! Au pistolet ! Au fusil ! Au canon !

– Je serai là, puits à tafia ! garantit Mary. Je te laisse la nuit pour admirer une dernière fois tes oreilles.

John Rackham continue à vociférer et à gesticuler jusqu'à ce que Bonn, ayant retiré un cabillot de son râtelier, le lui assène sur le crâne, l'assommant net.

– Pfff, il est encore plus lourd évanoui, se plaint l'un des hommes qui le transportent vers sa cabine, sous la dunette. Tu as intérêt à te cacher lorsqu'il va revenir à lui, recommande-t-il à Ann.

– Ne t'en fais pas pour moi ! rétorque-t-elle. Va plutôt tirer Walter Rouse de son hamac, c'est à son tour de prendre le quart !

Seule sur la hune, isolée dans la nuit, Mary ravale un sanglot.

– Je ne demandais rien à personne, renifle-t-elle, et voilà que c'est revenu. Ni femme ni homme, je ne peux m'intégrer à aucun groupe. Je croyais pourtant avoir été acceptée sur ce navire. Bonn sait jouer de son corps de fille, voilà pourquoi elle a trouvé sa place dans l'équipage. Moi, je suis l'éternelle perdante, le pion que le Diable sacrifie. Mais qu'est-ce que je vous ai fait ? hurle-t-elle à la mer, au firmament, au vent, aux oiseaux invisibles.

– Ta gueule, Willy ! répond le navire avec la voix de Walter Rouse.

Étendu sur sa couchette, Calico Jack émet un long grognement, une sorte de lamentation étirée pour exprimer à la fois le vertige dû à l'alcool et la souffrance de son crâne. La première image qu'il saisit est celle de Bonny penchée sur lui, qui lui bassine la tête avec un linge humide. Rackham saisit son poignet, bloquant son geste.

– Maudite traîtresse ! grince-t-il. C'est toi qui m'as frappé pour sauver cette anguille de Willy.

Il se redresse sur son séant, les yeux rouges, grimaçant de colère, mais, d'une bourrade, Ann le fait retomber sur le dos. Puis elle s'assoit sur son ventre et lui appuie sur les épaules pour l'empêcher de se relever. Le pirate fulmine, bat des jambes, et les menace du supplice de la grande cale, elle et son coquin de Willy Read.

– Willy est une femme, annonce Ann Bonny. Son vrai nom, c'est Mary. Mary Read. Me connaissant, tu crois vraiment que je cherche à friponner avec quelqu'un du même sexe ?

Rackham se tait comme s'il avait reçu un choc sur la bouche. Il écarquille les yeux, puis se ressaisit.

– Willy, une femme ? C'est tout ce que tu as trouvé pour... ?

– C'est une femme ! le coupe Bonn. De la même espèce que moi. Elle a choisi l'aventure à la place du mari.

– Je demande à la voir toute nue, gronde l'homme, pas encore convaincu.

– Tu la verras... si elle ne te plante pas son sabre en plein cœur avant. Elle a suivi une carrière de soldat et appris à se battre. Toi, tu ferrailles avec ta rapière, tu brasses le vent, tu tricotes...

– Si ce n'est qu'une femme... ricane le pirate avec un geste désinvolte.

Ann se soulève et se laisse retomber lourdement sur lui.

– Ouf ! expire-t-il, le souffle coupé.

– Ne nous prends pas pour des plumes ! Renonce à ton duel ! Tu vas perdre ton honneur avec ta vie.

– Si je gagne...

– Qu'est-ce que tu gagneras si tu parviens à tuer une femme ? Si ce n'est le surnom de Jack le Honteux !

– Je me contenterai de la blesser...

– Et lorsqu'on la déshabillera pour la soigner, tout l'équipage verra que Willy est une fille. Si cela arrive, je me présenterai aussi en tant qu'Ann Bonny. Tu auras alors beaucoup de mal à expliquer ton manquement aux règles des Frères de la Côte, en ayant accepté une femme à bord. Les hommes éliront un autre capitaine, et ils te débarqueront sur une île déserte, avec pour seul compagnon un pistolet chargé d'une balle.

– Je ne peux pas me défiler, je dois me battre. Le défi a été lancé devant les membres de l'équipage.

– Tu étais ivre.

– Même la tête dans ses chausses, le capitaine reste le capitaine, rappelle Calico Jack.

– Dans ce cas, laisse-toi égratigner, de façon à arrêter le combat au premier sang. Je convaincrai Mary de ne t'infliger qu'une éraflure.

– Je suis le capitaine John Rackham, la terreur des mers ! s'insurge le bougre en gonflant la poitrine et en se secouant pour désarçonner Ann. Je ne me couche pas comme un chien.

– Comprends-tu donc que je ne veux pas vous perdre, ni toi ni elle ? s'emporte Bonn. Je suis bien avec toi, mais d'un autre côté j'ai besoin d'une âme sœur à qui confier mes secrets de femme.

– Depuis quand sais-tu qu'il s'agit de Mary, et non de Willy Read ?

– Depuis qu'elle est sur ce navire, ment-elle.

– Or donc, lorsque vous vous retrouviez...

– C'était pour partager des propos de fille, poursuit-elle, très à l'aise dans le détournement de la vérité. Rien qui justifie ta crise de jalousie ! Voilà pourquoi ce duel n'a aucune raison d'être.

– C'est trop tard pour revenir en arrière. Je décapiterai Willy d'un bon coup de sabre, et je flanquerai aussitôt son cadavre à la mer. C'est la seule façon pour que tout rentre dans l'ordre. Y a bien assez d'une femme sur ce navire.

Ses paupières se ferment toutes seules, lourdes de fatigue. Son corps mollit, et un ronflement d'ivrogne s'échappe bientôt de sa bouche béante. « Rien à tirer de ce cachalot, peste Bonny. Il est prisonnier de ses paroles, et prêt à batailler en diable pour garder l'estime de ses hommes. » Elle se relève et marche vers la porte de la cabine. « Il ne tiendra pas une minute devant Read. Je dois le sauver à tout prix ! » décrète-t-elle en retournant sur le tillac.

Là-haut, sur la hune, Mary tressaille. Elle vient d'entendre craquer les bas haubans, preuve que quelqu'un y grimpe. « Rackham envoie un de ses sbires pour me précipiter dans le vide, suppose-t-elle. Il ne veut pas prendre le risque de perdre contre moi. » Elle extirpe son couteau, prête à détendre son bras si une tête apparaît au niveau de la plate-forme. Les cordes vibrent. La jeune femme sent leur traction sous elle, contre le mât... « Il arrive ! » se dit-elle en serrant fermement le manche de son arme.

Bonn pose sa main sur la dernière enfléchure. « J'y suis ! » souffle-t-elle en se hissant à hauteur de la hune.

La lame jette un éclair...

– Mary, il faut que je... !

... et arrache un flot de sang.

L'aube est étrange. Ni d'eau, ni d'or ni de plumes. C'est un voile qui tremblote, d'un gris mauve, rendant le jour aveugle, telle une taie dans le soleil. Le capitaine Rackham fait siffler sa lame devant l'équipage. Les hommes sont graves, silencieux, aussi ternes que des pierres. Bonn se tient au pied du grand mât, une estafilade rouge sur la joue. Si Mary n'avait pas entendu son nom, au dernier moment, elle n'aurait pas dévié le coup, et le fer serait entré dans la gorge d'Ann Bonny.

Adossée au mât de misaine, Mary attend. Un mouvement dans le gréement attire son regard. Un cormoran s'est perché sur une vergue, les ailes entrouvertes pour les faire sécher. Sa vue tire un frisson à la jeune femme. « Tu es venu au spectacle, songe-t-elle, se souvenant des corbeaux installés sur la potence du dock des Exécutions, à Londres, au moment où l'on s'apprêtait à pendre William Kidd. Tu seras déçu, à moins d'aimer la mascarade. » La voix de Brazil retentit tout à coup.

– Willy Read, membre d'équipage, tu es accusé de vouloir briser le matelotage entre John Rackham et Bonn ! Qu'as-tu à dire pour ta défense ?

– Je ne me sens pas en position d'accusé, répond Mary. Rackham a été victime d'un jeu d'ombres.

– Tu rejettes la responsabilité sur la lune ?

– Sur la lune, sur le tafia, sur la jalousie du capitaine...

– Tu mets Calico Jack en cause. Dès lors, il n'y a que le sabre pour servir votre querelle.

Ann cherche le regard de Read. « Tu me dois le prix du sang, ne l'oublie pas ! » Mary cueille son expression angoissée et lui adresse un imperceptible clignement de l'œil. Les pirates forment un cercle sur le tillac. John Rackham se campe au milieu, l'air bravache, sûr de sa victoire. Son adversaire s'approche à pas lents, son sabre à la main.

– Tu traînes, Willy, pérore le chef des flibustiers. C'est une façon de gagner quelques secondes de vie.

– Je n'ai pas peur de la mort. Ce qui me chagrine, c'est de me battre à propos d'un malentendu.

– Pour l'honneur ! clame le pirate en tendant son arme, jambes fléchies.

– Pour l'honneur ! répète Mary en adoptant une position identique.

– Au premier sang versé ! lance Brazil.

– Non ! À la mort ! corrige Rackham en étirant ses yeux en deux fentes, semblable au fauve qui va bondir.

– Au premier sang ! reprend l'équipage, contre l'avis de son capitaine.

Le forban fronce les sourcils, mécontent.

– Soit ! accepte-t-il de mauvaise grâce en visant la gorge de Mary.

« Là où je frapperai, le premier sang causera ta mort », achève-t-il en pensée. Il se fend en avant... tout surpris de ne rencontrer que le vide. La jeune femme a feinté en pivotant sur les talons, et elle assène un grand coup sur sa lame, lui faisant baisser sa garde. Elle contre-attaque aussitôt et, d'un moulinet, envoie voler le tricorne du gaillard. John se rue sur elle – une ruée de buffle –, la bouscule, la renverse, brandit son sabre et l'abat. Le choc entre les lames lui cause une vibration dans tout le bras. Mary a paré l'assaut en croisant les fers puis, se soulevant à demi, elle décoche un violent coup de talon dans le genou de l'homme.

– Ah ! hurle Rackham en reculant.

Il écume, le drôle, furieux de la résistance que lui oppose la jeune pirate. Bonn lui avait pourtant assuré que Read se laisserait vaincre rapidement, et voilà que cette diablesse lui retourne estocade pour estocade. Difficile, alors, de l'occire comme il en a secrètement l'intention.

« Le rufian chercherait-il à me tuer ? s'interroge Mary. Ce n'est pas ce qui était convenu avec Ann. M'a-t-elle menti, ou Calico Jack a-t-il changé les règles tout seul ? Il n'y a qu'un moyen de le savoir... »

Les lames tintent sans répit. Les deux combattants tournent l'un autour de l'autre, cherchant la faille par où porter la botte. « C'est le moment ! » décide Mary. Elle ferraille d'estoc et de taille, plie les jambes, se détend et pointe en avant. L'autre esquive, voit le cœur de l'adversaire à découvert et frappe. Devançant le coup, la jeune femme s'est rejetée de côté en se protégeant du bras gauche. Le sabre de l'homme plonge dans sa chair. Blessée au bras, elle lâche son arme et s'effondre sur le pont. Étendue sur le ventre, elle glisse la main dans sa ceinture, la referme sur son poignard et attend. Deux jambes viennent se planter devant elle. Un pied la retourne.

– C'est fini, Calico Jack ! crie la voix de Walter Rouse. Le premier sang a été versé.

Le capitaine hésite, le sabre tenu à deux mains au-dessus de la poitrine de Mary. Qu'il lève les bras pour donner plus de force à son coup afin de l'embrocher, et elle lui plonge son couteau dans le ventre !

– John Rackham a gagné ! relance Brazil. Le duel est terminé.

Le pirate lève son arme... et la range dans son fourreau.

– Debout, Willy Read ! ordonne-t-il. Va soigner ta blessure ! Après quoi tu t'amateloteras avec moi, tout comme Bonn.

Comme l'équipage fait part de son étonnement, il se justifie :

– D'après le code de la flibuste, tout capitaine a droit à deux parts du butin. Quelqu'un voit-il un inconvénient à ce que j'ai droit à deux matelots ?

Le ton est sans équivoque, renforcé par la main qui repose sur la poignée du sabre.

– Si ça peut t'éviter de grimper au mât pour aller y rechercher l'un ou l'autre... grommelle Cole.

Les hommes opinent, le cercle se défait, chacun regagne son poste.

– Qu'est-ce que Rackham a en tête ? demande Mary à Bonn tandis que le capitaine rejoint le timonier sur la dunette.

– Rien qui puisse résister à nos pistolets, assure Ann. Accepte sa proposition. Cela te permettra de loger dans une cabine à part, isolée de l'équipage. C'est très pratique quand on a nos affaires de femme. Calico Jack ne te touchera pas, j'y veillerai.

Elles pénètrent sous la dunette et se rendent dans un réduit qui sert d'infirmerie.

– J'aurais pu le tuer très facilement, annonce Mary.

– Tu me devais sa vie. N'as-tu pas été la première à verser le sang, cette nuit ? Mon sang a racheté le sien, et tout s'achève pour le mieux.

– C'est une façon de parler, ronchonne Read en relevant sa manche. Je passe désormais pour un sabre mou, moi qui ai taillé en pièces nombre de Français.

– Tu te rattraperas au prochain abordage, dit Bonny en nettoyant la plaie. En te liant à Rackham, tu vas occuper une place de choix sur ce navire. Promets-moi cependant de ne jamais comploter contre moi, ni de te glisser entre John et moi.

– Parole de femme ! jure Mary en levant la main.

– Je préférerais ta parole de Frère de la Côte.

Elle trempe son index dans son sang et le passe sur la joue balafrée de Bonny.

– Tue-moi si je faillis !

Ann a un sourire de louve puis, sans ajouter un mot, elle entreprend de panser le bras de son amie.

« J'ai intérêt à garder un œil dans le dos, rumine Mary. Je me sens beaucoup plus fragile maintenant que j'ai révélé ma véritable identité. La fille en moi n'est-elle pas en train de me préparer un vilain tour ? »

CHAPITRE 24

DU PEARL AU SANS-PITIÉ

Mary soupire d'aise. Enfin une cabine pour elle seule ! Elle n'a plus besoin de courir dans la soute pour se changer au moment des règles, et elle peut débrider sa poitrine chaque nuit. Pour lors, elle trempe dans un baquet d'eau fumante et moussue et se laisse submerger par une douce langueur.

« Ne te ramollis pas trop ! grince Willy. Évite de faire fondre tes muscles d'homme sur ta carcasse de fille ! »

Mary hausse les épaules. Le grincheux a beau agiter sans arrêt la clochette d'alarme, elle prend son temps, à présent, d'entretenir son corps de femme. Finis, la toilette à la sauvette et le linge souillé qu'il fallait brosser de nuit, dissimulée entre les rouleaux de cordages.

« À user de tant de commodités, tu risques de prendre des habitudes de gigolette et de commettre des maladresses qui te perdront. »

« Clos ton bec, Willy ! Si en plongeant ma tête dans l'eau j'étais sûre de pouvoir te noyer – toi seul –, crois-moi que je le ferais ! Je n'ai pas besoin de toi pour conduire ma vie. Je sais comment marcher dès que j'entre dans mes vêtements d'homme. »

« Sss ! » siffle le garçon en se recroquevillant dans la tête.

L'œil vissé au trou de la serrure, John Rackham regarde le corps nu et blanc de Mary Read, qui s'extrait de son baquet. Il en avale sa salive, le bougre. Puis elle disparaît de son champ de vision. L'homme ne bouge pas. Les vêtements de la jeune femme sont posés sur une chaise, et il attend qu'elle repasse devant lui pour aller s'habiller. Mais elle s'éternise, Mary. Le pirate commence à ressentir des tiraillements dans les jambes à force d'être accroupi. « Qu'est-ce qu'elle fiche ? » s'impatiente-t-il. Il se redresse, pose la main sur la poignée de la porte qu'il entrouvre légèrement, passe la tête... et frémit du contact froid d'un pistolet contre sa tempe.

– Tu as vu ce que tu voulais voir, Calico Jack, dit une voix.

D'un coup d'épaule, Rackham pousse le battant derrière lequel se tient Mary, et il pénètre dans la cabine. La jeune femme s'est enroulée dans le drap de sa couchette, et elle tient le gaillard en joue.

– Avance encore d'un pas et je te fais sauter un œil. Ann se chargera de te loger une balle dans l'autre.

– Tu es mon matelot, Mary.

– Continue donc à m'appeler Willy. C'est ce que je suis pour tout le monde sur ce navire, toi compris !

Le pirate se rembrunit. Le ton devient amer.

– Je t'ai prise sous ma protection, et c'est comme ça que tu...

– Je n'avais nul besoin de ta protection. À présent, c'est contre toi qu'il m'en faut une. Oublie donc que je suis une femme !

– Pas après ce que je viens d'entrevoir. Tu es aussi belle

qu'une figure de proue, souligne-t-il, l'œil alléché. Comment as-tu pu déceler ma présence ? Je me suis approché sur la pointe des pieds...

– J'ai senti que la porte respirait dans mon dos. Je sais reconnaître le souffle court d'un homme quand le désir lui assèche la gorge. Maintenant retourne sur le pont et laisse-moi m'habiller !

Calico Jack tend le bras pour arracher le drap, mais il surprend le froncement de sourcils chez la jeune femme, et il lui semble que sa prunelle rétrécit. « Elle va tirer ! » comprend-il. Alors il cède, recule, passe le seuil et se retrouve dans la coursive. La porte lui claque au nez.

– Sacrée graine de pierre ! maugrée le bonhomme. Va falloir que je me débarrasse de cette grenouille si je ne veux pas que le sang se mette à bouillir dans ma tête ! Parce que je n'ai aucune disposition pour devenir un saint !

De rage, il botte le cul d'un marin qui traîne par là, et il va se camper à la proue du vaisseau pour se laisser asperger par les embruns.

Plus tard, au cours de la journée, le bosco lance d'une voix tonitruante :

– Hé, Willy ! Descends de ton perchoir ! Le capitaine veut te parler dans la grande chambre du gaillard d'arrière.

– Qu'est-ce qu'il me veut ?

– Sais pas. Bonn est avec lui.

« Si Ann est présente, je ne pense pas qu'il tente un coup fourré, se convainc Mary en se cramponnant à un étai pour se laisser glisser jusqu'au tillac. La leçon de ce matin lui a sans doute suffi. »

John Rackham est assis derrière une table encombrée de cartes et d'instruments de mesure. Ann Bonny est debout à côté de lui. Visiblement, elle a sa mine des mauvais jours.

– Deux femmes sur ce navire, cela fait beaucoup, commence l'homme. Je propose de te débarquer. Bonn est d'un avis contraire, mais...

– Non ! Je me sens bien sur la mer. J'ai toujours aimé me battre, et la vie de pirate m'offre la liberté en plus. C'est une existence qui me plaît, et je ne veux pas en changer ! assène Mary en cueillant le regard et le sourire complices de son amie.

– À terre, tu pourrais devenir l'épouse d'un planteur, insiste Calico Jack.

– Et échanger mon sabre contre une aiguille à coudre. Le problème, c'est que je ne sais pas coudre. Chaque fois que j'endosse ma peau de femme, les ennuis se réveillent. Ce sont les fesses de Mary que tu es venu reluquer, pas celles de Willy, hein, Jack ?

Rackham ne répond pas. Il sent le regard de reproche d'Ann Bonny et choisit de s'en tirer par une pirouette.

– Bah, quoi de plus naturel quand on est sain de corps et d'esprit ! Je ne fais pas dans la tartuferie. Mais j'aimerais que tu me dises ce que tu fuis.

– Ce que je fuis ? répète la jeune femme d'une voix montée à l'aigu.

– Bien sûr, reprend le pirate. Tu te caches sous le nom d'un autre, tu vis la vie d'un autre... C'est que tu as peur de quelque chose ou de quelqu'un.

– Et Ann ? fait-elle en la désignant d'un mouvement de la tête. Elle fuit quoi, elle ?

– Ma vie passée, annonce Bonny. J'ai laissé un mari sur l'île de la Providence[1], et un enfant à Cuba. Un enfant de

1. Aujourd'hui l'île de la Nouvelle-Providence, dans les Bahamas.

Rackham, précise-t-elle. Je fuis le châtiment que l'on prononce à l'encontre d'une femme adultère. Je fuis l'esprit de famille... Bonn le flibustier n'a plus ni époux ni progéniture.

– Quand tu redeviens Ann, tu retrouves pourtant un galant, rappelle Mary.

– Un galant, ça porte à croire à la liberté, au contraire du mari qui pèse tel un boulet. Et toi, qu'est-ce que tu veux laisser derrière toi ?

– Une poupée. Une poupée enterrée dans un trou, et qui ancrait sur moi ses yeux de mica pendant que je lui envoyais des pelletées de terre.

Un silence. Rackham fait une moue. « C'est tout ? » pense-t-il.

– J'ai enseveli la fille pour faire renaître le frère. Ma mère ne voulait plus de Mary.

– Il te faudra d'autres images violentes pour arracher celle-ci de tes souvenirs, reconnaît Ann, qui paraît mieux comprendre.

– Voilà pourquoi la guerre et l'abordage me comblent. Aussi, ne me débarque pas dans une île, John ! Ne sors pas la poupée de son trou pour y rejeter Willy !

L'homme ouvre la bouche pour répondre, quand une cavalcade dans la coursive retient ses mots. Deux coups sourds à la porte. Rackham éructe une question.

– Une frégate en vue ! avertit la voix de Brazil. Elle nous arrive dessus. Elle incline par tribord et montre des signes d'avarie. Je crois que c'est le navire de Charles Vane.

– Le *Pearl* ? s'écrie Calico Jack en bondissant de son siège C'est le Diable qui nous l'envoie !

Les deux femmes sur les talons, il se précipite sur le pont, regarde dans la lunette et étudie le vaisseau qui donne de la gîte.

– C'est bien le *Pearl,* confirme-t-il. Les voiles sont déchirées, et il y a des morts sur le tillac. La roue du gouvernail est encordée, le timonier est étendu à ses pieds. C'est un abordage qui a mal tourné, ou bien Vane a eu maille à partir avec une escadre. Donne l'ordre au pilote de changer de cap pour nous placer bord à bord avec la frégate, et naviguer dans le même sens ! dit-il au bosco.

Les ordres s'envolent. Le *Kingston* vire de bord en décrivant un large cercle, et il s'approche du *Pearl.*

– C'est étrange, relève Bonn. Son gréement est endommagé, mais la coque ne porte pas de traces de coups.

– Il aura pris une salve au niveau de la ligne de flottaison, suppose le capitaine, voilà pourquoi le navire reste engagé. Il doit embarquer la mer.

Le brigantin réduit sa voilure pour adopter l'allure du *Pearl,* et il vient se ranger contre lui.

– Arme au poing ! rugit Rackham. Passez sur la frégate !

Des pirates jettent des passerelles entre les bâtiments, tandis que d'autres – dont Mary – grimpent dans la mâture, détachent des drisses et, se balançant et traversant les airs, viennent s'agripper aux bas haubans du *Pearl.* La jeune femme atterrit sur le pont au moment où Rackham et quelques autres prennent pied sur le vaisseau de Vane. Une hache et son sabre à la main, elle promène son regard sur les corps, cherchant le capitaine.

– Je me demande où est passé le reste de l'équipage, marmonne-t-elle.

– La batterie doit regorger de cadavres, dit Tupi. Le combat a dû se poursuivre dans l'entrepont.

– J'ai l'habitude des champs de bataille, reprend Mary, et de l'odeur infecte qui s'en dégage. Le *Pearl* ne sent pas la mort. C'est pas normal.

– L'attaque est donc toute récente, déduit l'Arawak.

Rackham approuve par un hochement de tête, et il fixe

l'océan de tous côtés pour déceler la présence d'un ennemi. Mais la mer est vide, d'un bleu uni aussi désert que le ciel azuré.

– Y a toujours des blessés qui gémissent après un affrontement, fait remarquer Bonn. Or ici, c'est le silence.

– Sont tous morts ! déclare Walter Rouse. Charles Vane et toute sa clique ! Y a des traces de sang partout.

– Brazil, Willy, Tupi, descendez voir ce qu'il y a là-dessous ! Bonn, Rouse et moi, on jette un œil sous la dunette. Les autres restent sur le tillac.

Read est la première à s'engager sur l'échelle d'écoutille qui mène à la batterie. Et tout de suite, elle tique.

– Mais... il n'y a aucun canon à bâbord !

Toutes les pièces d'artillerie sont en effet collées contre le bordage de droite, et les corps entassés du même côté.

– C'est un piège ! hurle Tupi en lâchant un coup de feu dans la masse.

L'homme atteint pousse un cri et tressaute. « Les morts » se relèvent brusquement.

– Redressez le navire ! braille Charles Vane tandis qu'un groupe fonce sur les trois pirates de Calico Jack.

Brazil décharge ses deux pistolets dans des gueules rugissantes, puis Mary tranche une gorge et fend un crâne en faisant tournoyer ses armes. Et pendant que l'on bataille au pied de l'échelle, les hommes de Vane repoussent les canons à bâbord, rendant son équilibre au *Pearl* et rehaussant du même coup la batterie de tribord. Les mantelets des sabords s'ouvrent en claquant contre la coque. Les artilleurs boutent le feu aux mèches, et une terrible bordée de tribord hache le flanc du *Kingston*, emplissant l'espace d'une épaisse fumée. La jeune fille ferraille à se rompre les bras quand elle est tirée en arrière. Brazil et Tupi l'ont saisie chacun sous les aisselles, et ils la soulèvent pour la hisser en haut de l'échelle. Puis ils font retomber le panneau d'écoutille et, à croupetons devant le couvercle à claire-voie, mitraillent à bout portant ceux qui tentent de gravir les échelons.

Sur le tillac du *Pearl*, tous les corps se sont relevés, et ils assaillent la bande de Rackham. Il en sort de sous la dunette, du gaillard d'avant, des rouleaux de cordages... Mais John et les siens les reçoivent à la pointe de l'épée. La salve a fait voler en éclats la coque du *Kingston*, bousculant ses canons et fracassant les épontilles et les emplantures des mâts. Une seconde volée de boulets gronde en tonnerre et démembre le brigantin. Les ponts s'écroulent dans des craquements d'os, le grand mât se déchausse et s'abat sur le mât de misaine, déchirant les voiles. L'équipage de Rackham comprend que le vaisseau est perdu. Le *Kingston* est éventré, la mer court dans ses cales, le bâtiment s'incline, précipitant les passerelles dans les flots. Alors, abandonnant le navire, les hommes jettent des grappins pour aller se réfugier sur le bateau de Vane. Certains plongent dans la mer, craignant que les barils de poudre n'explosent tout à coup.

– Dégagez le *Pearl* ! s'égosille Calico Jack. Qu'il ne saute pas avec le *Kingston*.

Grossie des hommes qui enjambent la lisse de bastingage, sa troupe culbute les matelots de Vane et se rend rapidement maîtresse du pont supérieur. Épaule contre épaule, Mary et Ann réduisent à coups de sabre un carré de résistance. Les lames coupent des mains, arrachent des oreilles, taillent dans les joues, percent des poitrines. Le bras lourd, Bonn met soudain son sabre entre les dents, dégaine ses deux pistolets et tue leurs deux derniers adversaires d'une balle en pleine tête.

– Le *Pearl* n'est pas encore à nous ! avertit Brazil comme le timonier écarte la frégate du *Kingston*, qui commence à couler par l'arrière. Vane et le gros de ses marins sont dans l'entrepont, et ils se garent de nos projectiles. Va falloir les travailler au corps-à-corps !

– Ils ont retiré l'échelle pour nous empêcher de descendre, signale Tupi. Je parie qu'ils veulent attendre la nuit pour défoncer le panneau et se répandre sur le navire.

– Cette nuit, ils seront tous morts ou se seront ralliés à moi, garantit John Rackham.

Il établit une dizaine d'hommes autour de l'écoutille, la pétoire prête à tirer au moindre mouvement, dessous, puis il va se pencher au bastingage pour encourager ceux qui ont plongé pour saisir les cordes que leur lancent leurs camarades. Des bulles gigantesques et un horrible gargouillement s'échappent du ventre du brigantin. Le *Kingston* n'est plus qu'une carcasse qui s'abîme dans les flots. La mer se creuse en remous, animant le navire décharné d'un mouvement circulaire. La poupe a disparu sous l'eau, les mâts brisés sont couchés sur la surface ; seuls la figure de proue et le beaupré se dressent encore telle une énorme queue de baleine...

– Maudit Charles Vane ! enrage Calico Jack. Tu as détruit mon vaisseau, je m'empare du tien, mais je perds au change. Tu vas regretter d'avoir croisé ma route.

Le *Kingston* s'enfonce, tout droit, aspiré par les profondeurs. L'océan se referme sur lui. Du bâtiment, il ne subsiste que des planches éparses, et quelques cadavres qui tournoient, entraînés dans une ronde sinistre provoquée par l'engloutissement.

Rackham se plante ensuite devant l'écoutille, arme les six pistolets qu'il porte dans deux baudriers entrecroisés sur sa poitrine, puis il commande à Tupi :

– Soulève le panneau ! Nous allons très vite savoir qui est maître à bord, nom d'un canon !

L'Indien s'exécute. Le capitaine plonge à pieds joints

par l'ouverture et ouvre immédiatement le feu. Bonn saute derrière lui, puis Mary, Brazil, Walter Rouse, Cole et plusieurs autres. L'entrepont résonne d'une pétarade assourdissante. Surpris, les hommes de Vane n'ont pas eu la présence d'esprit de se jeter à couvert entre les pièces d'artillerie. La mitraille en fauche une bonne dizaine, et en blesse un grand nombre. Les pirates de John lâchent leurs pistolets vides et, sabre au clair, ils chargent l'adversaire. Bondissant par-dessus le fût d'un canon, Mary frappe à hue et à dia, hurlant de toute sa gorge, puisant de nouvelles forces dans chaque ahan, dans chaque cri de douleur, dans la résistance même de l'ennemi. Elle se bat sans haine aveugle, avec sang-froid et précision, et un matelot la voit sourire avant qu'elle ne lui perce la main et ne fasse voler sa rapière. Les flibustiers bataillent dur autour d'elle, gênés par le plafond bas et les poutres dans lesquelles ils se cognent et qui dévient les coups. Acculé entre deux canons, Vane s'épuise à contenir l'assaut conjugué de Rackham et de Bonn. L'air vibre du tintement des lames et des clameurs ; des corps jonchent le sol, et il n'y a pas un espace où poser ensemble les deux pieds. Les combattants piétinent des bras, marchent sur des ventres, écrasent des nez, comme s'ils menaient deux batailles : l'une du talon, l'autre de l'épée.

Blessé au visage, la lame de Bonny sur la gorge, Charles Vane laisse choir son sabre. Brazil est obligé de hurler afin que les marins du *Pearl* prennent conscience que leur chef s'est rendu. Alors toutes leurs armes tombent avec un martèlement métallique. L'échelle est redressée, puis les hommes remontent sur le tillac, les vainqueurs poussant les vaincus vers le gaillard d'avant. Calico Jack se plante devant Vane, croise les bras et lui demande d'une voix rogue :

– Qui t'a fait si hardi pour m'attaquer de face ? Tu as

dû enivrer ton équipage avec de belles promesses pour le décider à s'en prendre à d'autres Frères de la Côte. Te connaissant, tu étais juste bon à lâcher quelques boulets contre moi et à t'enfuir au plus vite.

– Ce sont Feak et Aldcroft qui m'ont payé pour que je les débarrasse de toi, confesse le pirate. La cargaison de nègres du *Shark* leur était destinée. Tu leur as volé les quarante meilleurs, et lorsque Corner est arrivé à Kingston, il ne lui restait plus que la moitié des esclaves, les autres ayant été tués lors de la mutinerie que tu as provoquée à son bord. Les survivants étaient dans un tel état que les marchands n'ont pas osé les proposer aux planteurs. Tu es devenu gênant pour ces messieurs de la Jamaïque, John, et je ne doute pas que le gouverneur Hamilton ne lance bientôt une chasse contre toi.

– Pas seulement contre moi, ricane Rackham. C'est le *Pearl* que je commande à présent.

– Quoi ? Que... qu'est-ce que tu veux dire ? bredouille Vane.

– Que ta corde va pendre à côté de la mienne, sur la potence ! Enchaîne-moi ce gaillard dans la cale ! ordonne-t-il à Walter Rouse. Quant à vous, fieffés coquins, poursuit-il en s'adressant aux hommes de Vane, vous avez le choix entre grossir mon équipage ou aller engraisser les requins ! Que décidez-vous ?

Tous se rallient à lui et prêtent serment de fidélité. Après quoi, les morts sont jetés par-dessus bord, les blessés confiés aux soins de Bonn et de Cole, puis les voiles déchirées sont remplacées dans la mâture. Le *Pearl* vire vent devant et prend la direction de la Jamaïque.

– Qu'as-tu l'intention de faire ? s'enquiert Brazil.

– Rendre à Feak et à Aldcroft la monnaie de leur pièce, annonce Calico Jack.

– Ça nous rapportera quoi, à nous ?

– Une raison de plus de savoir pourquoi vous exécuterez un jour la danse sans plancher.

*
**

Arborant le pavillon de l'Union Jack, le *Pearl* pénètre dans la rade en naviguant aux huniers. Rackham est à côté du timonier, Ann et Mary sont appuyées à la rambarde de la dunette, et Brazil est posté devant l'écoutille, prêt à reverser les commandements à Tupi, dans l'entrepont. Les canons sont bourrés jusqu'à la bouche de boulets ramés ou chaînés, ceux du tillac de grenaille de plomb et de clous. Au lieu de se diriger vers l'appontement, le navire longe une série d'entrepôts... ceux de la Compagnie Feak et Aldcroft.

– C'est le moment ! s'exclame le pirate. Que le Diable soit de la partie !

– Feu par tribord ! hurle Mary, les mains en porte-voix.

Le bosco fait rebondir l'ordre dans la batterie. Les canonniers enflamment les mèches. Le tonnerre secoue le flanc du *Pearl* quand l'artillerie crache sa charge. La seconde d'après, les bâtiments s'écroulent dans une envolée de poussière. Maniant l'écouvillon et le refouloir, les hommes nettoient l'intérieur des pièces, tassent à nouveau leur mesure de poudre, engagent les projectiles et lâchent une nouvelle bordée. Les entrepôts suivants volent en éclats. Des tuniques rouges apparaissent sur le quai et tirent des salves de mousquet en direction du vaisseau. Walter Rouse fait gronder les deux canons de proue, arrosant le dock de mitraille. Les soldats se replient, le débarcadère se vide. Le *Pearl* pivote sur sa quille, puis il crache une nouvelle canonnade par bâbord. Cette fois, c'est la demeure de Feak et une aile du palais du gouverneur qui sont touchées.

– Hissez le pavillon noir ! crie John Rackham. Qu'Hamilton comprenne bien que la guerre est déclarée entre la flibuste et lui !

Tupi dirige plusieurs tirs contre les navires marchands amarrés dans le port afin de répandre la panique. Terrifiés, les marins sautent à la mer pour ne pas être écrasés par les gréements qui s'effondrent sur les ponts.

– Il faut quitter la rade avant qu'ils ne remontent la chaîne, prévient Bonn.

Le capitaine commande la manœuvre. Mary grimpe dans la mâture avec les gabiers. Tous les ris sont largués. Les basses voiles se gonflent à la brise, doublant la vitesse du *Pearl.* Deux détonations éclatent coup sur coup du fortin. Les boulets hachent la mer à un jet de pierre du navire.

– Maintenant que nous avons endommagé les bateaux du port, les soldats ne craignent plus de tirer, remarque Ann Bonny. Même s'ils fauchent une galère de négrier, c'est nous qu'ils rendront responsables.

– C'est Charles Vane ! corrige Calico Jack. Nous, nous sommes censés courir les mers sur le *Kingston.*

Ils avisent des cavaliers qui galopent vers le poste établi en avant de Port-Royal. Ce sont les hommes chargés d'actionner le treuil qui va tendre la chaîne, reposant pour l'instant sur le fond. *Boum ! Boum ! Boum !* Tupi stoppe leur cavalcade : hommes et bêtes mordent la poussière. Le tonnerre enfle sur la colline qui domine les toits de la ville. L'artillerie anglaise soulève des geysers autour du vaisseau pirate. Un boulet crève une voile, un deuxième arrache un morceau de la lisse de pavois, un troisième passe en sifflant au-dessus de la vergue de cacatois, manquant emporter la flèche où est fixé le Jolly Roger.

Agrippée dans les haubans, Mary décharge ses pistolets en direction du fort. Non qu'elle espère atteindre son but, mais c'est une réplique symbolique, une façon de partager la vengeance de Rackham ou de lancer un défi personnel aux autorités.

Le *Pearl* sort de la rade et s'offre au grand large, tandis que les canons donnent toujours de la voix et que les projectiles piochent les flots.

– Ils continuent de tirer car ils croient nous chasser, relève Bonn. Un peu comme un chien de garde pense faire fuir l'intrus à force de grognements.

– Qu'ils aboient donc ! s'esclaffe Calico Jack. Et que les îles prennent peur désormais ! Ce que j'ai accompli aujourd'hui, c'est un acte de rébellion contre le roi. Je veux que la flibuste cesse d'être la pourvoyeuse des marchands, et qu'elle œuvre pour elle seule ! À nous l'or des Incas, les pierreries des Aztèques et les brocarts d'Europe ! Ce sont nos coffres que nous allons remplir. C'est nous qui allons devenir des princes et des rois !

Des exclamations de joie et des vivats crépitent sur tout le navire. Le capitaine réclame une bouteille de rhum, la brise sur le pont et déclare :

– Le *Pearl* s'appelle dorénavant le *Sans-Pitié* ! C'est plus beau en français qu'en anglais, précise-t-il pour expliquer le choix de ses mots.

Les canons se sont tus depuis longtemps. La Jamaïque n'est plus qu'un trait entre le ciel et l'océan. Campé en maître sur la dunette, Rackham toise de haut Charles Vane, que l'on vient d'extirper de la cale. Bonn tend un morceau de planche à John.

– C'est un éclat du *Kingston* ! indique celui-ci en le jetant aux pieds de Vane. Il est retombé sur ce navire quand tes canons ont déchiré ma coque. Je te le donne.

– Que veux-tu que j'en fasse ?

– Ton vaisseau, ton épave, ton radeau ! Car c'est le seul élément flottant auquel tu pourras te cramponner pour sauver ta vie. Je ne sais pas vers quelles terres la marée te drossera, mais si tu atteins la Jamaïque, je doute que Feak, Aldcroft ou Hamilton ne prêtent la moindre oreille à tes explications. Si la mer a pitié de toi, elle te bouffera avant la fin du jour. Allez ! achève-t-il en accompagnant son ordre d'un geste.

Deux pirates empoignent Vane et, coupant net ses lamentations, ils le précipitent à l'eau.

– Ton navire ! raille un troisième en lui envoyant la planche dès qu'il refait surface. Noues-y un de tes bas en guise de pavillon !

Le *Sans-Pitié* s'éloigne, la tête de mort claquant au vent, pour une course silencieuse sur des eaux de lumière.

CHAPITRE 25

DANS L'OMBRE DE L'ORDONNANCE

Trois ans. Trois ans que la bande de John Rackham écume la mer des Caraïbes. Trois ans qu'elle pille et coule les sloops des îles et les navires marchands d'Espagne ou d'Angleterre. Trois ans que le gouverneur de la Jamaïque a lâché ses chiens de mer contre les pirates. Car il en sort, des pirates, comme d'une boîte du Diable! Barbe Noire, Martel, Bellamy, Bonnet, Worley et tant d'autres, auxquels il faut ajouter Charles Vane sauvé par un pêcheur de tortues. Tous d'un courage égal à leur cruauté.

À force d'abordages, Calico Jack s'est constitué un joli butin. Point de trône en or ni de statues en argent, mais des étoffes précieuses, de la vaisselle, un coffre rempli de réaux[1], des bijoux et des objets de culte, croix et calices en or sertis d'émeraudes et de rubis... En cet été 1718, John, Bonn, Mary, Walter Rouse et deux autres hommes approchent de la source du rio Jibacoa, dans la sierra Maestra,

1. Ancienne monnaie espagnole.

au sud-est de Cuba. Le flanc de la montagne est couvert d'une forêt tropicale qui s'éclaircit avec l'altitude. Mary Read peine dans la montée, mais pour rien au monde elle ne réclamerait de l'aide. Tous marchent en silence, des pelles et des pioches sur les épaules.

– C'est ici ! annonce Rackham.

Devant lui, la forêt a fait place à une petite clairière marquée par un gros rocher en son milieu.

– À vos outils ! commande-t-il. Willy, va te poster près des arbres ! ajoute-t-il pour éviter que la jeune femme ne brise ses os à la tâche. Et toi, Bonn, surveille le raidillon qui descend du sommet ! Je n'aimerais pas me faire surprendre par un berger ou un bûcheron. Les pirates piochent autour de la roche pour en dégager le socle, puis ils glissent des branches sous l'énorme pierre et la font rouler sur le côté. Après quoi ils commencent à creuser et mettent à jour un coffre enveloppé dans une toile goudronnée.

– Nous n'avons besoin que de ce coffre, déclare Calico Jack. Les soieries, les bijoux et les pièces d'orfèvrerie ne sont pas monnayables pour l'instant. Il serait en effet malvenu d'essayer de les vendre et d'attirer l'attention sur nous, alors que notre dessein est justement de bénéficier de la grâce royale.

– D'autant qu'ils ne sont pas cachés ici, précise Bonny en revenant.

Le trou est rapidement rebouché, et le rocher remis en place. Deux hommes saisissent le coffre par ses poignées, puis la petite troupe reprend le chemin du retour. Arrivés au pied du massif, ils retrouvent la chaloupe laissée à la garde de Cole, y embarquent et descendent le rio jusqu'au golfe de Guacanaybo, où les attend le *Sans-Pitié*.

Sur le navire, les matelots poussent des cris de joie en apercevant l'esquif qui ramène leur capitaine et surtout le coffre rempli de réaux. Certains exécutent même quelques pas de danse.

– Allez, bande de fainéants ! les sermonne Brazil. Lancez l'échelle de coupée, ainsi que les filins pour remonter la chaloupe !

Peu après, toute la bande est réunie sur le tillac, formant un cercle autour du coffre.

– Tu es sûr de ton choix ? hasarde Bonn.

En guise de réponse, John Rackham s'adresse à l'équipage.

– Frères de la Côte, le roi George Ier vient de rendre publique une ordonnance par laquelle il promet son pardon aux sujets de Grande-Bretagne ayant commis des actes de brigandage en haute mer, à la condition qu'ils se rendent à ses gouverneurs avant la date du 5 septembre de l'année 1718 de Notre-Seigneur.

– Nous le savons, lâche un homme, c'est bien pour ça que...

– Passé cette date, poursuit Calico Jack sans tenir compte de l'interruption, tout pirate ayant refusé ou oublié de se rendre, sera traqué sur toutes les mers, tué les armes à la main ou pendu.

– L'Angleterre espère se débarrasser de la flibuste en la faisant rentrer dans le rang, résume Mary.

– La grâce royale ou les chiens de mer, complète Ann. Je crois que nous vivons nos derniers jours de vraie liberté.

– Ce coffre renferme votre part du butin, indique le capitaine. Le choix vous appartient encore : si vous vous rendez, chacun d'entre vous recevra l'argent qui lui revient, et il fera de sa vie ce que bon lui semblera. Dans le cas contraire, je retourne enterrer le coffre, et le *Sans-Pitié* reprend sa course.

– Si nous nous rendons au gouverneur de la Jamaïque,

lui, Feak ou Aldcroft trouveront le moyen de nous faire assassiner, redoute Cole.

– Aussi, je vous suggère d'aller déposer les armes à la Providence, chez le capitaine Woodes Rogers, le gouverneur de l'île. Quelle est votre décision, mes frères ?

Toutes les mains se lèvent pour réclamer la reddition.

– Et toi, Willy ? interroge John, qui voit Mary hésiter.

– Le choix de l'équipage est faussé par la présence du coffre sous ses yeux. Jette-le à la mer et repose ta question ! La réponse sera différente.

– Tais-toi, Read ! grogne Walter Rouse. Si not' vote te convient pas, tu peux nous laisser ta part et aller affronter seul tous les chiens de mer que l'Angleterre lancera à tes trousses.

– Que ferons-nous une fois à terre ?

– Vivre entre les dames-jeannes et les Dalila ! glousse un forban.

– Justement... s'angoisse la jeune femme en coulant un regard désespéré à Ann Bonny.

Mais celle-ci ne réagit pas. « Ces damnés couards se couchent devant l'or, peste Mary. Qu'est-ce que je vais devenir ? Il n'est pas question que je m'enroule dans une robe de femme et que je me promène sous une ombrelle pour attirer l'œil des mâles. Willy je suis, Willy je reste ! Mais je n'irai pas m'engager dans l'armée pour aller combattre d'autres pirates ou les Peaux-Rouges sur le continent. » Bonn lui touche le coude, et murmure à son oreille :

– Tu peux rester avec Jack et moi. Nous allons nous acheter une petite maison à la Providence...

Mary ne sait que dire. Rackham a ouvert le coffre, et il procède déjà au partage, selon le mérite de chacun.

– Ton dû, Willy ! fait-il en lui jetant un petit sac bourré de pièces.

Elle l'attrape au vol, bien consciente que son geste vient de parler pour elle.

– Évitez de perdre votre argent aux dés ! lance Brazil quand le partage est terminé. Si vous vous retrouvez sans caleçon, le gouverneur aura une bonne raison pour vous serrer dans ses cachots.

Il colle alors ses hommes à la manœuvre, larguant les voiles et les bordant plat, puis le navire contourne le littoral et met le cap au nord, naviguant au plus près tribord amures.

Des jours plus tard, quand le *Sans-Pitié* atteint l'île de la Providence, Calico Jack réclame le pavillon noir et va s'isoler dans sa cabine.

– Qu'est-ce qu'il fait ? s'étonne Mary.

– Je le soupçonne de vider une bouteille de tafia en s'adressant au Jolly Roger, suppose Ann Bonny. Il doit avoir quantité de souvenirs à lui raconter.

Pourtant, c'est un capitaine en pleine possession de ses moyens qui réapparaît presque aussitôt.

– Tous à terre ! ordonne-t-il quand le navire s'amarre à quai. Le *Sans-Pitié* ne nous appartient plus. Je vais aller déposer la liste de nos noms chez le gouverneur et lui assurer que nous quittons la flibuste. Après cela, vous ne serez plus considérés comme des forbans.

Les matelots abandonnent le navire et se rassemblent dans le port. Pas un, cependant, n'ose s'écarter de ses compagnons, bien qu'ils soient tous dégagés de leur contrat. Ils ont peur de leur nouvelle vie et regardent la ville comme si elle n'appartenait pas à ce monde. Rackham revient peu après et leur remet à chacun leur lettre de grâce. Des soldats l'accompagnent, qui désarment les pirates, puis montent sur le vaisseau. Les marins restent bras ballants, se dandinant d'un pied sur l'autre, mal à l'aise dans leur corps.

– Je me sens tout nu sans sabre et sans navire, souligne l'un d'eux.

– Allons boire un coup et lever quelque garcette ! propose Walter Rouse.

Ça, ils savent faire, les bougres ! L'avenir, c'est la taverne. Après, quand ils n'auront plus un seul maravédis en poche... mais ils ne pensent pas jusque-là. Le rêve pirate ne dépasse pas l'instant présent. Ils se défont par groupes, non sans jeter des coups d'œil en arrière sur le *Sans-Pitié* tombé sans lutte aux mains du roi.

– Viens, dit Bonn en posant sa main sur l'épaule de Mary.

Le mot est simple et n'implique pas de réponse. John croit utile d'ajouter :

– Nous vivrons comme sur le navire. Tu auras ta chambre et tu mèneras l'existence qui te plaira. Si un jour tu décides de lever l'ancre pour suivre un autre courant, personne ne te retiendra à bord... Tu souris ?

– Tu as encore les pieds sur le tillac, fait observer la jeune femme. Va falloir que tu apprennes à t'exprimer comme un terrien.

*
* *

Les jours se traînent, lourds d'ennui et du cri incessant des mouettes.

Dans les premiers temps, Mary Read se rend fréquemment dans le port pour assister au grand carénage du *Sans-Pitié* rebaptisé le *Royal*. Elle y rencontre plusieurs de ses compagnons, s'assoit avec eux sur les bornes d'amarrage et écoute la mer. Le flot qui vient battre le quai leur rappelle le choc des vagues contre la coque, et ils cherchent instinctivement à contrôler le mouvement du tangage et du roulis. Mais le sol est ferme sous leurs pieds. De pierre bien dure. Figé comme la mort. Alors ils se relèvent, maladroits, presque chancelants, pareils à des albatros échoués et embarrassés par leurs ailes.

– Que fait John ? demande l'un.

– Il s'entraîne à fumer la pipe sur le devant de sa maison.

– Rien d'autre ?

– Non. L'océan roule toujours dans sa tête. Les voisins savent que nous sommes d'anciens pirates, alors ils nous évitent. Nous sommes comme sur une île déserte... Et vous ?

– Certains se sont engagés sur des navires marchands, répond Tupi. Je ne les comprends pas. Ils vont à nouveau bouffer des rats et goûter du chat à neuf queues. C'est justement ce qu'ils avaient fui en rejoignant Rackham.

– Z'avaient perdu tout leur argent au jeu, déclare Walter Rouse. Nous a bien eus, l'ordonnance. Nous a mis plus bas que terre. Maudit soit le roi !

Les jours, les semaines, les mois s'étirent, paresseux comme des nuages. Calico Jack et Bonny sont assis sur des chaises, les pieds posés sur la balustrade devant leur maison. Mary lance des cailloux droit devant elle quand elle est fatiguée de viser les arbres.

– L'argent s'épuise, grommelle Ann. Nous ne tiendrons pas éternellement si nous nous contentons de chauffer nos orteils au soleil.

– Je possède encore un beau butin à Cuba, mais les Français, les Hollandais et les Anglais veulent s'emparer de l'île, et ils multiplient leurs attaques contre elle. Attendons que le jeu se calme par là-bas, et nous irons exhumer le restant de nos richesses.

– J'espère que tu achèteras une terre sur laquelle tu feras travailler des esclaves.

– Je sais commander un équipage, mais je ne m'y connais pas en plantation.

Ann soupire.

– J'ai l'impression de passer ma vie dans un bain chaud, ronchonne-t-elle.

– Beaucoup de femmes aspirent à ce genre d'existence.

– Mais je suis Bonn ! siffle-t-elle. Et Willy doit en avoir marre de lancer des cailloux d'un endroit à un autre, lui aussi. Il n'y a que nos parties de chasse qui ont l'air de le regonfler un peu.

Quatre silhouettes entrent dans la lumière et viennent stopper leurs ombres devant le tas de cailloux. Mary lève les yeux. C'est Brazil et trois anciens membres de l'équipage.

– Charles Vane a été pendu, annonce le bosco. Il ne s'était pas rendu. Une tempête l'a rejeté sur une île non loin de la baie du Honduras. Il a réussi à embarquer sur un navire mais, reconnu par un marin, il a été livré au gouverneur de la Jamaïque. Son procès a été promptement expédié.

– Quand le nœud se referme autour du cou, la mort n'est plus qu'une question de secondes, dit la jeune femme. C'est certainement préférable à ce long pourrissement qui nous endort ici.

– Les abordages te manquent, Willy ?

– Je m'empâte. Je prends des hanches de femme.

Brazil émet un léger ricanement, Tupi lui décoche un regard acéré, et les deux autres évaluent ses formes.

– Y a de quoi confondre, en effet ! Ah, si t'avais des seins et une cacahuète entre les jambes ! plaisante un gars. C'est comme pour Bonn...

– John et lui sont là ! se hâte d'indiquer Mary avec un mouvement de la tête.

– On les voit, souffle Tupi. J'espère qu'il leur reste une jacqueline de rhum. La marche m'a asséché le gosier.

« Tu t'ennuies à ce point que tu appelles le danger ? » s'offusque le garçon dans le crâne de Read.

« Ça n'a plus d'importance à présent. Si ces quatre-là l'apprennent, ils en feront des gorges chaudes, tout au plus. Mais ne crains rien, je n'ai pas l'intention d'éteindre ma vie devant des fourneaux et des casseroles. Mary Van de Kees est bien morte à Breda. Mary tout court aussi, je te rassure. »

« Alors ne joue pas avec le Diable ! conseille une partie de son cerveau. Ses dés sont toujours pipés. »

Tard le soir, la maison résonne encore de chansons de matelots, comme sur le pont d'un navire. Puis elle se tait d'un coup quand les hommes sombrent dans un sommeil lourd, assommés par l'alcool. Assise devant la porte, dans un silence d'étoiles, Mary se laisse pénétrer par le froid de la nuit. Ann vient s'asseoir près d'elle, un carafon à la main.

– Tu n'as pas assez bu ?

– Non, répond Bonn. Je crois qu'il n'y a pas assez de tafia sur cette île pour arriver à donner à ce sol la souplesse de la mer.

Elle passe un bras autour de la taille de son amie, laquelle pose sa tête au creux de son épaule. Elles demeurent ainsi un long moment, sans parler.

– Je crois que nous n'avons pas pris la bonne décision. Nous aurions dû garder nos sabres et notre dignité, murmure Ann. Nous n'avons rien à faire à terre.

– Si ce n'est pleurer, exhale Mary, si ce n'est pleurer...

Dans les jours qui suivent, ce qui reste de l'équipage de John Rackham délaisse les tavernes de la Providence pour se resserrer peu à peu autour de son ancien capitaine. Ils n'investissent pas la maison, non, mais ils s'établissent à l'entour, disparaissant parfois pour revenir, chassant et boucanant... Ils tournent autour de John comme une chèvre autour de son piquet.

– Qu'est-ce qu'ils espèrent ? demande un jour Bonny. Qu'un navire va nous pousser sous les pieds ?

– Je représente une partie de leur vie, répond Calico Jack. Comme ils n'en voient aucune autre devant eux, ils se rattachent à leurs souvenirs. Nous sommes tous les souvenirs les uns des autres.

– C'est bien vrai, appuie Mary. Mais les propriétaires voisins voient d'un mauvais œil ce qu'ils appellent déjà un rassemblement de crapules. Je pense que nous n'allons pas tarder à voir rappliquer les tuniques rouges. Ça me plairait bien de leur enfoncer le casque sur la tête à grands coups de poing.

– Tu retombes en enfance, Willy, rétorque Rackham en fronçant les sourcils.

– Je n'ai pas l'impression d'être autre chose que votre fils, à tous les deux. J'ai la nette sensation que, ici aussi, on me vole ma vie. Et on te vole également la tienne, John. De terreur des mers, te voilà rabaissé au rang de ver de terre ! Où est le terrible Rackham ? Pas même fichu de planter une pousse de canne à sucre ! T'es pas responsable, t'as pas les os pour ça ! termine-t-elle.

Rouge de colère, l'homme a bondi de son siège et il porte la main à son côté, cherchant instinctivement son sabre.

– Je vais te faire bouffer tes paroles, fille de catin !

– Bien, bien, applaudit Mary. La sève remonte. Calico Jack se démarque enfin d'un sac de farine.

– Ça va ! s'interpose Ann.

– Laisse-le se ruer sur moi ! dit son amie. Nous avons un duel à finir. Et cette fois, il n'est pas question que je me couche !

– John ! Ne te bats pas contre une femme ! conseille Bonny. Tu n'en retireras aucune gloire.

– Surtout si tu prends une bonne dérouillée ! claironne Read en agitant les poings.

– Je me range du côté de Mary, prévient Ann. À deux, nous allons te fourrer la tête dans la souille. C'est cette image que tu veux laisser aux hommes qui nous regardent ?

Rackham jette un coup d'œil par-dessus son épaule. Dressés à contre-jour, les pirates forment une ligne sombre en limite de propriété.

– C'est pas permis de laisser des guerriers comme eux se transformer en chasseurs d'iguanes, marmonne-t-il. C'est un vrai gâchis.

– Vive le roi George ! clame Ann Bonny, amère. Tu peux baisser ta garde, Willy, le sac de farine est secoué par sa conscience.

Passent les jours. Jusqu'au matin du 27 avril 1719. Ce jour-là, une nouvelle court avec le lever du soleil, annonçant que le gouverneur Woodes Rogers équipe des armateurs pour croiser contre les Espagnols, et qu'il réclame des marins chevronnés. Quand l'information parvient à John Rackham, ses hommes entourent déjà sa maison, fiers dans leurs guenilles, des bâtons à la main en guise de sabres.

– Vous êtes beaux, leur dit le capitaine. La mer vous appelle et vous répondez au premier bruissement de la vague. Vous êtes de cette espèce dont on façonne les princes.

Les hommes attendent. Ils apprécient les paroles de leur chef, mais cela ne leur suffit pas. Un ordre doit voler, clair et sonore, dans ce matin de printemps. Mary le prononce silencieusement en remuant les lèvres.

– Chez le gouverneur ! lance Rackham. Et que l'océan s'ouvre à nous !

Le *Swallow*, un sloop de quarante tonneaux, quitte la Providence en ce mai de l'an 1719, avec à son bord la bande de Rackham placée sous les ordres du commandant Taylor, un officier de Sa très gracieuse Majesté George Ier. De braves marins et des soldats complètent l'équipage, ces derniers gardant un œil sur les anciens forbans. L'île disparaît au nord, et la mer redevient l'unique horizon, de quelque côté que l'on se tourne. Sur un signe de Calico Jack, ses hommes se dispersent sur le navire, les uns allant s'appuyer négligemment sur la lisse de bastingage, les autres se rendant dans l'entrepont, les derniers grimpant dans la mâture... Installée sur les bas haubans, Mary détache une drisse et la conserve dans sa main. Il règne sur le *Swallow* une atmosphère de calme, toutes les voiles étant déployées à allure portante, avec le vent sur travers bâbord. Un calme étrange pourtant, presque minéral, figeant les matelots dans l'éblouissante clarté du soleil. La voix de Brazil éclate tout à coup, déchirant le velours de l'air.

– À nous, Frères de la Côte !

Dans un beau mouvement d'ensemble, chaque pirate assaille aussitôt le soldat qu'il s'est choisi. Surprises, plusieurs tuniques rouges se laissent arracher leurs armes. D'autres ont la présence d'esprit de pointer leur baïonnette sur l'adversaire, et d'en embrocher un ou deux. Des détonations crépitent, des sabres tintent. Mary et quelques autres volent à travers le gréement et s'abattent sur ceux qui résistent. Les armes qui tombent sont immédiatement récupérées par les mutins et dirigées contre les soldats. Le sang gicle des gorges et des poitrines, des marins terrorisés préfèrent sauter à l'eau plutôt que d'affronter les forbans déchaînés. Dans l'entrepont, le combat fait rage également, les pirates ayant fondu sur l'ennemi avec les instruments trouvés sur place, et ils fendent les crânes à coups de barre d'anspect et d'écouvillon. Tupi réussit à empêtrer deux hommes dans les mailles d'un hamac puis, un boulet dans les mains, il les assomme en frappant de toutes ses forces.

Sur la dunette, John Rackham peine contre le commandant Taylor. Son inactivité forcée l'a privé de sa souplesse, et un léger embonpoint l'amène à s'essouffler.

– Maudit traître ! maugrée l'officier. Je vous ferai tous pendre aux vergues de mon navire, et ta tête se balancera ensuite à l'extrémité du beaupré. Cela économisera du temps à la justice.

D'une estocade bien ajustée, il arrache l'arme du pirate et l'envoie rouler sur le pont. Calico Jack se jette au sol pour échapper au sabre qui siffle au-dessus de lui.

– Tu es fichu ! ricane Taylor en levant son bras.

À ce moment il devine, plus qu'il ne le voit, le danger qui fonce sur lui. Il croit au vol d'une poulie au bout de sa corde, mais ce sont les deux pieds de Mary qui l'atteignent en plein visage. Le choc est si fort qu'il est arraché de ses bottes et projeté contre la roue du gouvernail. John se relève, ramasse son arme et court l'appuyer sur la gorge du commandant. Mais celui-ci ne bouge plus, les cervicales brisées.

– Aide-moi à le balancer sur le tillac ! dit Rackham à Mary. La vue de son cadavre arrêtera le combat.

Saisissant le corps par les aisselles et par les pieds, les deux pirates le font basculer par-dessus la balustrade de la dunette, juste devant un sous-officier qui soutient l'assaut de Bonn. L'effet est immédiat : il lâche son épée, lève les mains et hurle du plus fort qu'il peut :

– Rendez-vous ! Le commandant est mort !

– Ce sont là de sages paroles ! reconnaît Ann en lui piquant la poitrine avec son sabre.

Les tuniques rouges sont regroupées autour de l'unique mât. Les marins sont tirés de leur cachette et amenés devant le chef des flibustiers.

– Les soldats seront enchaînés à fond de cale jusqu'à ce que nous atteignions une île déserte, où ils seront débarqués. J'ai besoin d'hommes pour grossir mon équipage, et je compte sur vous pour vous joindre à moi, matelots ! Ceux qui refuseront seront précipités à la mer, avec les tués. Vous avez une seconde pour vous décider.

Une grande gueule, un Gallois appelé McCawley, accepte au nom des autres.

– Bien ! fait le capitaine en se frottant les mains. Walter Rouse, mène les prisonniers dans la cale ! Brazil, fais nettoyer le pont ! Willy, rattache les drisses ! Quant à toi, Bonn, descends les couleurs de l'Union Jack, et à la place...

Il retire sa veste, délace sa chemise, et extirpe le Jolly Roger à tête de mort et à tibias entrecroisés qu'il s'était enroulé autour de la poitrine.

—... hisse nos couleurs ! Le pavillon noir du *Sans-Pitié* !

– Tu l'as gardé sur toi pendant tout ce temps ? s'étonne Tupi.

– Je n'ai jamais quitté mon bord, répond Calico Jack. J'avais les pieds sur terre mais la tête dans les embruns. Frères, reprend-il en s'adressant à la cantonade, nous allons établir une charte-partie pour les nouveaux venus. Sachez qu'en plus d'être des pirates, nous sommes aussi des rebelles ! Tous les gouverneurs des Caraïbes vont nous donner la chasse.

– Mais il vaut mieux une mort rapide, en pleine gloire, que de se laisser moisir, le nez dans le caniveau ! chante Mary du haut de la mâture.

– Willy l'oiseau a tout compris ! s'exclame Rackham. Et

pour montrer que nous ne craignons ni Dieu ni roi, le nom du sloop sera désormais le *Revenge* !

Des coups de feu sont tirés en l'air, des bonnets et des tricornes s'envolent pour saluer le pavillon noir, qui monte le long du mât. Debout sur la hune de vigie, Mary inspire à fond, emplissant ses poumons de l'or du soleil.

– Tu vois, Willy, murmure-t-elle, se parlant à elle-même, la vie recommence.

CHAPITRE 26

MATTHEWS LE CHARPENTIER

Début de l'été 1720

Les chiens de mer fouillent inlassablement l'océan à la recherche des pirates. Une nouvelle fois, le *Revenge* est passé entre leurs filets. Et ce soir-là...

John Rackham garde un instant la lunette vissée à son œil, puis il la passe à Bonn. Elle l'ajuste à sa vue et observe le lourd vaisseau espagnol qui cingle vent sous vergue, toutes voiles bombées, vers le couchant.

– Il doit se rendre en Nouvelle-Espagne[1], estime-t-elle. C'est un galion à coque basse équipé d'une trentaine de canons, soit trois fois plus que nous. Nous n'avons aucune chance contre lui.

– Pas si nous l'approchons de nuit.

– Les galions ne sont chargés d'or qu'au retour, fait observer Ann. Celui-ci arrive du Vieux Continent.

– Mais il navigue bas, les cales pleines, rétorque Calico

1. Au Mexique.

Jack. Le sloop est beaucoup plus rapide que lui. Nous l'aborderons sous l'œil de la lune.

Le *Revenge* se laisse distancer, les huniers cargués en fanons. Dès que la mer s'enténèbre, les voiles sont déferlées, et le navire bondit sur les flots. Tous fanaux éteints, il se lance à la poursuite du galion. Le lourd vaisseau ne tarde pas à réapparaître, trahi par les lanternes qui se balancent aux vergues et à la poupe. Les pirates chargent leurs pistolets et leurs fusils, et passent du noir de fumée sur les lames des sabres afin qu'elles ne reflètent pas la lueur de la lune. Rackham exige un silence absolu. Seuls s'entendent le friselis de l'eau contre l'étrave, puis les vagues battant la coque quand le sloop court dans les remous provoqués par le passage du navire espagnol. Réduisant alors sa surface au vent, il se laisse glisser sur la mer et surgit par l'arrière. Les grappins sont lancés.

C'est le choc des crochets s'enfonçant dans le bois qui tire l'homme de quart de son engourdissement. Il se lève de son banc, interroge le timonier, qui n'a rien remarqué, puis regarde à droite et croit rêver en découvrant un bateau qui s'accole au sien. Passé l'instant de stupeur, il se précipite vers la cloche, saisit le cordon et l'agite avec frénésie. Des sons grêles déchirent la nuit, glaçant d'effroi, tandis que des ombres souples enjambent le pavois. Hébété, le pilote lâche sa roue.

– Maintiens ton cap ! ordonne la voix de Brazil en espagnol. Si tu effleures notre sloop, je te coupe la tête.

Le malheureux jette un œil horrifié sur l'imposant pirate qui fait sauter une hache dans sa main. Il s'empresse d'obéir et se cramponne des deux mains à la roue. Quand les hommes d'équipage jaillissent de l'écoutille, les armes à la main, c'est pour tomber nez à nez avec les forbans, qui les tiennent en joue. L'un après l'autre, les Espagnols prennent pied sur le pont et remettent leurs armes à l'ennemi. Des sifflements accompagnent l'apparition de femmes sur le tillac. Rackham se tourne vers le commandant du galion.

– Qu'est-ce que cela signifie ? gronde-t-il. Il sort de la cale un grand nombre d'hommes et de femmes ! Et pas de bonnes manières ! ajoute-t-il en surprenant une altercation entre une ribaude et McCawley.

– Nous transportons des émigrants, dit l'Espagnol.

Calico Jack se fait apporter un fanal et il le promène devant les visages des passagers entassés sur le pont.

– Les vrais émigrants voyagent en famille, avec leurs enfants. Or il n'y a aucun marmot sur le galion. À voir ces gueules et ces regards, ta marchandise m'a tout l'air d'avoir séjourné dans les prisons et dans les lupanars de Castille ou d'Estrémadure. Je ne confierai pas mon chapeau à l'un de ceux-là. L'Espagne se débarrasse de sa racaille en l'envoyant peupler ses colonies.

– Il n'y a rien qui nous intéresse sur ce navire, rapporte Walter Rouse, qui revient d'explorer les soutes avec Cole.

– Emportons le rhum, les médicaments et des munitions, suggère Tupi. Nous n'aurons pas perdu notre temps pour rien.

– Nous avons aussi besoin de redingotes, de gilets, et de deux ou trois de vos robes, mes pouliches ! Sans oublier les bonnets blancs, les chaperons et les ombrelles qui vont avec !

Des protestations s'élèvent parmi les femmes tandis que les hommes se contentent de grogner.

– Bonn, Willy, attrapez-moi quelques-unes de ces coquines, conduisez-les sous la dunette et revenez avec leurs atours ! Quant à vous, mes gaillards, suspendez donc ce que vous avez de mieux au bout de ces sabres et de ces fusils !

La collecte achevée, les pirates regagnent le *Revenge*,

s'écartent du galion et se fondent rapidement dans l'obscurité bleutée de la nuit.

*
**

Mary se hérisse. Quoi ? A-t-elle bien entendu ce que ce pendard de Calico Jack vient de lui demander ? Endosser des vêtements de femme ? S'affubler de ces jupons à cerceaux et de ces robes flottantes pris aux catins il y a trois jours à peine ?

– C'est une ruse pour approcher les navires sans risquer d'essuyer leurs coups de canon, la rassure Ann Bonny. Je vais me changer également. Même Walter Rouse va se déguiser en duègne.

– Pourquoi moi ? se défend Mary.

– Parce que tu as le visage fin et sans poils, ma petite Willy ! se gausse le Gallois McCawley avec un rire gras. Tu ne voudrais quand même pas que je porte un bonnet de dentelle avec mes moustaches ?

Il singe une allure de femme et se met à minauder, la bouche en cœur, pour divertir l'équipage.

– Ça suffit, Grande Gueule ! se fâche Rackham. L'heure n'est pas à la distraction.

Les jeunes femmes se rendent dans une cabine.

– Tu es sûre qu'ils ne vont pas se douter que nous sommes réellement des filles ? À côté de nous, Walter va ressembler à un hippopotame vérolé.

– Avons-nous le choix ? demande Bonn en retirant sa chemise. Les autres se poseraient des questions si nous refusions, et c'est là que résiderait le danger. John serait démis de ses fonctions de capitaine, et nous serions débarqués tous les trois sur une île déserte, voire jetés à la mer du haut de la planche. On ne batifole pas avec le code de la flibuste... Quand je pense qu'il suffirait de débrider nos seins pour remplir généreusement les corsages !

Elles les bourrent cependant de coton, puis s'aident mutuellement à ajuster le corsage sur la poitrine.

– J'ai l'impression d'être dans une nacelle, se lamente Mary en tirant sur les plis. Comment ferons-nous pour nous battre ?

– Attache un pistolet à ta cuisse... Tu es belle ! fait Ann en se reculant pour l'admirer.

– Attention à ce que tu dis ! Willy commence à grincer des dents dans ma tête. Ton galant t'a déjà vue habillée en femme ?

– Pas depuis qu'il m'a enlevée à mon époux. Me revoir ainsi va peut-être lui créer un choc.

– J'espère que les hommes garderont l'esprit au combat. J'ai peur de me présenter devant eux dans cette tenue.

– Allons donc ! Ils savent très bien que tu es Willy Read.

– Justement non, pour lors je suis Mary.

Ann hausse les épaules et sort sur le tillac. Walter Rouse est déjà sur le pont, boudiné dans sa robe, une ombrelle à la main, mais il n'y a rien de comparable avec les deux beautés qui se déhanchent en venant vers lui. L'équipage en a le souffle coupé, et Rackham se mord les lèvres. Il n'avait pas imaginé qu'elles puissent être tant femmes ! Et désirables ! Les cheveux défaits, moulées dans des robes rouge et safran, elles adoptent des poses volontairement exagérées. McCawley la grande gueule ne peut s'empêcher de roucouler, puis il se lève et vient claquer sa main sur les fesses de Read. Il ne rencontre qu'un cercle de jonc, mais la réaction de la jeune femme est immédiate. Elle arrache le poignard que le Gallois porte à la ceinture et lui balafre le dessus de la main. Puis elle l'en menace et crache :

– Prends-moi encore pour une donzelle, et je te plante cette dague entre les jambes, sac à fiente ! Les porcs te reconnaîtront comme l'un des leurs tant tu pousseras des cris de goret.

Écumant de rage, l'homme veut la frapper au visage, mais la grosse pogne de Brazil s'abat tel un gourdin sur sa nuque.

– À vos postes ! rugit-il. Ce n'est pas quand nous serons pris dans la longue-vue d'un capitaine qu'il conviendra de vous mettre en scène. Nous sommes sur la route des navires marchands, nous ne serons pas longs à en croiser un.

Les femmes et des messieurs en redingote déambulent sur le pont, Cole joue du violon – un instrument trouvé sur le galion –, faisant gambiller deux trois marins, tandis qu'une grande partie de l'équipage est étendue au sol, contre le bordage, pistolets, coutelas, haches et sabres à la main. Rackham a fait hisser les couleurs de l'Union Jack, l'ancien pavillon du *Swallow*, et il s'est assis sur le banc de quart, derrière le timonier, fumant consciencieusement sa pipe. Image rassurante d'un paisible navire.

– Voile devant ! avertit la vigie au bout d'un moment.

– Cap sur elle ! ordonne Calico Jack. Que pas un d'entre vous ne bouge avant mon signal ! Allez vous appuyer au bastingage de proue, mesdames, et faites de grands gestes d'amitié quand les autres seront bien visibles !

– J'espère que ce navire-là nous paiera de notre peine, dit le pilote.

Rackham a un geste vague. Personnellement les richesses lui importent peu. Le trésor, il l'a déjà, dissimulé dans la sierra Maestra, même si, pour le moment, l'île de Cuba subit les attaques répétées des corsaires anglais. C'est pour ses pirates qu'il souhaite quelque bonne prise. Pour sa part, l'aventure lui suffit amplement.

Debout près des bossoirs*, les femmes suivent l'approche du navire.

– C'est un brigantin anglais, remarque Bonn. Je parie mes bottes qu'ils sont en train de nous étudier à la lunette.

Mary agite la main et lance des « You! You! », puis elle pouffe de rire.

– Qu'est-ce qui t'amuse? s'étonne son amie.

– La situation. Des femmes qui se déguisent en femmes, chuchote-t-elle pour n'être entendue que d'Ann. Je me trouve...

– Radieuse? Enfin dans ta peau?

– ... ridicule, à secouer mon petit mouchoir et à pousser des cris de mouette.

– Qu'est-ce qu'il devrait dire, Walter Rouse, avec son bonnet de dentelle et son ombrelle?

– Lui, c'est pas pareil... Sa tête est claire, au moins.

Sur le brigantin, des marins répondent bruyamment à leurs saluts, le commandant lève son tricorne...

– Ralentissez l'allure sans toucher aux voiles! ordonne Rackham.

De grosses planches fixées à des filins sont jetées à la mer, par les lucarnes du gaillard de poupe.

– Les grappins sont tous amarrés au mât, au porte-haubans et à la lisse de bastingage, signale Brazil, à plat ventre sous la chaloupe. Le choc va ébranler tout le navire quand les cordes vont se tendre. Peut y avoir de la casse.

– Le sloop est léger, rappelle Calico Jack en allant s'appuyer à la rambarde de la dunette pour répondre aux salutations du commandant anglais. Mais faudra être sur le brigantin avant que le *Revenge* ne tressaute, sinon nous allons tous nous retrouver par terre ou précipités à la mer.

Les exclamations de joie des Anglais se muent soudain en hoquets de peur lorsqu'ils voient le sloop se placer face à eux.

– Mais... il... il va s'écarter ou... ? bégaie le commandant.

Le timonier pirate actionne sa roue au dernier moment, déviant sa course. Les coques se frôlent...

– À l'abordage ! hurle Rackham.

Le tillac s'anime brusquement. Les flibustiers se relèvent, font tournoyer les grappins et les lancent sur le brigantin. Puis ils se jettent dans le vide. Agrippés aux filins, ils escaladent alors le vaisseau ennemi.

– Cramponne-toi ! prévient Bonn.

Mary empoigne la balustrade. Quand les cordes se tendent, le *Revenge* craque de toute son armature et s'incline par tribord. Retenu par les amarres crochetées au brigantin, il ripe sur sa quille et s'en vient heurter l'autre bateau par l'arrière. Une partie de la lisse s'arrache, le haut de la coque éclate contre le gaillard de poupe, puis les deux navires se mettent à tourner sur place, collés l'un à l'autre. Les jeunes femmes retroussent leur robe et détachent leur pistolet alors que Walter Rouse fait voler sa jupe et son corsage. Torse nu, le coutelas à la main, il s'élance ensuite contre l'adversaire en poussant un rugissement de fauve.

Au bout d'une brève fusillade et d'un échange de coups de sabre qui laissent plusieurs morts sur le tillac, les Anglais rompent le combat. Comme les prisonniers sont rassemblés devant la dunette, abandonnant leur bateau au pillage, Mary avise un bel homme qui n'arbore point la mine piteuse de ses compagnons.

– Quel est ton nom ? lui demande-t-elle. Quelle est ta fonction sur ce navire ?

– Je suis Matthews, le charpentier. Je ne possède rien d'autre que l'art de mes mains.

– Tu n'as pas peur de moi ?

– Depuis quand faut-il trembler devant une femme ?

– Je suis un pirate ! précise-t-elle. Un homme !

– Vraiment ? sourit-il d'un air narquois. La nature a dû se tromper.

– Trêve de bavardages ! intervient Rackham. J'ai besoin d'un charpentier car il nous faudra radouber[1]. Je t'emmène avec nous.

– Je n'ai aucune intention de devenir un pirate.

Calico Jack se rembrunit. Quoi, le drôle ose lui tenir tête ? Il braque son pistolet sur lui.

– Ou tu avances d'un pas pour signifier que tu acceptes ma proposition, ou je t'étends raide !

D'un mouvement de la main, Mary Read écarte l'arme du front du charpentier, et se place entre les deux hommes. Son cœur se met à cogner dans sa poitrine lorsqu'elle soutient le regard de Matthews. « Qu'est-ce qui m'arrive ? se dit-elle. Pourquoi me suis-je arrêtée sur ce gars, et pourquoi ai-je envie de le sauver ? » De son côté, l'Anglais s'interroge sur l'étrange comportement de ce pirate à l'allure efféminée. « Qu'est-ce qu'il y a derrière son regard d'ambre ? »

– Alors ? s'impatiente Calico Jack.

– Ne sois pas idiot, viens ! conseille la jeune femme d'une voix plus tendre qu'autoritaire.

Le charpentier se décide à faire un pas en avant. Mary souffle de soulagement alors que Willy sort ses griffes, dans sa tête.

« C'est la robe qui a réveillé la femme ? Le bougre te plaît, je le sens. Mais je te prédis les pires ennuis si tu joues à la fille avec lui. Saute dans ton caleçon et dans ta casaque, et grimpe dans la hune de vigie ! Ne va pas gâcher notre vie ! »

« La ferme, Willy ! Tu ne sais pas ce qui est beau ! »

1. Procéder à des réparations sur un navire.

« Judas ! Parjure ! Gnasse ! Panouille ! Cervelle de navet ! Tu peux tout aussi bien plonger du haut du mât avec des boulets aux pieds. L'effet sera le même que si... »

– Bouge-toi, Willy ! la secoue Rackham. Retire-moi ces affûtiaux et va aider au délestage des soutes ! Qu'est-ce qu'il a dans le ventre, ce navire ? demande-t-il à Tupi, qui remonte de la cale avec un tonnelet dans les bras.

– Du miel, de la viande et du poisson séché, ainsi que des affûtiaux, justement ! Mais de bonne mise ! De quoi nous déguiser en princes en attendant l'or qui va avec !

CHAPITRE 27

MARY POUR LA TROISIÈME FOIS

Rackham repose lourdement sa timbale, et il dévisage Mary comme s'il la voyait pour la première fois. La jeune femme est assise en face de lui, à côté d'Ann, et tous trois sont en train de dîner dans la cabine. Des lanternes sont accrochées aux poutres, se balançant au gré des mouvements du navire et déplaçant les ombres. L'homme remue les mâchoires comme s'il écrasait sous ses dents les dernières paroles de la jeune femme.

– Te rends-tu compte de ce que tu me demandes ? As-tu bien réfléchi aux conséquences ?

– Cela fait des nuits que je roule tout cela dans ma tête. J'en ai perdu le sommeil.

– C'est contraire aux lois des Frères de la Côte.

– Notre présence sur ce navire, à toutes deux, est déjà une grave entorse au code de la flibuste, rappelle Mary. Or tu t'en accommodes fort bien. Je t'ai sauvé quand le commandant Taylor a failli t'embrocher au cours de notre mutinerie. Tu me dois une vie.

– Celle de Matthews ? Tu l'as déjà sauvé sur son navire.

– La mienne ! Libère-moi de mon matelotage envers toi. Il te reste Ann. C'est elle surtout qui te seconde. Moi, je ne...

– Je t'ai prise avec moi pour ton bien. Pour laisser du souffle à la femme qui se cache dans Willy Read.

– Je t'en suis reconnaissante, mais je ne peux plus continuer ainsi. N'être qu'une ombre derrière vous...

– Ce que Mary désire, c'est forger son destin elle-même, intervient Bonn. Choisir elle-même son compagnon. Je me trompe ? fait-elle en lui glissant un regard en coin.

La jeune femme baisse les yeux et annonce d'une voix légèrement tremblotante :

– Je... je veux m'amateloter avec Matthews le charpentier.

– Nous y voilà ! s'exclame Calico Jack. Ta nature te démange. Mais il y a trop de risques ! Imagine qu'il découvre qui tu es vraiment !

– Matthews n'a jamais admis que je puisse être un homme, et il en parle avec l'équipage. Il fait aussi allusion à vous deux, car Ann ne paraît pas plus masculine que moi. Le plus simple est qu'il apprenne la vérité. Du coup, il sc taira, et cela étouffera le doute dans l'œuf.

– Mary a raison, renchérit Bonny. Mettons le charpentier dans la confidence, rendons-le complice de notre situation, et nous serons assurés de sa discrétion. Ce sera de toute façon préférable à voir un Willy malheureux soupirer après un de nos hommes.

– Pour sûr, admet le capitaine. Seulement tu seras contrainte de manger avec l'équipage et de partager ses hamacs dans l'entrepont.

– Tu ne peux pas lui faire ça ! s'insurge Ann Bonny. Elle a tout de même à assumer ses problèmes de femme !

– J'ai l'habitude, souligne Mary. J'irai m'isoler dans la soute à munitions.

– Je te ferai venir ici, décrète Bonn. Et l'équipage sera alors en droit de se poser la question suivante : « Mais qu'est-ce que Willy Read cherche chaque mois, pendant huit jours, dans la chambre de John Rackham ? »

– C'est bon, grogne le pirate, garde ta cabine. J'accepte ta requête. Demain, le charpentier deviendra ton matelot.

Mary est heureuse. John Rackham vient de prononcer les derniers mots de la charte-partie...

– Par conséquent, vous vous devez fidélité et assistance mutuelle !

... et il semble à la jeune femme qu'elle vient de se nouer à Matthews par les liens sacrés du mariage. Willy secoue les os de son crâne, mais elle ne l'entend pas. Tout son être est devenu un frisson d'étoiles. Brazil offre à chacun un boujaron de rhum, que les deux matelots vident d'un trait. Puis la journée reprend son cours, Matthews achevant de réparer la lisse de bastingage, Rackham dirigeant son navire vers une île déserte afin de radouber la coque, et Mary parlant aux albatros, dans la hune.

– Je me sens légère, si légère, avoue-t-elle aux oiseaux. Je crois que je pourrais m'envoler rien qu'en étendant les bras.

Le soir, mangeant avec l'équipage sur le pont, elle surprend une discussion dans laquelle McCawley émet l'hypothèse que Willy Read serait tombé en disgrâce et rabaissé au rang de doublet du dernier venu. « Pense ce que tu veux, Grande Gueule ! Ta bêtise me sert car elle entraîne les autres loin de mes véritables intentions. »

– Le pire, lui répond-elle, aurait été qu'on me lie à toi. Je t'aurais immédiatement jeté du haut du mât pour hériter des anneaux de cuivre que tu portes aux oreilles. J'en ai besoin pour y fixer les aiguillettes de ma braguette.

Le tillac éclate de rire. Chauffé tout rouge, le Gallois se plante devant Willy, prêt à en découdre.

– La paix, McCawley ! tonne Brazil. Quand Willy tombera aussi bas que toi, il aura le nez au ras du plancher. Apprends à fermer ta gueule si tu ne veux pas qu'un jour quelqu'un y enfonce sa dague !

L'homme serre les poings et se rassoit de mauvaise grâce. Il brise une barre de tabac et se met à chiquer, crachant un jet noir aux pieds de Mary.

La mer devient une plaine d'argent puis, très vite, sert de socle à la nuit. La lune est voilée, et c'est à peine si elle laisse transparaître un peu de sa chair blanche entre les nuages. Les matelots se sont retirés dans l'entrepont pour taper les cartes et se défier aux dés. Matthews le charpentier est resté sur le pont supérieur, et il tire des bouffées de sa pipe en terre.

– Je savais que tu viendrais, dit-il à l'ombre qui vient s'accouder près de lui.

– Tu te mêles peu à l'équipage, lui fait remarquer Mary. Tu es différent des autres.

– Je ne voulais pas me faire pirate. J'aurais dû me laisser tuer d'une balle de pistolet, l'autre jour.

– La vie vaut la peine d'être vécue.

Matthews pousse un rire forcé.

– Avec la seule perspective d'un nœud coulant au bout de ma route ? J'espérais autre chose de l'existence.

– Moi aussi, j'ai été capturé sur un navire et obligé de rejoindre la piraterie.

– Toi ? s'étrangle l'homme en se tournant vers Read. Tu as l'air de t'être bien intégré à la bande, pourtant.

– C'est Bonn qui m'a repéré. Et qui m'aide bien.

– Ah, l'autre androgyne !... La seule façon de m'aider, ce serait de me débarquer.

– Une famille t'attend quelque part ? Une femme ? Des enfants ?

– Non. J'ai embarqué pour commencer ma vie dans le Nouveau Monde. Au lieu de ça... ! termine-t-il en donnant un coup de poing sur la lisse.

– Nos destins se ressemblent, soupire la jeune femme.

Des éclats de voix leur parviennent de l'écoutille.

– Ça y est, ils se battent là-dessous ! commente-t-elle. Encore un qui a essayé de tricher !

– Tu ne les rejoins pas ?

Mary secoue la tête.

– Tu joues le délicat, ricane le charpentier. Tu sais, j'ai vraiment cru que t'étais une drôlesse, la dernière fois. Même à présent, avec ta queue-de-rat et tes vêtements d'homme, j'ai dû mal à me convaincre que tu es bâti comme moi. Pareil pour le matelot de Rackham !

– Attends de nous voir mener un abordage !

– Hum, ronchonne Matthews, je ne suis pas pressé d'assister à ça.

– Ces mains-là manient le sabre mieux que quiconque. Qu'est-ce que tu penses de mes mains ? demande-t-elle en les lui fourrant sous les yeux.

– Ce sont des mains de fille. Mais tu es Willy Read !

– Qu'est-ce que ça te ferait si tu apprenais que j'étais une femme ?

« Elle l'a dit ! Elle l'a dit ! Elle l'a dit ! s'affole Willy dans sa tête. Bagasse ! Leveuse ! Greluche ! Je ne tiens plus qu'à un fil, à présent. Tu m'as promis de rester Willy, et voilà que tu m'enterres à nouveau ! Pire, tu me piétines ! Toupie ! Traîtresse ! Carogne ! »

Mary n'entend que son cœur, qui s'est emballé. La fille et le garçon sont accrochés aux lèvres de Matthews. Va-t-elle retomber dans le corps de Willy ou ouvrir sa porte de femme une troisième fois ? En une seconde, elle revit la scène sur les berges de la Tamise, avec ce foutriquet de Wesley et sa nuit de noces, où Joos a su enfin la combler. Depuis, plus rien, son corps est devenu un caillou.

– Ça me plairait, confie l'homme après un silence. Tu étais belle dans ta robe safran. C'est comme ça que j'imagine, dans mes rêves, la femme dont je tomberai amoureux. Euh... j'ai dit *belle*, je ne...

– Tu pourrais tomber amoureux de moi, Matthews ?

– Hé non ! se hérisse-t-il. Tu es un homme. Mais le même au féminin...

La jeune femme défait sa queue-de-rat et secoue sa chevelure pour lui donner du gonflant.

– Tu es un homme chanceux, charpentier. Ma mère m'a appelée Mary parce que j'étais une fille. L'aventure a fait de moi un pirate sous le nom de Willy Read, mais la nature ne m'a point changée.

– Tu te fiches de moi, Willy.

– Tu devras toujours continuer à m'appeler ainsi devant les autres, car ils ne sont pas au courant. Je suis à toi, Matthews, et à toi seul. Je t'ai aimé au premier regard.

– Dois-je te croire ? bredouille-t-il, craignant une mauvaise plaisanterie.

– Donne-moi ta main, et laisse-moi la guider.

Un peu plus tard, étendue entre les rouleaux de cordage, dans l'ombre du gaillard d'avant, Mary découvre tout l'empressement et la tendresse d'un nouvel amour.

*
**

Willy le jour, Mary la nuit ! La jeune femme divise sa vie en deux, tour à tour rude et féline, ferme à la manœuvre et alanguie sur sa couchette, au verbe haut quand il s'agit de répliquer ou de lancer une boutade aux marins, à la voix susurrante quand ses mots s'enroulent autour de ceux de son galant. Elle se complaît dans sa dualité, ne laissant rien paraître... Pourtant... Les regards en coin se font plus nombreux, appuyés par des vilains sourires. Le matelotage entre Read et le charpentier est trop parfait pour qu'on n'aille pas caqueter dans leur dos. McCawley pousse ses remarques jusqu'à la médisance. On compare la relation de Willy et de Matthews à celle de Rackham et de Bonn. Mais comme Calico Jack est le capitaine, on dévie la rumeur sur les deux autres. Willy est une fine lame, on se méfie donc, mais Matthews !... Il n'est bon qu'à jouer du marteau et de la scie, même pas capable de charger un pistolet ! Alors... alors profitant du jour où le *Revenge* a été échoué sur une plage pour procéder au radoub de la coque, McCawley décide de déverser son fiel.

Mary, Bonn, Rackham et plusieurs autres sont allés s'approvisionner en eau douce, pendant que le charpentier, en équilibre sur une échelle de fortune, retire et remplace les planches endommagées.

– *Pan ! Pan ! Pan !* aboie le Gallois, imitant les coups de marteau. À part clouer des bardeaux et attacher les écoutes aux cabillots, tu ne sers pas à grand-chose. Tu ne mérites pas ta part de nourriture, et encore moins le boujaron de tafia qu'on t'accorde tous les jours.

– Quant à toi, si on voulait remplir ta grande gueule, un baril de rhum n'y suffirait pas, alcool et tonnelet compris, répond Matthews sans même lui jeter un regard.

L'autre décoche un violent coup de pied dans le montant de l'échelle.

– Hééé ! s'écrie le charpentier. Fais-moi tomber, brise l'échelle, et Rackham te désossera à son retour !

– Tu as toujours besoin de te cacher derrière quelqu'un ! crache McCawley. T'es qu'un bilboquet ! Une courte lame ! Une brochette !

– Bouche à pets ! Tu gâtes l'atmosphère rien qu'en l'ouvrant ! réplique l'artisan en lui faisant signe de la fermer.

Grande Gueule agrippe les montants de l'échelle et les secoue, provoquant la chute du marteau, des clous, des planches et du charpentier. Puis il éclate de rire en se tenant le ventre.

– T'as vraiment le cerveau aussi crotté qu'un vase de nuit ! fulmine Matthews en se relevant. Faut qu'on te casse la tête pour y opérer le grand nettoyage des beaux jours !

– C'est la tienne que je vais réduire en bouillie ! postillonne le gaillard en dressant ses poings.

Les deux hommes sont prêts à en venir aux mains, quand Brazil leur flanque à chacun un coup de gourdin dans les jambes.

– Il est interdit de se battre comme des chiens ! lance-t-il. Dois-je vous rappeler les termes de la charte-partie ? Il faut privilégier le dialogue à...

– On n'a plus rien à se dire, mais le duel est permis ! assène McCawley. Je te prends au sabre et au pistolet ! crache-t-il à son adversaire.

– C'est au capitaine d'en décider, et d'en fixer l'heure et le lieu, dit le bosco. Pour l'heure, il est absent. Aussi, tu vas aller ramasser du bois sec dans les environs, ça te calmera. Quant à toi, remonte sur ton échelle et achève ton travail !

Ils se séparent, l'un se dirigeant vers le sous-bois en tapant dans les pierres, l'autre gravissant les échelons, des clous dans la bouche et ses instruments dans les mains.

Le soir propage un incendie sur la mer, relayé par un grand feu que les flibustiers ont allumé sur la plage. Le groupe de Rackham est rentré avant la nuit, rapportant en plus de l'eau douce deux gros iguanes tués dans les rochers. Dépecés, mis à rôtir, leur chair est aussi délicieuse que celle d'un chapon, mais ni Matthews ni Mary n'ont le cœur à manger. Le capitaine a accepté que le duel ait lieu, ne trouvant nulle raison pour l'empêcher, la coque étant réparée. Le charpentier sait qu'il va mourir le lendemain, massacré par la brute devant tout l'équipage, et c'est à peine s'il peut encore respirer tant sa gorge est serrée. La jeune femme a envie de lui prendre la main et de la presser très fort, mais elle se retient. Tout comme elle retient sa colère contre le maudit Gallois, qui ricane sous cape. Ann Bonny ne pipe mot, mais les regards qu'elle jette à son amie sont autant de marques de compassion.

« Demain, il va me tuer Matthews, et je cesserai d'être Mary. La femme en moi n'a décidément pas le droit d'exister. Tu me bouffes, Willy ! Chaque fois que je te repousse, tu reviens en force avec des armes de lâche. Tu es le Diable, Willy ! Si c'était à refaire, je te découperais en morceaux et je te ferais brûler au lieu de t'enterrer. Je suis sûre que t'es pas mort dans ton trou de l'île à moutons. T'es devenu une crevette transparente qui se venge. T'es une ordure, Willy ! Je te déteste ! Un jour, je retournerai à Sheppey, j'irai piétiner ta tombe, et j'espère que j'entendrai craquer tes os. » Elle réprime à grand mal une poussée de sanglots, se lève, quitte le cercle de pirates et va s'adosser à un palmier, seule, au-delà de la sphère de lumière.

Combien de temps reste-t-elle à se blesser le dos contre le vieux tronc couvert d'écailles ? Elle n'en sait rien, cela fait quatre fois que les hommes ont rajouté des branches dans le brasier, et ils braillent comme des singes en se soûlant de tafia. Point d'intimité cette nuit, tout l'équipage dort sur la plage. Impossible de serrer Matthews dans ses bras et de s'offrir une ultime étreinte. Ce serait comme si elle se déshabillait devant les autres et criait haut : « Regardez, je suis une femme ! » Alors elle se mortifie, s'entaillant le dos à travers la chemise. Elle a besoin de se faire mal, de se punir d'avoir été Mary. C'est la fille qui a insisté pour s'attacher le charpentier ! C'est la fille qui l'a séduit ! C'est la fille qui l'a entraîné dans la ronde des nuits moites et des baisers sans fin ! C'est la fille ! C'est la fille ! C'est la fille ! « Je te déteste, Mary ! Je te déteste, Willy ! Je te déteste, maman, pour ne pas m'avoir appris les vrais gestes d'une femme ! Je te déteste, papa, pour n'avoir été pour moi qu'un bruit de vagues qui m'a plantée devant la mer ! Je te déteste, la vie !... Mais Matthews ne mourra pas. C'est un autre sang qui coulera. » Mary dégaine son sabre et s'entaille la paume gauche. Le sang remplit sa main. Chaud. Lourd. Apaisant.

– Alors, Willy, tu attends ton doux matelot ? gouaille la voix de McCawley.

La jeune femme tressaille. Le bougre l'a surprise parderrière sans qu'elle ait senti sa présence.

– Tu es content de toi, pet à moustache ? grince-t-elle, mettant dans l'injure tout le poids de sa haine.

– À huit heures, demain, je l'embrocherai comme une oie.

– Ne crois pas ça ! Il te logera une balle dans l'œil avant même que t'aies le temps de soulever une paupière.

– Lui ? C'est tout juste s'il sait par quel bout se tient une arme !

– Voilà pourquoi tu t'en es pris à lui ! T'as rien dans le sang, chiure de rat, sac à merde !

Le Gallois se renfrogne.

– Tu crois que j'ai peur de toi ?

– C'est évident ! Tu remplis ton caleçon rien qu'à la pensée que je pourrais te mordre. Tu pues de trouille au point qu'il faut se pincer le nez en t'approchant.

– Je te ferai rendre gorge pour tes paroles ! enrage le bougre. Je te défie à ton tour.

– Aux dés ? À la course au cerceau ? Au lancer d'œufs ?

– Au sabre et au pistolet ! précise Ann Bonny.

La voix a claqué dans l'obscurité. L'homme et Mary tournent la tête. John Rackham et Bonn se tiennent debout devant la nuit, ombres dans l'ombre, à peine dévoilés par le feu qui s'endort sur la plage.

– Puisqu'un arrangement par les mots m'a tout l'air illusoire, je vous propose de régler votre différend demain, à l'aube, deux heures avant l'autre duel, suggère Calico Jack.

– Ça me convient, accepte Read.

– Ça me va aussi, acquiesce Grande Gueule. Je m'échaufferai sur le premier avant de découper le deuxième.

– C'est l'équipage qui va être content, se réjouit le capitaine. Deux combats coup sur coup. Les hommes vont se croire à Rome, au temps de César.

Rackham et McCawley regagnent la plage tandis qu'Ann se laisse tomber à côté de Mary.

– Faudra soigner ta main ! Mais tu es parvenue à tes fins.

– Comment cela ?

– En provoquant le Gallois en duel, tu sauves Matthews. Tu vas t'arranger pour le blesser afin que ton galant ait une chance de vaincre.

Mary esquisse un sourire qui reste invisible dans l'obscurité.

– Ce n'est pas moi qui l'ai appelé. Il tenait tellement à me narguer qu'il est venu de lui-même se frotter à moi. Sa bêtise a fait le reste.

– En t'accordant ce duel, John a pris ton parti. Il voulait t'éviter de commettre un acte irréparable, car tu comptais poignarder McCawley dans son sommeil, n'est-ce pas ?

La jeune pirate ne répond pas, mais son silence confirme l'hypothèse de Bonn.

– Un meurtre sur un membre de l'équipage aurait été puni de mort, reprend cette dernière.

– Je sais, mais seule la vie de Matthews a de l'importance pour moi. Je le sauvais, et c'était l'essentiel.

– Méfie-toi tout de même du Gallois. Il sait tenir un sabre et ne tire pas trop mal. Ton affaire n'est pas encore gagnée. Rappelle-toi cependant que nous avons plus besoin de toi et d'un charpentier que d'une grande gueule sur le navire.

Ann se lève lorsqu'elle voit Matthews franchir à son tour l'écran de nuit. Il marque une légère hésitation devant Bonn, mais celle-ci lui donne une tape amicale sur l'épaule en déclarant :

– Je vais garder un œil sur notre braillard, qu'il n'aille pas vous jouer un mauvais tour, cette nuit.

L'homme attend qu'elle se soit éloignée, puis il lâche d'un ton rogue :

– Pourquoi as-tu fait ça ? Pourquoi as-tu provoqué McCawley en duel ? Je ne t'ai jamais demandé de te battre à ma place ! Je me sens humilié !

– Je ne me bats pas à ta place, exhale la jeune femme dans un profond soupir. J'affronte l'autre pendard parce qu'il m'a insultée.

– Vraiment ?

– Par le ton de sa voix. Par son rictus de singe. Par sa seule présence auprès de moi... Je peux perdre, Matthews, alors ce sera à toi de me venger.

La colère du charpentier s'envole aux derniers mots. Son honneur fond devant l'amour. Perdre Mary ? C'est impossible !

– Tu vaincras ! affirme-t-il. Les paris vont déjà bon train.

– Si le Diable se met de la partie... Il m'a déjà doublée bien des fois. Bien malin qui peut deviner ce qu'il mijote !

– Alors... c'est peut-être notre dernière nuit...

Il s'assoit, s'adosse contre le tronc et étend ses jambes. Mary se blottit contre lui.

– Tu ne crains pas que l'un ou l'autre ne surgisse ?

– M'en fiche ! marmonne-t-elle d'une toute petite voix. Demain, on nous remplira peut-être la bouche avec de la terre.

Matthews lui relève le menton, cherche sa bouche et l'embrasse longuement. Les yeux fermés, Read se vide du plus petit lambeau de Willy qui traîne dans sa tête.

L'aube regonfle le garçon dans le corps de Mary. C'est un Willy à la mine farouche qui passe un doigt sur le fil de sa lame et qui vient de glisser une balle dans son pistolet. Rackham s'installe sur un coffre, dos à la mer. Ses pirates forment une ligne sur la plage, assis ou vautrés dans le sable, l'esprit encore embué par la beuverie de la nuit. McCawley fanfaronne devant eux, claironnant que Willy Read va enfin trouver son maître. Calico Jack lève la main. Comme cela ne suffit pas à faire taire les forbans, il tire un coup de pistolet. Le silence est instantané. Mary s'attend à ce qu'il déclare que le duel cessera au premier sang, mais il se contente d'ouvrir le combat par un simple geste. Un frémissement parcourt les hommes : John Rackham vient d'autoriser une mise à mort.

L'engagement commence au sabre d'abordage. Les deux adversaires tournent l'un autour de l'autre, s'étudiant d'abord, cherchant dans les yeux l'éclat qui précède immédiatement l'assaut. Puis les sabres se croisent, sans frapper vraiment, juste pour parler, pour faire sonner leurs voix métalliques. Alors les souffles deviennent plus rauques, plus hachés, préparant l'attaque.

– Han ! fait le Gallois en portant le premier coup.

Les lames s'entrechoquent, crissent, se séparent. Mary l'assaille à son tour, mais son arme est déviée en heurtant la garde. Pendant un moment, chacun frappe de taille pour éprouver la résistance de l'autre et juger de sa façon de parer.

– Allez, Willy ! crie une voix.

– Allez, McCawley ! clame une autre. Montre-lui qu'y a pas que la gueule qui marche chez toi !

L'homme lance une charge de taureau, la jeune femme l'esquive et sent siffler la lame à son oreille. Elle agrippe son bras au passage, pivote pour le déséquilibrer et abat son arme.

– Tu croyais m'avoir ! grince le bougre en contrant le coup.

Mary se recule, bloque une estocade, feinte et se fend en avant. La pointe du sabre perce la chair de Grande Gueule et lui arrache un grognement. Plus de surprise que de douleur. Le gaillard empoigne son arme à deux mains et l'assène sur son adversaire. « Cette brute manie son fer comme s'il s'agissait d'une hache, constate la jeune femme. La fureur redouble sa force, mais elle lui fait perdre tout contrôle. » Chaque coup arrache une grimace à Mary, tant son bras s'en trouve endolori. Elle décide alors de changer de tactique et se met à sautiller autour de lui. C'est presque une danse qu'elle exécute, d'une grâce tout aérienne, opposant sa légèreté aux coups de boutoir que le drôle lance en aveugle pour enfoncer la mouette qui le taquine... coups de boutoir qui ne rencontrent que le vide, et qui l'épuisent. Il transpire, il écume, il broie des mots de colère, le Gallois. Il crie à ceux qui encouragent Willy de fermer leur gueule.

« Il a dit au sabre et au pistolet, Rackham. Donc... ! » McCawley dégaine son arme à feu. Il relève le chien d'un mouvement du pouce et... Son pistolet s'envole, une douleur fulgurante lui traverse la main. Deux doigts ! Le sabre de Read vient de lui couper deux doigts ! L'homme se rue sur Mary en hurlant. Elle se déhanche et fléchit sur ses jambes, mais le Gallois la heurte au genou et l'envoie rouler au sol. Elle n'a pas le temps de se relever qu'il lui décoche un coup de pied dans les côtes, puis il lui écrase une main sous sa botte. La main qui tient le sabre. De tout son poids.

– T'es mort, Willy ! triomphe-t-il en brandissant sa lame. Je vais te trancher la tête.

De la main gauche, la jeune femme saisit vivement son pistolet et appuie sur la détente. L'homme ouvre la bouche, mais aucun son n'en sort. Touché à la tête, il tombe à la renverse. Read se relève et vient se pencher sur lui.

– Va... au... Diable... hoquette le bougre.

– Il t'emporte avant moi. J'ai un secret à te révéler, Grande Gueule : tu as été vaincu par une femme.

Profitant de ce qu'elle tourne le dos aux autres, elle écarte les pans de sa chemise et dévoile sa poitrine.

– Ça fait mal, hein, de savoir ça ? ajoute-t-elle avec un sourire de fillette.

Le visage de son adversaire s'est décomposé par la surprise. C'est cette expression-là que le Diable décide de conserver, la figeant dans la mort.

CHAPITRE 28

LE CHIEN DE MER

En cette journée du 30 octobre 1720, le capitaine Charles Barnet découvre dans le rond de sa lunette un esquif chargé de matelots.

– Cette chaloupe court à la dérive, dit-il en tendant la lorgnette à son sous-officier. Je me demande ce qu'il est advenu du navire.

– Sans doute encore un coup de ces maudits pirates !

– Cela fait plus d'un an que le gouverneur Hamilton m'a chargé de lui ramener John Rackham, mais ce démon me glisse toujours entre les doigts. À se trouver au nord quand je le cherche au sud ! Et laissant derrière lui une piste sanglante, de la Barbade aux îles Lucayes... Mettez le cap sur les naufragés !

Le *Morning Star* dévie de sa route et réduit sa toile pour aborder l'embarcation, au grand soulagement des marins. Ce sont des Français. Partis de Saint-Malo, les cales chargées de vin, ils ont été attaqués au large d'Hispaniola par la bande de Calico Jack.

– Notre capitaine a voulu résister aux pirates, explique un des rescapés, une fois à bord. Alors ils l'ont tué, ainsi que l'équipage qui avait pris les armes. Nous nous étions cachés, mes compagnons et moi, mais les forbans nous ont trouvés. Ils nous ont abandonnés dans une chaloupe, sans rames, puis ils ont mis le feu au bâtiment après l'avoir entièrement pillé. Ça s'est passé ce matin. Le courant nous a repoussés vers la haute mer. Sans vous, nous...

– Ça s'est passé il y a quelques heures à peine ? exulte Barnet. Alors ce loup rôde encore dans les parages. Cette fois, il ne doit pas nous échapper !

– Il a sans doute l'intention d'aller faire escale à la Tortue pour écouler la cargaison, suppose le sous-officier.

– Ou quelque part dans le Crocodile[1]. Je vais longer toute la côte d'Hispaniola. S'il s'attarde sur l'île, nous finirons par le découvrir.

Le navire se rhabille de voilure, puis il file brise de travers. Peu après, il croise une épave qui achève de flamber, et dont il ne subsiste qu'une carcasse et des mâts rongés et noircis. Les vagues soulevées par le *Morning Star* font vaciller ce qui reste de l'armature. Des planches se détachent, des poutres s'effondrent, un mât s'enfonce tout droit à travers les ponts et fait éclater la quille. La mer s'engouffre, tirant le bateau par le fond. Les flammes sifflent en touchant l'eau. Elles paraissent se coucher un instant sur la surface, puis elles s'éteignent en libérant des torsades grises. Du grand vaisseau parti de Saint-Malo, il ne reste aucune trace, hormis des cercles concentriques qui finissent par se diluer dans les ondulations de l'océan.

1. Les deux presqu'îles autour du golfe de la Gonave, à Haïti, qui ressemblent à la gueule ouverte d'un immense crocodile.

*
* *

Le *Revenge* mouille pour la nuit en face du cap Negril. Rackham n'a pas encore accosté Hispaniola pour vendre le produit de son pillage, aussi l'équipage s'en donne-t-il à cœur joie. Plusieurs tonneaux ont été mis en perce, le vin coule à flots et, bien que le vaisseau soit à l'ancre, les pirates tanguent et roulent d'un bord à l'autre comme au plus fort d'un ouragan. Ann et Mary sont assises sur le banc de quart, et elles regardent le firmament qui plonge dans la mer, au bout de l'horizon.

– Pourvu qu'un de ces soiffards ne se rende pas dans la soute à munitions avec une chandelle ! appréhende Bonny.

– Bah, je doute que l'un d'eux soit capable de descendre l'échelle d'écoutille sans se flanquer en bas... Tu ne goûtes pas au vin ?

– Non, j'ai...

Ann hésite.

– Toi non plus, fait-elle remarquer à son amie pour se débarrasser de la question.

– Il vaut mieux que je ne boive pas. Je... je suis enceinte. Je n'ai plus d'écoulement de sang depuis trois mois. Ça ne peut pas être autre chose, n'est-ce pas ?

– Ça ne peut pas, en effet, confirme Bonn. Ton bébé naîtra donc un mois avant le mien.

La stupeur arrondit les yeux et la bouche de Mary.

– Comment ? Toi aussi ? C'est... c'est merveilleux !

Les deux jeunes femmes s'étreignent les mains. À ce moment, elles sont en parfaite communion, dans une intimité profonde, secrète et totale... alors que le tillac bêle des chansons de taverne.

– John est au courant ?

– Pas encore, répond Ann. Et Matthews ?

Mary fait non de la tête.

– J'étais terrorisée jusqu'à cet instant, confesse-t-elle. Je me demandais comment cacher ma grossesse à vous tous, et ce que j'allais devenir quand vous commenceriez à vous en apercevoir. J'avais surtout peur de ta réaction.

– De la mienne ? Mais...

– Tu pouvais me reprocher de n'avoir pas su contrôler mon corps de femme et me placer devant un choix cruel : accepter de perdre mon enfant ou être débarquée sur un caillou désert. Mais maintenant que nous sommes deux...

– N'agis pas comme moi. N'abandonne pas ton gosse à quelque fille des îles pour poursuivre ta vie de pirate. Débarque avec Matthews, épouse-le et construis une famille à terre. C'est un bon charpentier, l'ouvrage ne lui manquera pas.

– Et toi, comment envisages-tu ton avenir ?

– Je vais convaincre Calico Jack d'aller s'installer à Cuba. Il a enterré son trésor là-bas, et moi j'y ai laissé un garçon. De quoi pourvoir à nos besoins et donner un frère à celui-ci, termine-t-elle en tapotant son ventre.

– Je crains que Rackham ne s'ennuie fort s'il ne sent plus la mer sous ses pieds. Quant à moi, je ne sais pas si je saurai tenir le rôle d'une épouse respectable.

– Vous êtes de la même espèce, John et toi... Moi, je ne l'ai suivi que par amour, pas par goût de la flibuste. Tu es une tempête, Mary, et je m'étonne que la nature t'ait affublée d'un corps de fille.

– Une partie de moi-même se rebelle assez contre cette erreur... Nous avons sous les yeux une belle bande de mâles, reprend Read au bout d'un moment. Pas un qui soit capable de tenir debout. Si on se pavanait nues devant eux, je ne suis pas sûre qu'ils verraient la différence.

– Qu'un soldat monte à bord et il réduit tout l'équipage à sa merci ! renchérit Ann.

– Pas vraiment ! Nous sommes là, nous, les dames de pique ! lance Mary en faisant le geste d'embrocher quelqu'un avec un sabre hypothétique.

La nuit tourne. Vautrés sur le pont, les pirates dorment à poings fermés, la tête dans les cordages, là où ils sont tombés, soulevant des ronflements de morse jusqu'aux étoiles.

La mer rougit d'aurore. Le flot est encore lourd, encroûté de nuit, mais les vaguelettes s'allument d'une lueur or sang. Le *Revenge* craque au bout de son ancre, secoué par la marée. John Rackham émerge du sommeil, la tête à l'envers, flageolant sur ses jambes, cherchant un mur invisible pour s'y appuyer. Il attrape un seau fixé à une corde, se penche au bastingage, jette le récipient dans l'eau, le remplit, le ramène à lui et se le renverse sur le crâne.

– Aaahhh ! fait-il, revenant à la vie. Quelle cuite ! J'ai l'impression d'avoir un boulet dans la tête.

Il s'apprête à renouveler l'opération quand son regard accroche un point sur l'océan. Un navire !

– Tu as de la chance que nous soyons trop embrumés pour te donner la chasse, grommelle-t-il.

Il relance son seau, puis s'asperge et s'ébroue. Après quoi il entreprend de réveiller son équipage à grands coups de pied au cul.

– Voile devant ! piaille un matelot avec une voix de crécelle.

Calico Jack se retourne et sourcille. Quoi ? Ce sloop ne gagne donc pas la côte ? Il leur fonce même dessus ! Vite, le capitaine tire la lorgnette de son baudrier et la visse à son œil.

– Par tous les diables, c'est le *Morning Star* ! C'est un chien de mer ! C'est Charles Barnet ! hurle-t-il.

La peur fouette et redresse les pirates. Elle ne réussit pas cependant à dissiper les vertiges dus à l'alcool.

– Au cabestan ! clame Brazil.

Des hommes introduisent les barres dans le treuil et commencent à le manœuvrer pour remonter l'ancre. Mais ils traînent, les bougres, transpirant leur vinasse. Mary et Ann surgissent de leur cabine, sous la dunette, le chapeau enfoncé jusqu'aux yeux, bardées de leur sabre, de leur hache et de deux paires de pistolets.

– On ne se bat pas, on fuit ! avertit Walter Rouse en retenant l'une d'elles par le bras. Monte dans le gréement, Willy, et déferle les voiles ! T'es le seul gabier en état d'avancer sur le marchepied de vergue.

– Je m'installe à la roue, dit Bonn. Je vais placer le navire par le travers afin de prendre le *Morning Star* sous nos canons.

Tupi bouscule ses artilleurs pour qu'ils s'affairent auprès de leurs pièces. Rackham aboie des ordres, mais les forbans ont l'impression de se mouvoir dans du coton : ils mettent du temps à réagir ou tournent en rond en se gênant mutuellement.

– C'est trop tard ! comprend Mary en voyant le chien de mer présenter son flanc gauche, sabords ouverts et canons pointés.

La salve lui broie les oreilles. L'échelle de dunette et le bordage du tillac volent en éclats, fauchant des hommes. Un boulet frappe la base du mât, l'arrachant à moitié de son emplanture. Un étai lâche, le mât s'incline en avant, mais comme ses vergues s'accrochent dans les cordages, il ne s'écrase pas, laissant la jeune femme suspendue à plusieurs mètres au-dessus du pont. Sans voiles manœuvrables, le vaisseau n'est plus qu'une masse inerte sur les eaux. Ann abandonne la roue du gouvernail et excite les hommes au combat.

– On ne fuit plus, on se bat ! Barnet approche pour l'abordage, mais c'est nous qui allons le rosser !

La mine défaite, Rackham semble avoir perdu toute son énergie. C'est la première fois que quelqu'un a l'audace de l'attaquer. C'est déjà en vaincu qu'il tente de rameuter ses flibustiers.

– Le vin les a complètement abrutis ! constate Mary en glissant le long des haubans pour atterrir sur le tillac. Ils ne sont même pas capables de se défendre.

Tupi fait cracher trois canons quand le *Morning Star* se profile devant sa batterie, mais il ne réussit qu'à endommager les focs du beaupré et un bossoir, faisant dégringoler une ancre contre la coque. Établies en ligne le long de la lisse de bastingage, des tuniques rouges épaulent leurs mousquets.

– Tous à terre ! hurle Brazil.

La pétarade éclate. Touchés, plusieurs pirates tressautent et s'écroulent sur le pont. Mary cherche Matthews des yeux et le découvre prostré devant la dunette, l'air hagard, pétrifié de terreur.

– Prends une arme et bats-toi ! lui crie-t-elle.

– Ton charpentier n'est pas un guerrier, rappelle Bonn. Si Barnet l'aperçoit avec un sabre à la main, il le fera pendre.

Les soldats jettent des passerelles entre les deux navires, puis ils se ruent sur le *Revenge*. Le sabre et un pistolet à la main, les deux femmes se relèvent.

– Rackham ! Brazil ! Jetez les hommes dans la mêlée !

Le capitaine et le bosco s'élancent sur l'ennemi en hurlant comme des possédés, entraînant leurs pirates derrière eux, mais leurs coups manquent de force et de précision. Sentant toute résistance inutile, certains rompent le combat et s'agglutinent devant la dunette, prêts à se rendre.

– Lâches ! Sacs à vin ! Pets de crapaud ! s'emporte Read.

Pour les forcer à repartir à l'assaut, elle tire sur eux. Sa balle traverse le bras d'un matelot et perce le cœur de celui qui se tient derrière lui.

– On ne peut compter que sur nous deux ! rage Bonny. Je préfère mourir l'arme au poing que la corde au cou.

Les pirates bataillent un instant pour empêcher les soldats de se répandre sur le navire. Ils ferraillent de tous côtés, se blessant eux-mêmes, tirant des coups de feu sans viser, touchant l'adversaire par hasard. Emportés par leur élan en abattant leur sabre, ils perdent l'équilibre et s'affalent sur les genoux après avoir fendu le vide. Le bras lourd, fatigué de manier son arme, Rackham lâche sa rapière, dégaine ses pistolets et les décharge sur les tuniques rouges. Alors, n'ayant plus que les mots pour paraître agressif, il libère sa hargne en un flot d'injures.

Entre-temps, les deux jeunes femmes ont gravi les haubans, et elles tranchent les cordages qui maintiennent les voiles et les poulies. Les toiles tombent, pareilles à des mantas[1], et enveloppent les combattants, dessous. Les poulies volent tels des oiseaux de fonte, menant au ras des têtes un étrange ballet de mort. Quelques-unes claquent dans les gueules, fracassent des crânes... Elles retardent plus sûrement l'invasion du *Revenge* que la ligne de défense des pirates. Brazil mort, Cole agonisant, Walter Rouse saignant de partout, Calico Jack terrassé par quatre solides gaillards, les flibustiers se laissent culbuter par la troupe de Barnet.

1. Raies pouvant atteindre 8 mètres d'envergure.

– Il en reste deux là-haut ! crie-t-il en désignant Ann et Mary.

Les mousquets crépitent en soulevant de la fumée bleue. Mais difficile d'atteindre les deux oiseaux qui se balancent au bout des drisses ! Des soldats se hasardent sur les bas haubans pendant que d'autres s'engouffrent par l'écoutille pour aller tirer les derniers pirates de la batterie.

Mary plonge, le sabre en avant. L'Anglais qui se retient aux enfléchures voit une forme voler vers lui. Il ouvre la bouche pour avertir ceux qui montent derrière lui, puis la garde béante de stupéfaction, plié en deux, une lame enfoncée dans le ventre. Il dégringole sur les suivants, les arrachant des cordages et les précipitant dans la mer ou sur le pont.

– Le mât ne tient plus qu'à un fil. Abattez-le ! ordonne Charles Barnet. Ces deux oiseaux nous tomberont dans la main quand ils ne sauront plus où se percher.

En quelques coups de hache, les soldats sectionnent les étais qui retiennent le mât déjà incliné en avant. Emportées par son poids, les vergues cassent, libérant la masse qui s'écrase sur le beaupré.

– C'est fini ! dit Barnet en collant le canon d'un fusil sur le front de Mary, comme elle s'extirpe d'un fatras de bois et de cordes.

– L'autre s'est jeté à la mer, signale son sous-officier, mais on est en train de le repêcher au crochet.

– Si tous les pirates s'étaient défendus comme ces deux-là, c'est nous qui serions à leur merci, reconnaît le capitaine. Mais ils puent tellement le vin que j'imagine aisément ce qu'ils ont fait de leur nuit.

– Une chance pour nous qu'ils aient attaqué ces Français. Si cela avait été une cargaison de chapeaux de Londres... !

– Une fois n'est pas coutume, aussi je crois que nous pouvons crier : Vive la France ! Grâce à son vin, nous allons prendre du galon.

Embarqués sur le *Morning Star*, les rescapés sont enchaînés à fond de cale, puis leur navire est incendié. Le chien de mer vire alors sur sa quille et s'offre au vent, cap sur la Jamaïque.

CHAPITRE 29

COUPABLES !

Santiago de la Vega, mercredi 16 novembre 1720

Recroquevillée dans un angle de sa cellule, Mary grelotte. De froid, entre ces murs humides. De peur aussi, car les rats partagent le cachot avec elle. Des rats aussi gros que des lapins, qui logent dans sa paillasse et qui se battent pour un croûton moisi.

– Je veux pas être bouffée par les rats... Je veux pas être bouffée par les rats... Je veux pas être bouffée... répète-t-elle sans arrêt.

Elle aimerait se blesser afin que la souffrance rejette au loin sa peur et fasse naître sur ses lèvres une chanson de son enfance, mais il n'y a rien de pointu dans la geôle, et les mots restent gelés dans sa tête, tout comme Willy, d'ailleurs, qui a enfin compris qu'à force de jouer l'homme, Mary a creusé sa tombe.

Des bruits de clés. Des voix. Des grilles qui grincent. Ça y est ! Des gardes viennent chercher les prisonniers. La jeune femme se lève, essaie de passer sa tête entre les barreaux.

– Bonn ! appelle-t-elle. Matthews ! Bonn ! Matthews !

– Ta gueule, vermine ! crache un soldat en décochant un coup de botte dans la grille. Le juge vous attend. Et Nicolas Laws n'est pas réputé pour sa clémence.

Bang ! Le marteau du juge ramène le silence. Entouré de la Cour, emperruqué jusqu'aux épaules, il ressemble à un corbeau dans sa toge noire, un de ces volatiles qui attendent sur la potence, avec des regards de rapace. Un greffier fait courir sa plume sur le papier alors qu'aucun mot n'a encore été prononcé. Une foule se presse derrière une barrière de bois. Elle vient de huer les pirates à leur entrée : hommes, femmes, riches, pauvres, Blancs, Noirs, Métis, tous confondus. C'est d'une même voix qu'ils ont lâché leur colère, pressés les uns contre les autres, unis contre la racaille de la flibuste, alors que certains mériteraient bien de figurer dans le carré des accusés.

Nicolas Laws rappelle les méfaits de John Rackham, son attaque contre les entrepôts de la compagnie Feak et Aldcroft, sa canonnade contre le palais du gouverneur, sa trahison envers Woodes Rogers, et tout le tort commis contre les colonies de Sa Très Gracieuse Majesté. Après quoi, Charles Barnet fait le récit de l'arrestation de la bande de Rackham, insistant sur la résistance farouche de Bonn et de Willy Read.

– Bien, bien, jubile Laws en se frottant les mains, leur sort est déjà réglé, à ces deux-là. Qu'avez-vous à dire pour votre défense ? demande-t-il aux pirates.

Calico Jack se lève, croise les bras et s'enferme dans un profond mutisme. Son silence, sa morgue indisposent. Les femmes détournent leurs regards.

« Celles qui ne baissent pas les yeux vont tomber raides mortes », pense Mary, retrouvant dans John Rackham, à cet instant, la vision du pirate qu'elle s'était toujours imaginé. « Tu es beau, John ! » lui lance-t-elle intérieurement.

Les hommes commencent à gronder.

– Si ce sont là les seuls arguments dont vous disposez pour vous justifier, ma tâche s'en trouve considérablement simplifiée, glousse le juge.

« Et de trois ! » songe-t-il avant de donner la parole à un membre de l'équipage. Si Bonn, Read, Rouse, Tupi et quelques-uns ne cherchent pas à minimiser leurs actes, acceptant d'avance leur condamnation, d'autres au contraire implorent le pardon de la Cour, expliquant qu'ils ne sont que de pauvres pêcheurs de tortues, enrôlés de force sur le *Revenge*. Qu'ils ne sont restés avec Rackham que par crainte d'être jetés aux requins. Et qu'ils ne se sont opposés que du bout des doigts aux soldats de Barnet. Dieu leur est témoin !

Laws hoche la tête en avançant une lippe dédaigneuse. Il n'aime pas les lâches, et ceux-là puent le fond de caleçon.

– Nous allons bien voir ce qu'en disent les Français, déclare-t-il.

Les naufragés sont introduits dans la salle du tribunal.

– Reconnaissez-vous les pirates qui vous ont assaillis ? leur demande-t-il avec un geste de la main pour désigner les forbans.

Tous sont unanimes. Ce sont bien ces fripouilles-là qui ont massacré une partie de l'équipage et mis le feu au navire. Et il n'y avait pas besoin de leur botter le derrière pour les pousser à l'ouvrage ! Sauf un, peut-être... Nicolas Laws se penche par-dessus son pupitre et regarde du côté des accusés.

– Lequel ? s'enquiert-il d'un ton grimpé au fausset, tout surpris qu'un innocent puisse se retrouver au milieu d'un tel panier de coquins.

– Celui-là ! lui indique-t-on en montrant Matthews le charpentier.

– Hon-hon ! fait le juge. Il devait être au canon.

– Je n'étais ni à la batterie ni à l'abordage, intervient Matthews.

Puis il se tait quand tous les regards pèsent sur lui.

– Je vous écoute, reprend l'homme de loi. Vous n'avez pas encore parlé devant la Cour.

La main de Mary se pose sur la sienne et la presse pour l'encourager à se défendre. Lorsqu'il s'approche de la barre, la jeune femme ferme les yeux pour s'isoler, pour ne plus voir la face du juge ni la tête des oiseaux de proie comprimés derrière la barrière. Elle n'écoute pas le récit de son amoureux, juste le son de sa voix. Une voix qui traîne un peu, grave et chaude, moelleuse comme une coulée de sève. Elle sait que c'est la dernière chose qu'elle conservera de lui. Ann la tire par la manche et lui glisse à l'oreille :

– Oublie-le, c'est un couard ! Il va te laisser monter seule sur l'échafaud.

– Matthews n'est pas un pirate ! claironne Mary, ignorant la remarque de Bonn. Nul n'a jamais pu le contraindre à attaquer son prochain. Nous avions d'ailleurs l'intention de le débarquer à Hispaniola.

Les yeux de la salle s'ancrent sur elle.

– Je ne vous ai pas autorisé à parler, Willy Read ! tonne Laws en abattant son poing sur le pupitre.

– J'intercède en faveur d'un innocent, Excellence ! repartit-elle. Si cela peut contribuer à sauver mon âme...

– N'y comptez pas trop ! grogne le juge pour avoir le dernier mot. Avant que la Cour ne se retire pour délibérer, l'un d'entre vous a-t-il encore quelque chose à alléguer pour sa défense qui puisse empêcher sa condamnation ?

À la surprise générale, Bonn lève la main. Elle avance à

la barre puis se tourne vers Rackham pour lui adresser une supplique muette. Celui-ci lui répond par un petit signe de la tête.

– Eh bien ? s'impatiente Nicolas Laws.

– Mon vrai nom est Ann Bonny, et voilà Mary Read ! Nous sommes femmes et enceintes. Toutes les deux !

Les bouches s'ouvrent, les yeux s'écarquillent, des hoquets de stupéfaction secouent l'assistance, le greffier en laisse tomber sa plume. Ann dénoue les lacets de sa chemise, et la rabat jusqu'à la taille. Debout derrière elle, les hommes manquent renverser la barrière pour aller voir. Les pirates eux-mêmes n'en croient pas leurs yeux. Mary se contente de retirer sa queue-de-rat. Ses cheveux encadrent aussitôt un visage de fille. Le juge frappe son pupitre à coups de marteau pour rétablir le calme, mais en vain. Les hommes sifflent, tapent des pieds... Les femmes, plus méchantes, véritables mégères, insultent Ann et Mary, les traitant de sorcières, de paillardes, de ribaudes, de chiennes... ! Elles sauteraient bien la barrière pour aller leur crever les yeux et leur arracher la peau avec les ongles. Il y a là des mères, des épouses, des vicieuses sous cape, toutes resplendissantes d'honorabilité. Il faut l'intervention des gardes pour jeter ces furies à la porte et restaurer un semblant d'ordre.

Nicolas Laws remet sa perruque d'aplomb, puis il sort de la salle avec les commissaires.

– Je ne me fais guère d'illusions, murmure Mary à Ann. Les dames de Santiago de la Vega veilleront à ce qu'on nous passe la corde au cou.

– Nous avons un atout, rappelle Bonny. L'enfant qui grandit dans notre ventre. Tu as tenté de sauver la vie de Matthews, le fruit de son amour sauvera peut-être la tienne.

– Si le Diable joue contre nous, notre atout ne vaut

rien. Et c'est deux vies qu'on soutirera à chacune d'entre nous.

Mary s'aperçoit à ce moment que Matthews la regarde. Elle lui adresse un pauvre sourire, puis se pose un doigt sur la bouche afin de lui faire comprendre qu'il ne doit pas annoncer qu'il est le père de l'enfant.

Nicolas Laws en tête, la Cour revient peu après. Elle s'installe, goûte le silence impressionnant qui affole les cœurs, puis le juge ordonne aux accusés de se lever pour prendre connaissance du verdict.

– La Cour, ayant considéré le cas des prisonniers, les déclare coupables de piraterie et de félonie, et elle les condamne à la pendaison jusqu'à ce que mort s'ensuive !

Mary veut répliquer, mais la main de Bonn lui serre le bras à la faire crier.

– Ce n'est pas fini, chuchote-t-elle pendant que les gens applaudissent dans leur dos.

– S'étant penchée sur le cas particulier dudit Matthews, poursuit Laws, la Cour estime qu'il est victime de son art, les pirates ne l'ayant enrôlé que pour disposer d'un charpentier à bord. Par conséquent, elle prononce son acquittement.

Nouveaux applaudissements mêlés de sifflets. Mary a envie de pleurer de gratitude.

– Quant aux deux femmes, prétendument grosses...

Les respirations s'arrêtent. Vont-elles gigoter au bout d'une corde, elles aussi ? Certains l'espèrent. Quel spectacle, alors ! Des femmes, bon Dieu, des femmes ! Ce sera bien la première fois !

– ... la Cour les a reconnues coupables des crimes qui leur sont imputés et prononce donc une sentence de mort à leur encontre. Cependant, elle ordonne que ces deux cas soient à nouveau examinés par un jury nommé à cet effet, qui décidera de la suite à donner à son jugement.

Les oreilles bourdonnantes, Mary ne comprend pas très bien.

– Ça veut dire qu'on va mourir ou non ? demande-t-elle à Ann Bonny.

– Ça veut dire qu'on n'aura plus à s'expliquer en tant que pirates, mais en tant que femmes.

*
* *

Mary grelotte. Où qu'elle se déplace dans sa geôle, elle sent un courant d'air. Frais le jour, il devient glacial la nuit, à filer entre les couloirs de pierre, qui sentent le moisi. Un vieux rat, plus hardi que les autres ou dépêché par eux, est venu renifler la jeune femme, mais il s'est reçu un bon coup de pied qui l'a envoyé bouler, et depuis pas un ne revient tourner autour d'elle.

La lueur du jour se décide tout à coup à filtrer par une haute lucarne. Une lumière grise, comme si les détenus n'avaient pas droit aux rayons dorés de l'aurore. Mary frissonne. Elle n'a pas souvenir d'avoir dormi cette nuit. Tout au plus une vague somnolence hérissée de réveils brutaux, quand les cris des harpies éclataient à nouveau dans ses rêves, ou que la face de corbeau de Nicolas Laws se mettait à danser dans sa tête. « Parmi toutes ces femmes qui voulaient nous écharper, combien étaient poussées par la jalousie, par un désir fou de nous ressembler, mais que la vie a sagement rangées dans l'ombre de leur mari ? Ann et moi représentions ce qui est caché en elle, ce qui ne doit jamais sortir au grand jour... Matthews épousera-t-il une drôlesse de ce genre ? Il sait à présent que je porte un enfant de lui, et qu'il nous a perdus tous les deux. Le mieux est qu'il nous oublie. Je suis passée comme un éclair dans sa vie. Pour moi, c'est différent :

Matthews m'a fait Mary. Mary à tout jamais ! Tu n'existes plus, Willy. Ma grossesse t'a enfoncé sous terre une bonne fois pour toutes. C'est mon corps de fille qui m'a sauvée. »

Le couloir s'anime. Des grilles s'ouvrent. Les pirates sont extraits de leur basse-fosse. Par faveur spéciale, John Rackham a la permission de rendre une ultime visite à Ann Bonny dont la cellule jouxte celle de Mary. Qu'a-t-il à dire, le bougre, avant d'être pendu ? Embrasser Bonny et déposer un baiser sur son ventre ? La jeune femme s'approche de la grille, ferme les yeux et écoute, en imaginant que c'est Matthews qui vient la voir, elle. Les mots des deux amants ne franchissent pas l'espace du cachot, tant ils sont murmurés. Tout juste surprend-elle une réplique d'Ann quand celle-ci répond à Calico Jack :

– Je suis navrée de te voir en cet état, mais si tu t'étais battu en homme, tu n'aurais pas à mourir comme un chien !

Les soldats le remmènent. Puis le silence. Mary a envie d'appeler son amie, mais elle n'en fait rien. Le silence est habit de deuil. Plus tard, quand on vient lui servir une bouillasse censée être un repas, elle interroge le gardien.

– John Rackham et une partie de sa bande ont été pendus à Gallows Point, à l'entrée de Port-Royal, lui apprend-il. Les autres seront exécutés demain à Kingston. Quant à toi et à l'autre bougresse, vous repasserez en jugement dans une dizaine de jours.

Ainsi c'est fait ! Calico Jack tire désormais la langue aux passants. La Mort est arrivée en courant. Jugé le 16, pendu le 17. « Au moins, il n'aura pas eu le temps de prendre froid », songe Mary en serrant autour d'elle une couverture rongée par les rats.

*
* *

Lundi 28 novembre. Cela fait dix jours que John Rackham a été décroché pour être rependu, enchaîné, à la pointe de Plumb, un passage obligé pour tout navire se rendant à Kingston. Il grince dans le vent, et les mouettes le picorent à cœur joie.

Mary tremble de tous ses membres. Prostrée contre la grille, les jambes repliées contre la poitrine, elle n'arrive pas à se défaire de cette horrible sensation qu'un doigt est encore à l'intérieur d'elle, à la fouiller pour déterminer si elle est vraiment enceinte. Cela s'est passé il y a une heure à peine. Une vieille Indienne, ridée comme un fruit desséché, a poussé un doigt osseux au fond d'elle. Elle a palpé, fait la moue, froncé les sourcils, puis elle a déclaré à l'homme qui l'accompagnait, avec un sourire de fouine, que la fille était grosse. De quatre mois, au toucher.

– Ann !... Ann !...

La voix de Bonn lui répond. C'est terrible, une voix qui n'a plus de visage. Les deux jeunes femmes vivent côté à côte, mais elles ne se voient plus.

– Je crois qu'elle m'a fait mal, l'autre...

– C'est qu'une impression, la rassure son amie. Elle m'a explorée, moi aussi. L'important est qu'elle ait trouvé le fruit en nous.

– Je crois que je suis malade. J'ai de la fièvre. Je grelotte et je transpire en même temps.

– On va nous sortir d'ici aujourd'hui. Le garde-chiourme a annoncé que le procès allait reprendre. Le soleil te fera du bien.

Le soleil ! Il fait cligner des yeux quand les deux femmes sortent de la prison et sont conduites en charrette vers le tribunal. Des gens les insultent au passage, leur crachent dessus, leur jettent des fruits pourris. Mary se souvient de l'arrivée de William Kidd, dans une carriole semblable, sur le dock des Exécutions, à Londres. « C'est si loin, se dit-elle. Et pourtant... »

– Quel âge as-tu ? demande-t-elle à Ann, à brûle-pourpoint.

– Trente ans bientôt, répond Bonny, surprise par la question. Et toi ?

– Vingt-huit. Tu crois que c'est un bel âge pour mourir ?

– Nous avons vu et vécu plus de choses que la plupart des bécasses qui nous conspuent, mais c'est trop tôt, Mary. C'est toujours trop tôt.

Le marteau de Nicolas Laws frappe le pupitre à coups redoublés. C'est son habitude, à Laws, de jouer du heurtoir plutôt que de parler, mais c'est la fonction qui veut ça. La salle est comble, et il y a encore des gens, à l'extérieur, qui poussent pour entrer.

Le juge commence par la lecture du rapport confirmant la grossesse des deux femmes.

– Savez-vous au moins qui est le père ? questionne-t-il avec une moue de dédain.

– Nous ne sommes pas des catins ! s'offusque Mary.

– Dois-je rappeler qu'Ann Bonny est l'épouse légitime de James Bonny ? Et qu'elle a quitté son mari pour suivre un pirate ?

– Savez-vous ce qu'est l'amour, Excellence ?

La réplique d'Ann provoque une vague de ululements que seuls les *bang ! bang !* du maillet parviennent à éteindre.

– Et vous, savez-vous que vous êtes une femme adultère, et que l'adultère est puni par la loi ?

– Je ne regrette rien ! assène Bonny. L'enfant que je porte est un enfant de l'amour. Son père est John Rackham. Vous l'avez déjà rendu orphelin.

– Pas si vite, sourit Laws. Le jury n'a pas encore pris sa

décision, vous concernant. Et vous, Mary Read, allez-vous aussi nous annoncer que Calico Jack est le père ?

– Non. Je ne me suis jamais livrée à des amours dépravées. Mon époux est un honnête homme qui réprouve les actes de piraterie. Nous étions tous deux résolus à quitter le navire à la première occasion pour nous appliquer à une vie honorable.

– Êtes-vous donc mariée ? s'étonne le juge. Read est-il le nom de votre époux ?

– Nous avions l'intention de nous unir maritalement tout prochainement. Mon homme était descendu à terre avec deux compagnons quand le *Morning Star* nous a attaqués, ment-elle pour que personne ne puisse se douter qu'il s'agit de Matthews le charpentier. Mais je tairai son nom afin qu'il puisse reconstruire sa vie.

– Cela vous honore, reconnaît Nicolas Laws comme des applaudissements crépitent de derrière la barrière. Néanmoins, vous êtes pirate, et pas des plus mièvres. Charles Barnet nous a raconté de quelle façon vous l'avez accueilli sur le *Revenge*. Ce n'est pas ainsi que l'on imagine la vie normale d'une femme.

– Il n'y a pas de vie normale, rétorque Mary. Y a que la vie tout court ! Faut faire avec ! Je n'ai pas eu le choix. J'ai été enrôlée de force.

– Mais après ? insiste le juge. Rien ne vous obligeait à devenir une furie des mers. Vous n'aviez donc pas peur de la potence ?

– Non. La potence n'est pas une peine trop sévère, parce que si elle n'existait pas, si la crainte du gibet ne retenait pas dans la bonne voie un certain nombre de fripons qui, sur terre, volent la veuve et l'orphelin, tous les coquins du monde se feraient pirates et infesteraient les mers. Et l'on ne ferait pas la différence entre eux et les hommes courageux. Les vrais gens de cœur ne redoutent pas d'affronter à la fois l'ennemi et le gibet.

– Détrompez-vous ! Je peux vous certifier que la vue de la corde a fait flancher plus d'un forban, et qu'il a fallu que les soldats se mettent à plusieurs pour les traîner sur l'échafaud.

– Vous ne nous verrez pas faillir, soutient Mary en prenant Ann par l'épaule.

– Je vous attends le moment venu. Le jury a-t-il décidé de prononcer un autre jugement que celui édicté par la Cour le 16 novembre dernier ?

– Non, répond un homme en se levant. La culpabilité des deux femmes est toujours évidente.

– Bien ! Dans ce cas la sentence demeure identique, à savoir la mort par pendaison. Mais l'exécution est repoussée jusqu'à la naissance des enfants. Durant tout ce temps, Ann Bonny et Marie Read seront maintenues en prison.

Bang ! Le coup de marteau scelle la fin du procès.

On se bouscule à la sortie, on veut raccompagner les deux pirates à la prison en courant derrière la charrette. Les femmes se tordent les chevilles à soutenir l'allure, hurlant qu'il faut brûler les deux sorcières, ces femelles à Démon, et leur fruit avec elles ! Des soldats montent dans la carriole pour protéger les condamnées des jets de pierres.

– Je tremble de tous mes membres, dit Mary, et ma tête sonne comme un tambour.

– C'est à cause de ces folles ! Leur hargne fait peur ! Appuie-toi sur moi ! Ça ira mieux une fois de retour dans le silence des pierres.

*
**

Mais l'état de Mary ne s'améliore pas. Sa faiblesse est telle qu'elle s'est écroulée sur sa paillasse et qu'elle laisse les rats courir sur elle. La jeune femme n'a même plus la force d'avoir peur. Le médecin tarde. Mais le garde l'a-t-il seulement prévenu ?

– Puisque je suis désormais reconnue comme femme, c'est certainement Willy qui se décompose en moi, bredouille-t-elle à haute voix pour se donner encore l'impression d'exister. Tu avais aussi soif que moi, Willy, quand tu es mort la première fois ?

Soif ! L'eau qu'on lui donne ne suffit pas. Alors, quand la sécheresse de sa gorge devient intolérable, elle se traîne sur le sol et va coller ses lèvres sur les dalles humides. Elle préfère cette eau-là à ses gouttes de transpiration, aussi salées que des larmes.

Ann l'appelle à travers les murs. Elle lui parle sans arrêt, exigeant d'elle des réponses pour l'obliger à s'accrocher à la vie.

Le gardien revient enfin avec un escogriffe à bésicles, un coffret à médicaments sous le bras. Le médecin entre dans la cellule, examine succinctement la jeune femme et diagnostique une fièvre maligne. Une de celles qui vous emportent un cheval en un rien de temps. Il lui fait boire quelque remède à base de quinquina, et déclare que, de toute façon, la prisonnière ne passera pas la nuit.

– C'est un prêtre qu'il lui faut, c'est trop tard pour les herbes.

Mary secoue la tête. Non, non, pas de prêtre ! Ni Dieu ni roi dans la flibuste !

– C'est Ann que je veux... Ann... Ann...

– Je ne peux rien décider tout seul, se défend le geôlier.

– Alors cours demander au commandant ! Remue-toi, bon à rien ! Fainéant ! crie Bonny de sa cellule.

Le médecin ressort avec lui. Peu après, le garde-chiourme permet aux deux femmes de se retrouver, et il leur laisse un récipient plein d'eau. Ann déchire un pan de sa chemise, et elle s'en sert pour bassiner le front et les joues de son amie.

– J'aurais préféré la corde, souffle Mary. La mort aurait été plus rapide qu'avec cette maudite maladie. Mon enfant ne naîtra pas, se désole-t-elle. Et toi, auras-tu l'occasion de profiter du tien ?

– La colère des habitants va retomber avec le temps. Le bébé peut me sauver.

– Rackham est mort, Matthews est vivant... Tu vis mais je vais mourir... Nos couples n'existent plus. Nous n'étions heureuses que sur la mer.

– C'est vrai, approuve Ann, la terre n'est pas pour nous.

– Je voudrais dormir, dit Mary. Fermer les yeux et être ailleurs. J'ai tant de nuits à rattraper.

– Je vais me taire...

– Non, j'ai besoin d'entendre ta voix. Elle sera pour moi le ressac de la mer. Tiens-moi la main.

Les doigts s'agrippent. Read sent la force de Bonn. Elle est comme un grappin fiché dans un bordage. C'est bien, ainsi, la jeune femme n'a pas la sensation de tomber dans un trou lorsqu'elle abaisse ses paupières. Ann se met à parler. Le sens de ses phrases n'a pas d'importance, c'est la musique de ses mots qui compte. Des sons qui ondulent, deviennent des crêtes de vagues, un mouvement d'océan. Un navire entaille le flot de son étrave. C'est un beau navire, tout rutilant de l'or du soleil dans ses voiles. Le *Mary* ! La petite fille de l'île de Sheppey, qui attendait sur la plage un papa qui n'était pas le sien, possède enfin un vaisseau tout à elle. Campée derrière la roue du gouvernail, elle vogue en suivant un vol d'albatros. Droit devant. Loin des terres. À la recherche des tempêtes.

Un long frisson glacé descend en elle et lui serre le cœur.

Ce n'est rien, c'est le vent qui saute. Une chanson revient toute seule du fond de sa mémoire :

Quand trois bateaux s'en vont sur l'eau
Le premier part pour Saint-Malo
Le deuxième pour Maracaibo
Et le dernier...

Mary s'endort. Mary est morte.

Sa légende peut commencer.

NOTE

« Ann Bonny fut gardée en prison tout le temps que dura sa grossesse. Puis il fut sursis à son exécution, et l'on ne sait trop ce qu'il advint d'elle par la suite. Tout juste peut-on en déduire qu'elle eut le bonheur de n'être point pendue. »

Daniel DEFOE[1]

Mary Read, Ann Bonny et John Rackam ont réellement existé. Si la fièvre n'avait pas emporté Mary dès son retour du tribunal à la prison, il est possible qu'on lui eût fait grâce, à l'instar de son amie Ann Bonny. Le premier à avoir raconté leur histoire est Daniel Defoe, sous le pseudonyme de Capitaine Johnson, dans un ouvrage publié en 1726.

1. *Histoire générale des plus fameux pyrates*, tome 1 : « Les Chemins de fortune », Phébus.

GLOSSAIRE

LE GRÉEMENT ET LES VOILES

Cacatois : voiles placées en haut des mâts.

Focs : voiles triangulaires à l'avant du navire.

Huniers : voiles carrées situées au-dessus des basses voiles.

Perroquets : voiles situées au-dessus des huniers.

Ris : chacune des bandes horizontales des voiles qu'on peut replier au moyen de lacets appelés *garcettes*.

Mât d'artimon : mât placé à l'arrière du navire.

Mât de beaupré : mât incliné à l'avant du navire.

Mât de misaine : mât placé à l'avant du navire.

Voiles de misaine et d'artimon : voiles situées à l'avant (« de misaine ») et à l'arrière (« d'artimon ») du navire.

LES CORDAGES

Drisses : cordages qui servent à hisser les voiles.

Écoutes : cordages qui servent à orienter les voiles.

Enfléchures : échelons tendus entre les haubans pour monter dans la mâture.

Étais : gros cordages qui maintiennent les mâts.

Haubans : cordages et câbles qui soutiennent les mâts du navire.

LES MANŒUVRES

Amener les voiles : les descendre.

Bâbord amures : le navire reçoit le vent par la gauche.

Border plat : aplatir une voile en tendant les écoutes (voir *Les Cordages*) au maximum.

Carguer en fanon (voile) : une partie seulement de la voile est tendue.

Choquer : donner du mou.

Donner de la gîte : s'incliner sur un bord.

Embraquer : tendre une voile.

Enverguer : attacher une voile à sa vergue.

Être vent debout : être face au vent.

Ferler une voile : la remonter pli par pli.

Mettre en cape sèche : remonter toutes les voiles.

Naviguer au bas ris : toutes les bandes de la grand-voile sont repliées pour réduire la surface exposée au vent.

Prendre la cape : diminuer la vitesse en remontant des voiles.

Tribord amures : le navire reçoit le vent par la droite.

Virer vent debout : virer de bord avec le vent de face (s'oppose à virer lof pour lof, c'est-à-dire avec le vent arrière).

LES ÉLÉMENTS DU NAVIRE

Bossoirs : grosses pièces saillant à bâbord et à tribord, servant à la manœuvre des ancres.

Cabillots : chevilles en bois auxquelles sont fixés les cordages.

Coupée : ouverture dans la muraille d'un navire qui permet l'entrée ou la sortie du bord.

Dunette : plate-forme surélevée à l'arrière du navire, sous laquelle se trouvent les cabines des officiers.

Écubier : ouverture à l'avant du navire, par où passe la chaîne de l'ancre.

Échelle de coupée : échelle de corde servant à monter à bord d'un navire.

Écoutille : ouverture permettant de rejoindre l'entrepont.

Épontille : colonne verticale soutenant un pont.

Faux pont : plancher inférieur de l'entrepont.

Gaillard d'arrière : voir plus bas « pont de dunette ».

Hune : plate-forme sur les mâts qui sert à maintenir l'écartement des haubans et qui sert de lieu de repos aux gabiers. La hune de vigie est un poste d'observation.

Pavois : partie du bordage située au-dessus du pont.

Pont de dunette (ou gaillard d'arrière) : partie du pont supérieur située à l'arrière (à la poupe).

Pont de gaillard d'avant : partie du pont supérieur située à l'avant (à la proue).

Sabords de décharge : ouvertures pratiquées dans les parois pour l'évacuation de l'eau embarquée sur le pont.

Tillac : pont supérieur.

Vaigre : planche du bordage intérieur.

QUELQUES INSTRUMENTS CONCERNANT LA BATTERIE

Barre d'anspect : barre servant à déplacer un canon en agissant sur ses roues.

Écouvillon et refouloir : longue hampe dont une extrémité est munie d'une brosse pour nettoyer et graisser l'âme d'un canon (l'écouvillon) et l'autre d'un cylindre pour tasser la charge de poudre dans le canon (le refouloir).

Gargousse : enveloppe cylindrique contenant la poudre à canon.

QUELQUES NOMS D'ÉQUIPAGE

Bosco : maître d'équipage.

Gabier : matelot chargé de l'entretien et de la manœuvre des voiles.

Quartier-maître : premier grade au-dessus de celui de matelot.

ALAIN SURGET

Après avoir longtemps navigué en Lorraine, l'auteur s'est ancré dans les Hautes-Alpes, où ses chères montagnes sont autant de vagues géantes hérissées vers le ciel. Il a écrit plus d'une centaine de romans, et, depuis une dizaine d'années, ce sont souvent des héroïnes qui tiennent la barre de ses récits et qui l'entraînent dans le remous de leurs aventures. *Mary Tempête* en est un bel exemple.

TABLE DES MATIÈRES

PREMIÈRE PARTIE

MARY GARÇON

DEUXIÈME PARTIE

MARY LA GUERRE

TROISIÈME PARTIE

MARY PIRATE

Loi n° 49-956 du 16 juillet 1949
sur les publications destinées à la jeunesse

CET OUVRAGE
A ÉTÉ ACHEVÉ D'IMPRIMER
SUR ROTO-PAGE
PAR L'IMPRIMERIE FLOCH
À MAYENNE EN NOVEMBRE 2007

N° d'éd. L.01EJEN000126.B002. N° d'impr. 69686.
D. L. : mai 2007.